Hochschultext

Harald Schrödter

Wetter und Pflanzenkrankheiten

Biometeorologische Grundlagen
der Epidemiologie

Mit 18 Abbildungen

Springer-Verlag
Berlin Heidelberg New York
London Paris Tokyo

Dipl.-Met. Dr. rer.nat. HARALD SCHRÖDTER

David-Mansfeld-Weg 7
D-3300 Braunschweig

ISBN 3-540-17920-8 Springer-Verlag Berlin Heidelberg New York
ISBN 0-387-17920-8 Springer-Verlag New York Berlin Heidelberg

CIP-Kurztitelaufnahme der Deutschen Bibliothek. Schrödter, Harald: Wetter und Pflanzenkrankheiten : biometeorolog. Grundlagen d. Epidemiologie / Harald Schrödter. – Berlin ; Heidelberg ; New York ; London ; Paris ; Tokyo : Springer, 1987.
(Hochschultext)
ISBN 3-540-17920-8 (Berlin ...)
ISBN 0-387-17920-8 (New York ...)

Die Wiedergabe von Gebrauchsnamen, Handelsnamen, Warenbezeichnungen usw. in diesem Werk berechtigen auch ohne besondere Kennzeichnung nicht zu der Annahme, daß solche Namen im Sinne der Warenzeichen- und Markenschutz-Gesetzgebung als frei zu betrachten wären und daher von jedermann benutzt werden dürften.

Produkthaftung: Für Angaben über Dosierungsanweisungen und Applikationsformen kann vom Verlag keine Gewähr übernommen werden. Derartige Angaben müssen vom jeweiligen Anwender im Einzelfall anhand anderer Literaturstellen auf ihre Richtigkeit überprüft werden.

Druck- und Bindearbeiten: Druckhaus Beltz, 6944 Hemsbach/Bergstr.
2131/3130-543210

Die jährlichen Verluste durch Pflanzenkrankheiten sind noch immer so
hoch, daß sie angesichts der Ernährungsprobleme vor allem der Länder
der Dritten Welt nicht ohne weiteres hingenommen werden können, woraus
sich der hohe Stellenwert des Pflanzenschutzes bei der Erzeugung von
Nahrungsmitteln ergibt. Wenn daher auch den Pflanzenschutzmaßnahmen
eine entscheidende Rolle bei der Steigerung der Produktivität und Ren-
tabilität der Landwirtschaft zukommt, so ist doch nicht zu übersehen,
daß chemischer Pflanzenschutz nicht beliebig verstärkt werden kann,
ohne die Grenzen der Belastbarkeit des Ökosystems zu überschreiten.
Andererseits kann es aber auch keinen Zweifel darüber geben, daß die
Ernährung der ständig wachsenden Weltbevölkerung ohne chemischen Pflanzenschutz nicht sichergestellt werden kann, da es nach dem heutigen
Stand der Erkenntnisse nicht möglich erscheint, nichtchemische Ersatz-
verfahren zu entwickeln, welche z.B. den Einsatz von Fungiziden völlig
entbehrlich machen. Zudem gibt es keine verläßlichen Daten darüber, mit
welchen Ertragsausfällen gerechnet werden müßte, wenn auf solche Mittel
gänzlich verzichtet würde. Grobe Schätzungen bewegen sich zwischen 50%
und 70%, bei Intensivkulturen sogar bis fast 100%. Die darüber hinaus
zu erwartenden ökonomischen Auswirkungen sind überhaupt nicht zu über-
schauen.

Wenn aber auf chemischen Pflanzenschutz nicht völlig verzichtet werden
kann, dann ist es um so wichtiger, alle Anstrengungen zu unternehmen,
um seinen Einsatz zu begrenzen und so zu steuern, daß gesundheitliche
Risiken durch das Eindringen giftiger Substanzen in die Ernährungs-
zyklen ausgeschlossen sind und die Belastungen für die Umwelt auf ein
vertretbares Minimum reduziert werden. Aufgabe der Epidemiologie als
quantitative ökologische Arbeitsrichtung der Pflanzenpathologie ist es,
mit der Untersuchung der Dynamik der Erreger- und Wirtspopulationen
unter dem Einfluß von Umweltfaktoren und anthropogenen Eingriffen die
Voraussetzungen hierfür zu schaffen. Aus der Tatsache, daß nicht nur
Wachstum und Entwicklung der Kulturpflanzen, sondern auch die Erreger

von Pflanzenkrankheiten in nahezu ihrem gesamten Lebenszyklus von meteorologischen Faktoren abhängig sind, ergibt sich die biometeorologische Arbeitsrichtung innerhalb der Epidemiologie, deren Bemühungen
darauf gerichtet sind, diese Abhängigkeiten zu klären und zu quantifizieren. Dabei kommt es darauf an, das System Wirt-Parasit-Umwelt als
einen ökologischen Komplex aus vielfach verketteten Teilsystemen zu
verstehen, in seinen Strukturen und Funktionen zu analysieren und in
geeigneten Modellen abzubilden, die es ermöglichen, das Verhalten des
Systems hinsichtlich seiner Reaktion sowohl auf Krankheiten als auch
auf phytosanitäre Maßnahmen zu studieren und die gewonnenen Erkenntnisse in praktische Verfahren für das Pflanzenschutzmanagement umzu-
setzen. Der Entwicklung von Epidemieprognosen kommt dabei eine heraus-
ragende Bedeutung zu, zumal sie mit ihrer Einbindung in ein Gesamt-
konzept zur Entwicklung von Systemen des integrierten Pflanzenschutzes
einen Ausweg bieten aus dem Spannungsfeld zwischen Ökonomie und Ökologie.

Anliegen dieses Buches ist es daher, eine zusammenfassende Darstellung
der für die Epidemiologie wie für den anwendungsorientierten Pflanzenschutz wichtigen biometeorologischen Grundlagen zu geben. Hierbei wird
bewußt unter Heranziehung auch älterer Literatur immer wieder auf die
historische Entwicklung der Forschung auf diesem Gebiet eingegangen,
da nur aus deren Kenntnis heraus die für weitere entscheidende Fortschritte notwendigen tieferen Einsichten zu gewinnen sind. Ausgehend
von den allgemeinen Aspekten der Beziehungen zwischen Klima, Wetter und
Mikroklima einerseits und Pflanzenkrankheiten andererseits wird zunächst der Einfluß der wichtigsten meteorologischen Parameter auf die
Erreger- und Krankheitsentwicklung ausführlich und unter verschiedenen
Aspekten behandelt und auf einige statistische Methoden zur Ermittlung
und Beurteilung der Faktorwirkungen eingegangen. Ein eigenes Kapitel
ist der Erregerausbreitung durch Wind und Turbulenz gewidmet, wobei
Theorien älterer Art wegen ihrer leichteren Verständlichkeit für den
physikalisch und mathematisch weniger vorgebildeten Leser bevorzugt
wurden. Ausführlich wird schließlich auch die Problematik der Epidemieprognosen auf biometeorologischer Grundlage behandelt und an praktischen Beispielen näher erläutert. Dabei wird auch auf die besonders
wichtige Entwicklung dynamischer Modelle und Simulatoren und umfassen-
derer Modellsysteme eingegangen. Nach Erläuterung einiger aus der praktischen Anwendung sich ergebender Probleme wird schließlich auf die
ökonomische und ökologische Bedeutung der Biometeorologie im Rahmen
des Pflanzenschutzes hingewiesen.

Das Buch wendet sich gleichermaßen an Studenten, Wissenschaftler und praktisch tätige Fachleute der Pflanzenpathologie, der Meteorologie, der Land- und Forstwirtschaft, des Obst-, Wein- und Gartenbaus und des Pflanzenschutzes, aber auch der Biologie, der Ökologie und des Natur- und Umweltschutzes. Den Studierenden soll es einen Einblick geben in die so vielgestaltige Problematik der Beziehungen zwischen Wetter und Pflanzenkrankheiten und damit auch zwischen Biometeorologie und Epidemiologie. Den Wissenschaftlern und Praktikern soll es helfen, in der zwingenden Notwendigkeit einer interdisziplinären Zusammenarbeit sowohl bei der Forschung zur Erweiterung des anwendungsorientierten Grundlagenwissens als auch bei der Umsetzung der Erkenntnisse in die Praxis des Pflanzenschutzes zu einem besseren gegenseitigen Verständnis zu kommen, und dies vor allem im Interesse des für die Zukunft immer wichtiger werdenden Ausgleichs zwischen ökonomischen Zwängen und ökologischen Erfordernissen.

INHALTSVERZEICHNIS

Pflanzenkrankheiten der verschiedensten Art treten an nahezu allen Kulturpflanzen auf und verursachen alljährlich trotz hoher Aufwendungen für ihre Bekämpfung erhebliche Ertragsverluste. Diese Tatsache gewinnt insofern zunehmende Bedeutung, als angesichts der noch immer kaum gebremsten Zunahme der Weltbevölkerung das Problem einer ausreichenden Nahrungsmittelversorgung der Menschheit immer schwieriger zu lösen sein wird, insbesondere im Hinblick auf die Ernährungssituation in den unterentwickelten Ländern der Erde. Hier waren nach Schätzungen der Weltbank schon Mitte der 70er Jahre rund 500 Millionen Menschen unterernährt, und ihre Zahl dürfte bis zum Beginn des 21. Jahrhunderts auf mindestens 1,3 Milliarden steigen.

Dem steht gegenüber, daß bis zum Jahre 2000 die landwirtschaftlich genutzte Fläche um kaum mehr als 4% erhöht werden kann, da der größte Teil des zur Nahrungsmittelproduktion geeigneten Bodens bereits bewirtschaftet wird. Dies wiederum bedeutet, daß ein Hektar anbaufähigen Landes, der um 1970 im Durchschnitt 2,5 Menschen ernährte, im Jahre 2000 für mindestens 4 Menschen die Nahrungsmittel liefern muß, was nur durch eine Intensivierung der Bewirtschaftung unter erhöhtem Einsatz von Produktionsmitteln möglich erscheint. Verschiedene Prognosen bezweifeln allerdings, daß sich die Nahrungsmittelproduktion schnell genug erhöhen kann, um den wachsenden Bedarf im tatsächlich notwendigen Umfang zu befriedigen, nicht zuletzt wegen des zunehmenden Drucks auf das Land, d.h. auf den Boden als die entscheidende landwirtschaftliche Ressource.

Dieser Druck auf den Boden geht ja nicht nur von dem Zwang zur Steigerung der Produktivität je Einheit der Bodenfläche aus, sondern vor allem auch von dem Verlust an landwirtschaftlich nutzbarer Fläche durch Urbanisation und Suburbanisation, d.h. durch Wachstum der städtischen Bevölkerung und damit Ausdehnung der Siedlungsflächen, der Industrieflächen, der Flächen für Straßenbau etc. Allein in der Bundesrepublik Deutschland sind durch diese Entwicklung in den letzten Jahrzehnten im

Mittel täglich 105 ha landwirtschaftliche Nutzfläche verlorengegangen, wodurch die Landwirtschaft gezwungen war, auf immer kleiner werdender Fläche immer mehr Nahrungsmittel zu erzeugen unter enormen Anstrengungen zur Rationalisierung und Mechanisierung des Produktionsablaufs. Im Wirtschaftsjahr 1953/54 erforderte die Bewirtschaftung von 100 ha Getreidefläche noch 13,8 Vollarbeitskräfte, 1970/71 waren es nur noch 5,7, während der Sachaufwand in dieser Zeit von 586 DM/ha auf rund 2000 DM/ha anstieg, also eine starke Substitution von Arbeitskraft durch Kapital erfolgt ist.

Noch deutlicher wird das Problem des Bodenverlustes durch die zunehmende Urbanisation, wenn man sich vor Augen führt, daß im 19. Jahrhundert nur rund 4 Stadtbewohner von einem Bauern versorgt wurden, während es heute 42 sind und zu Beginn des 21. Jahrhunderts 65 sein werden. Bis dahin aber wird die Ausdehnung der Siedlungs- und Industrieflächen nach allgemeiner Schätzung weitere 25 Millionen Hektar Ackerland in Anspruch genommen haben, d.h. eine Bodenfläche, die selbst bei nur durchschnittlicher Produktivität etwa 85 Millionen Menschen ausreichend ernähren könnte.

1.1 Pflanzenkrankheiten als Ursache von Katastrophen und wirtschaftlichen Krisen

Vor diesem Hintergrund gewinnen natürlich die Ertragsverluste durch Pflanzenkrankheiten einen erheblich höheren Stellenwert, als er sich bei rein ökonomischer Betrachtungsweise darstellen würde, und es kann wohl nicht bezweifelt werden, daß der Pflanzenschutz für die Sicherung der Welternährung von ganz entscheidender Bedeutung ist.

Untersuchungen der Food and Agricultural Organization der Vereinten Nationen (FAO) zeigen, daß rund ein Drittel der Welternte jährlich durch Schädlinge und Krankheiten vernichtet wird, was einen wirtschaftlichen Verlust in Höhe von etwa 300 Milliarden DM bedeutet und dem Wert der Gesamterzeugung an Getreide, Mais, Reis und Kartoffeln entspricht. Dies bedeutet zugleich, daß durch die totale Verhinderung dieses Verlustes zusätzlich fast 900 Millionen Menschen ausreichend ernährt werden könnten (BEHRENDT, 1976). Allein durch Pflanzenkrankheiten, - ohne die Ertragseinbußen durch Schädlinge und Unkräuter -, betrugen in den Jahren nach 1960 die Verluste bei Kartoffeln 21,8%, bei Hirse 10,6%,

bei Zuckerrüben 10,4% und bei Gemüse 10,2% (CRAMER, 1967). Nach den
Statistiken der FAO betrugen 1978 die Verluste allein durch Pflanzenkrankheiten bei Reis 64 Mio. t, bei Mais 54 Mio. t, bei Weizen 55 Mio.t,
bei Baumwolle 8 Mio. t und bei Zuckerrohr sogar 311 Mio. t (BEHRENDT,
1980).

Derartige summarische Daten von Ernteverlusten, so eindrucksvoll sie
für sich allein auch sein mögen, können natürlich nicht darüber hin-
wegtäuschen, daß das epidemische Auftreten von Pflanzenkrankheiten im
Einzelfall ganz erheblich gravierendere Folgen haben kann. Schon aus
dem Mittelalter ist bekannt, daß z.B. Schwarzrostepidemien örtlich ver-
heerende Hungersnöte ausgelöst haben. Das klassische Beispiel aus neuerer Zeit ist die durch den Pilz *Phytophthora infestans* verursachte
Krautfäuleepidemie von 1845, die in Irland praktisch die gesamte Kar-
toffelernte vernichtete, den Hungertod von einer viertel Million Menschen zur Folge hatte und zwei Millionen Iren zur Auswanderung nach
Nordamerika zwang. Der gleiche Schadpilz war im ersten Weltkrieg die
Ursache für den sogenannten "Steckrübenwinter" von 1916/17, dem mehr
als 600.000 Menschen direkt oder indirekt zum Opfer fielen. In der
zweiten Hälfte des 19. Jahrhunderts wurde der Weinbau in Europa durch
epidemisch auftretende Pflanzenkrankheiten dreimal fast zugrunde gerichtet. Der 1850 nach Italien und Frankreich eingeschleppte echte
Mehltau ließ diese Länder von Weinexport- zu Weinimportländern werden.
So wurden z.B. im Jahre 1854 infolge des Mehltaubefalls nur 20% einer
normalen Weinlese geerntet, und die 1860 hinzutretende Peronospora-
Krankheit der Reben verursachte finanzielle Verluste, die höher waren
als die gesamten Kosten des deutsch-französischen Krieges von 1870/71.
Zwischen 1870 und 1890 wurde Ceylon durch Kaffeerostepidemien von der
größten kaffeeanbauenden Nation der Welt in ein Land verwandelt, das
für den Kaffeeanbau ungeeignet ist. Zu Beginn des 20. Jahrhunderts ver-
nichteten zwei Epidemien fast die gesamte Ernte der damals vorzugs-
weise angebauten Gros Michael-Banane, und 1926 verursachte in Deutschland der falsche Hopfenmehltau derart schwere Verluste, daß nicht mehr
wie bis dahin jährlich 40.000 dt Hopfen exportiert werden konnten, sondern 53.000 dt Hopfen importiert werden mußten (MILLER, 1973; CAREFOOT
und SPROTT, 1967; BEHRENDT, 1980).

Auch nachdem die Entwicklung von Methoden zur Bekämpfung von Pflanzenkrankheiten erhebliche Fortschritte gemacht hatte, blieben Epidemien
mit katastrophalen Folgen nicht aus. 1942 vernichtete ein Schadpilz
fast die gesamte bengalische Reisernte, was den Hungertod von Zehntau-

senden nach sich zog. In den Vereinigten Staaten ging 1946 ein großer
Teil der Weizenernte der bis dahin bevorzugt angebauten Sorte Victoria
durch eine Pilzepidemie verloren, und ähnliche Verluste von 35-75%
brachte den USA in den frühen 50er Jahren das epidemische Auftreten des
Weizenhalmrostes. Anfang der 60er Jahre wurden fast 60% der deutschen
Tabakernte durch die Blauschimmelkrankheit vernichtet, und 1970/71
erfaßte der Pilz *Helminthosporium maydis* rund 80% der Maisanbaufläche
in den USA und reduzierte die Maisproduktion um rund 710 Millionen
bushels (CAREFOOT und SPROTT, 1967; ULLSTROP, 1972; MILLER, 1973;
BEHRENDT, 1980).

1.2   WITTERUNG ALS AUSLÖSEMECHANISMUS VON EPIDEMIEN

Nachdem die große Epidemie des Jahres 1845 in Europa deutlich gemacht
hatte, daß die Kraut- und Knollenfäule auch künftig eine ständige Be-
drohung des Volksnahrungsmittels Kartoffel darstellen würde, waren damals schon zahlreiche Beobachter des Geschehens sehr rasch zu der Erkenntnis gekommen, daß das epidemische Auftreten dieser Krankheit offenbar etwas mit dem Wetter zu tun hat. Die Beziehung zwischen meteorologischem Geschehen und epidemischer Entwicklung erschien so eindeutig,
daß man in der Mehrzahl zu der Ansicht neigte, diese Krankheit sei sogar ausschließlich dem Wetter zuzuschreiben. Nicht zuletzt lag der
Grund hierfür darin, daß man damals die Eigenständigkeit von pilzlichen
Parasiten noch garnicht erkannt hatte und von Vorstellungen über krank-
hafte Veränderungen der Pflanzensäfte und dem Entstehen von Mikroorga-
nismen durch Umbildung molekularer Elemente zerfallener Pflanzenstoffe
ausging. Trotzdem war die Erkenntnis vom Einfluß des Wetters auf diese
Krankheit im Prinzip natürlich nicht falsch und der damalige Optimis-
mus einer Reihe von Meteorologen und anderen Wissenschaftlern, diesen
zweifellos komplizierten Zusammenhang aufklären zu können, war sicherlich berechtigt.

BOURKE (1968) hat in einem ausführlichen Bericht die damalige Situation
recht eindrucksvoll geschildert. Danach sind die seinerzeitigen Darstellungen von *Milne* für Schottland und einige Teile von England, von
Quetelet für Belgien, von *Caillat* für Frankreich und von *Cooper* für
Irland noch heute außerordentlich interessant zu lesen. Schon 1845
wurde von *Count de Gasparin* in den *Comptes rendus de l'Académie des
Sciences Paris* eine detaillierte Analyse veröffentlicht, in der unter

Benutzung einer Reihe von Wetterdaten einschließlich Evaporation und Bodentemperatur versucht wurde, eine Theorie zu entwickeln, welche die Krautfäuleepidemie als eine direkte Folge von Wetterstress erweisen sollte. Um 1846 veröffentlichte *Harting* in niederländischer und französischer Sprache eine Untersuchung über die Gründe für die Krautfäuleepidemie von 1845, in der er auf die in der fraglichen Zeit besonders hohe mittlere relative Luftfeuchtigkeit hinwies und darauf aufmerksam machte, daß schon vor 1833 ein gewisser *Unger* festgestellt haben wollte, daß hohe Luftfeuchtigkeit für eine Reihe von Pflanzenkrankheiten förderlich sei.

Historisch interessant sind auch weitere Einzelheiten, die BOURKE (1968) aus dieser Zeit anführt. So veröffentlichte am 22. Mai 1846 *Sir Robert Kane*, Professor der *Royal Dublin Society*, eine Mitteilung, wonach die Stärke des Auftretens der Krautfäule offensichtlich mit der Niederschlagsmenge variiert. Vor einem Untersuchungsausschuß des Britischen Parlaments formulierte 1880 ein schottischer Zeuge faktisch die erste auf Wetterdaten beruhende Krautfäule-Prognose mit der Aussage: *"I can calculate the amount of disease by looking at my raingauge in the last two weeks in July and in the first two weeks in August"*. Und noch näher den wahren Verhältnissen kam schon 1845 der irische Arzt *Dr. Charles Halpin*, der in der *Dublin Evening Mail* vom 29. Oktober 1845 schrieb: *"In my opinion the potato crop suffers from the growth of parasitic fungi, some of them congeners with those which cause blight or smut in wheat. One essential to the life and growth of the fungus is moisture. A certain temperature, I am inclined to think, is also requisite"*.

Diese an sich richtigen Erkenntnisse der damaligen Zeit vom Einfluß des Wetters und von seiner auslösenden Funktion für epidemische Entwicklungen konnten allerdings zunächst keine größere Bedeutung erlangen, da vorerst nicht nur die Einsicht in den kausalen Zusammenhang zwischen den vom meteorologischen Geschehen beeinflußten Entwicklungskreisläufen der pilzlichen Krankheitserreger und den Krankheitssymptomen an der Wirtspflanze fehlte, sondern auch noch keine reale Möglichkeit einer wirksamen Bekämpfung bestand. Aber schon wenig später erkannten Männer wie *de Bary* und *Julius Kühn* diese Zusammenhänge und den parasitischen Charakter von Pilzkrankheiten, und ihr Verdienst liegt zweifellos darin, mit diesen gegen die damalige Lehrmeinung gerichteten Erkenntnissen die Möglichkeit eröffnet zu haben, durch gezielte Bekämpfung von Schadpilzen Pflanzenkrankheiten oder zumindest ihr epidemisches Auftreten mit so katastrophalen Folgen wie bis dahin zu verhindern (SCHUPHAN, 1981). *Julius Kühn* war es auch, der schon 1859 in seinem Buch über Ursachen und Verhütung von Pflanzenkrankheiten die Getreidebeizung mittels Kupfervitriol zur Verhinderung von Weizenstein- brand empfahl, während 1882 in Frankreich *Millardet* herausfand, daß mit einer Kupfervitriolkalkbrühe, der sogenannten Bordeauxbrühe, die Blattfallkrankheit der Rebe wirksam bekämpft werden kann. Es ist wohl kaum übertrieben zu sagen, daß damit die Voraussetzungen für die wei- tere Entwicklung in der Bekämpfung von Pflanzenkrankheiten geschaffen wurden. Im übrigen erwies sich später, daß sich die Kupfervitriolkalk- brühe auch zur Bekämpfung der Kartoffelkrautfäule eignete. Wenn es dann während des ersten Weltkrieges trotzdem zu der folgenschweren Kraut- fäuleepidemie von 1916 in Deutschland kam, so lag dies daran, daß Kupfer als kriegswichtiger Rohstoff nicht in ausreichendem Maße zur Verfügung stand, denn die Herstellung von je 1000 t 1%iger Kupfervitri- olkalkbrühe erforderte immerhin 250 t metallisches Kupfer im Wert von mehr als 2 Millionen Mark.

1.3 ZEITLINIEN DER ENTWICKLUNG BIOMETEOROLOGISCHER GRUNDLAGEN DER EPIDEMIOLOGIE

Parallel zu den zu Beginn des 20. Jahrhunderts verstärkt einsetzenden Bemühungen, die Biologie und Ökologie der parasitischen Pilze aufzu- klären, liefen schon frühzeitig Versuche, den Auslösemechanismus der Witterungskonstellationen für das Entstehen von Epidemien zu analysie- ren, um Möglichkeiten für ihr rechtzeitiges Erkennen zu erarbeiten und damit wirtschaftlich schwerwiegende epidemische Entwicklungen durch gezielte Bekämpfungsaktionen von vornherein zu verhindern. Zwar beruh- ten die frühen Prognosen wie z.B. von MARTIN (1923) noch meist auf rei- nen Mittel- bzw. Summenwerten von Temperatur und Niederschlag, aber schon die erste europäische Krautfäuleprognose, die 1925 von VAN EVER- DINGEN (1926) entwickelt wurde, berücksichtigte detaillierte Wetter- vorgänge wie z.B. die Dauer der Taubenetzung. Nur wenige Jahre später gab FOISTER (1929) bereits eine umfangreiche Zusammenfassung über die bis dahin vorliegenden Erfahrungen hinsichtlich der Bedeutung des Wetters für die Epidemiologie und über die Arbeiten zur Umsetzung der diesbezüglichen Erkenntnisse in Prognoseregeln.

Labormäßige Bestimmungen des Einflusses von Temperatur und Feuchtigkeit und anderen physikalischen Parametern auf den Entwicklungskreislauf von

Krankheitserregern gehörten zwar inzwischen zum allgemeinen Standard
phytopathologischer Untersuchungen und bildeten meist auch die einzige
Grundlage der auf klimatologischen Daten basierenden Prognoseversuche.
Doch schon FISCHER und GÄUMANN (1929) stellten in der Bewertung von
Laboratoriumsergebnissen fest, daß die künstliche Kultur parasitischer
Pilze zwar die Untersuchung ihrer Lebensbedingungen erleichtert, daß
aber mancher Versuch dieser Art gerade im Hinblick auf die Klärung des
Witterungseinflusses nur begrenzten Wert besitzt, da die Erreger in
ihrer natürlichen Umwelt doch wesentlich anderen Bedingungen unterwor-
fen sind. Dies bewiesen dann z.B. die Untersuchungen von WANG (1936)
über die Konidienbildung von *Sclerospora graminicola* an Hirse und von
LONGRÉE (1939) über die Sporenkeimung des Rosenmehltauerregers, um nur
zwei Beispiele aus dieser Zeit zu nennen.

Die aus der Vertiefung der wissenschaftlichen Erkenntnis heraus sich
ergebende Notwendigkeit einer gewissen Spezialisierung einerseits und
einer Kooperation mit Nachbardisziplinen andererseits war daher bald
zu erkennen und es erschien damals durchaus folgerichtig, daß schließlich ZILLIG (1950) die Forderung aufstellte, in die Ausbildung von
Pflanzenärzten die Meteorologie aufzunehmen. Wenn er allerdings dabei
ausführte: *"Eine praktische Ausbildung in der Wetterbeobachtung und im
Lesen von Wetterkarten ist zur Beurteilung der Zusammenhänge zwischen
Witterung und Pflanzenkrankheiten notwendig"*, so kennzeichnet dies die
damals noch bestehenden recht unklaren Vorstellungen über die Möglichkeiten und Chancen, die auch zu jener Zeit bereits in einer interdisziplinären Zusammenarbeit zwischen der Phytopathologie und der inzwischen als selbständiger Wissenschaftszweig etablierten Biometeorologie
für die epidemiologische Forschung und den praktischen Pflanzenschutz
lagen.

Neue Maßstäbe in der Entwicklung biometeorologischer Grundlagen der
Epidemiologie wurden zu Beginn der 50er Jahre gesetzt. Als kennzeichnend hierfür kann wohl die Abhandlung von SCHRÖDTER (1952a) über die
Bedeutung des Mikroklimas für Pflanzenkrankheiten gelten, die seinerzeit von STEINHAUSER (1953) vor allem deshalb als richtungweisend be-
wertet wurde, weil sie in der Methodik Wege aufzeigte, von der bisher
mehr kasuistischen Betrachtungsweise mit der noch lange Zeit später
üblichen rein beschreibenden Gegenüberstellung von Krankheitsverlauf
und Witterungsverlauf zu einer objektivierten Beurteilung biometeorologischer Relationen zu kommen. Gleichzeitig verstärkten sich in den
verschiedensten Teilen der Welt und besonders in den USA die Bemühun-

gen um die Entwicklung von Epidemieprognosen unter Berücksichtigung meteorologischer Einflußfaktoren, vor allem mit anwendungsorientierter Zielsetzung, wofür die Veröffentlichungen von WALLIN und WAGGONER (1950), HYRE (1954), MILLER und O'BRIEN (1952, 1957), WALLIN und RILEY (1960) und WALLIN (1962) stellvertretend für zahlreiche andere wohl als typisch bzw. besonders informativ gelten können.

Die wohl entscheidensten Fortschritte brachte dann die in den 60er Jahren sich verstärkt abzeichnende Entwicklung einer quantitativen Epidemiologie. Bereits WAGGONER (1960) machte deutlich, daß die Vorhersage von Epidemien im Grunde nichts anderes ist als eine, wie er sich ausdrückte, mutig angewandte quantitative Epidemiologie, die allerdings zu ihrem tieferen Verständnis auf den Rahmen eines gewissen Formalismus nicht verzichten kann. Diesen Formalismus prägte dann schließlich in überzeugender Weise VANDERPLANK (1960, 1963) mit seinen theoretischen Überlegungen über die Zunahme und Ausbreitung von Pflanzenkrankheiten in Wirtspopulationen, wobei er die in der von BAILEY (1957) entwickelten mathematischen Theorie der medizinischen Epidemiologie im Vordergrund stehende integrale Betrachtungsweise weiter ausbaute und mit der Definition der sogenannten apparenten Infektionsrate einen Parameter schuf, der ein völlig neues Konzept für die Analyse des Einflusses auch der physikalischen Umweltfaktoren auf die Erreger- und Krankheitsentwicklung bot. Zur gleichen Zeit und im gleichen Rahmen veröffentlichte SCHRÖDTER (1960) eine zusammenfassende mathematischphysikalische Darstellung der Theorie der Sporenverbreitung durch Luftströmungen als einen der wichtigsten biometeorologischen Aspekte in der Epidemiologie (siehe auch SCHRÖDTER, 1964; GREGORY, 1973).

Einen weiteren aus dieser Entwicklung resultierenden wichtigen Abschnitt bildete die Einführung der multiplen Regressionsanalyse in die Epidemiologie durch SCHRÖDTER und ULLRICH (1965, 1966, 1967). Die nicht zu unterschätzende Bedeutung dieses Schrittes unterstrich später VANDERPLANK (1975) in seinen *Principles of Plant Infection* mit den Worten: *"Future historians may well come to regard Schrödter and Ullrichs (1965) introduction of multiple regression analysis into the epidemiology of plant disease as one of the milestones in plant pathology"*. Die gleiche Bedeutung dürfte auf epidemiologischer Seite den umfassenden Untersuchungen von KRANZ (1968) zur Analyse von annuellen Epidemien pilzlicher Parasiten zukommen, in denen mit Hilfe von multivariaten Faktorenanalysen und Clusteranalysen nicht nur die Beziehungen zwischen quantitativen Merkmalen von Befallskurven vereinfacht dargestellt werden konn-

ten, sondern auch ein erster Nachweis geführt wurde, daß Epidemien parasitischer Pilze sich offenbar einer begrenzten Anzahl von Grundformen zuordnen lassen, womit wichtige Voraussetzungen für die spätere
Entwicklung einer *komparativen Epidemiologie* geschaffen wurden (PALTI
und KRANZ, 1980).

Ein gewisser Widerstand gegen die Einführung mathematisch und physikalisch geprägter Formalismen in die Epidemiologie und ihre Beziehungen
zur Biometeorologie erwuchs anfangs aus der allgemeinen Abneigung zahlreicher Biologen gegen mathematische Formeln. In einem 1967 gehaltenen
Vortrag an der Universität Gießen drückte dies KRANZ (persönl. Mitt.)
recht treffend aus mit den Worten: *"Dieser Zwang zur Mathematik bedeutet aber auch ein großes Hemmnis. In den Augen der meisten Biologen
ist nämlich die Chemie ehrbarer als die Mathematik oder gar die Statistik. Schrödters Beitrag über Sporenflug z.B. erweckte mit 81 Gleichungen und Formeln den Eindruck einer mathematischen Abhandlung. Einem so bekannten Botaniker wie William Brown scheint geschaudert zu
haben, wenigstens klingt seine Besprechung des III. Bandes von Plant
Pathology - An Advanced Treatise so"*.

Mit der Entwicklung der elektronischen Datenverarbeitung verlor sich
jedoch die vor allem wohl abschreckende Wirkung der Notwendigkeit um-
fangreicher Rechenarbeiten. Schon SCHRÖDTER und ULLRICH (1965, 1966,
1967) nutzten die Möglichkeiten einer Rechenanlage vom Typ ZUSE Z 23
und die Faktoren- und Clusteranalysen von KRANZ (1968) wurden mit dem
Elektronenrechner IBM 7094 des Deutschen Rechenzentrums in Darmstadt
ausgeführt. Daß mit der Anwendung der elektronischen Datenverarbeitung
neue Wege in Methodik und Theorie beschritten werden konnten, zeigte
in überzeugender Weise ANALYTIS (1973) mit seinem Konzept der mathematisch-statistischen Analyse von Epidemien, wobei er vor allem deutlich
machte, welche Voraussetzungen für eine multivariate Analyse erfüllt
sein müssen, wie sie erfüllt werden können und wie die signifikant
wirksamen Variablen so herausgearbeitet und interpretiert werden können, daß eine Simulation des Befallsverlaufs ermöglicht wird.

Angesichts der zunehmenden Bedeutung von Epidemieprognosen für die
Sicherung der Weltnahrungsmittelproduktion (WALLIN, 1972) wurden die
Möglichkeiten zur Erarbeitung von Modellen und Simulatoren, die sich
mit der raschen Weiterentwicklung der Computertechnik boten, bald intensiv genutzt und fanden Eingang in Prognoseverfahren auf der Grundlage biometeorologischer Daten (BOURKE, 1970). Die ersten Impulse in

dieser Richtung gingen von WAGGONER (1968) aus mit dem Modell EPDEM
für die Kartoffelkrautfäule, das eine Vorstufe zu dem international
vielbeachteten Simulator EPIDEM von WAGGONER und HORSFALL (1969) darstellte. EPIDEM wurde für eine Rechenanlage IBM 7090/7094 in FORTRAN IV
geschrieben und berücksichtigt die unterschiedlichsten Wege, auf denen
Witterung und Wirtspflanze die verschiedenen Stadien im Entwicklungszyklus von *Alternaria solani* beeinflussen. Hieraus entwickelten später
WAGGONER, HORSFALL und LUKENS (1972) den Simulator EPIMAY für die Epidemiologie von *Helminthosporium maydis*, während KRANZ, MOGK und STUMPF
(1973) durch Vergleich der Entwicklungszyklen von *Alternaria solani*
und *Venturia inaequalis* und entsprechende Modifizierung von EPIDEM das
Simulationsmodell EPIVEN für das Studium epidemischer Entwicklungen
beim Apfelschorf erarbeiteten.

Schon ZADOKS (1971) schlug in einer kritischen Stellungnahme zur Praxis
der Modellentwicklung und Simulation vor, die bis dahin meist verwendete Programmiersprache FORTRAN IV durch CSMP zu ersetzen wegen deren
besonderer Eignung für die Simulation zeitlicher Änderungen. WAGGONER
und DE WIT (1974) entwickelten daher eine CSMP-Version ihres Simulators
EPIMAY, die seine Kompliziertheit deutlich verminderte und seine Über-
sichtlichkeit erheblich erhöhte. Eine erste ausführliche Darstellung
der Fortschritte auf dem Gebiet der mathematischen Analyse und Modellierung von Epidemien wurde von KRANZ (1974) im Zusammenhang mit den
diesbezüglichen Ergebnissen vom zweiten Internationalen Kongreß für
Pflanzenpathologie (Minneapolis 1973) veröffentlicht und bildet nach
wie vor eine wichtige Informationsquelle.

Die allmählich sich durchsetzende Erkenntnis, daß weitere Fortschritte
in Richtung auf ein tieferes Verständnis für das komplexe System Wirts-
pflanze-Krankheitserreger-Umwelt mit seinen vielfachen Vernetzungen
und Wechselwirkungen nur in enger interdisziplinärer Kooperation erreicht werden können, dokumentierte sich schließlich auf dem gemeinsam
von der World Meteorological Organization (WMO) und der European and
Mediterranean Plant Protection Organization (EPPO) 1982 in Genf veran-
stalteten Symposium zum Thema Meteorologie und Pflanzenschutz. Dies
war auch bereits 1976 deutlich geworden auf der EPPO/IOBC-Konferenz in
Paris über Systemanalyse und Modellierung im modernen Pflanzenschutz,
die zur Gründung einer interdisziplinären Arbeitsgruppe *"computer models
in integrated crop protection"* im Rahmen der International Organization
of Biological Control (IOBC) führte. Hierin wird erkennbar, daß die
Bedeutung einer solchen Kooperation heute und in Zukunft vor allem da-

rin liegt, die im Bemühen um die Verminderung von Umweltbelastungen und um die Erhaltung des ökologischen Gleichgewichts zunehmend schwieriger werdenden Probleme eines wirksamen Pflanzenschutzes zu lösen. Aus den engen Beziehungen zwischen Wetter und Pflanzenkrankheiten ergeben sich entsprechende Teilaufgaben im Rahmen dieser aus dem Spannungsfeld zwischen Ökonomie und Ökologie erwachsenden Problematik, die nur aus einer grundlegenden Kenntnis biometeorologisch-epidemiologischer Zusammenhänge heraus bewältigt werden können.

Das Auftreten von Pflanzenkrankheiten und die Entwicklung von Epidemien
unter dem Einfluß von Umweltbedingungen ist ein vielschichtiger Prozeß,
der mit dem häufig verwendeten Bild eines aus Wirtspflanze, Parasit
und Umwelt gebildeten Wirkungsdreiecks zunächst recht vereinfacht dargestellt werden kann, auch wenn beachtet werden muß, daß die drei Elemente dieses so stark simplifizierten Systemmodells natürlich in sich
bereits Systeme sind, die miteinander in Wechselbeziehungen stehen und
ein vielfach vernetztes Wirkungsgefüge bilden. Witterung und Klima als
ein Komplex physikalischer Umweltfaktoren beeinflussen gleichermaßen
Wirtspflanze wie Krankheitserreger, d.h. sie beeinflussen Wachstum und
Entwicklung der Pflanze und des Pflanzenbestandes und die Krankheits-
bereitschaft der Wirtspflanze ebenso, wie den Kreislauf der Erregerentwicklung vom Aufbau eines Inokulumpotentials über das Eindringen des
Parasiten in das pflanzliche Gewebe bis zur epidemischen Ausbreitung
der Erkrankung. Klima und Witterung geben aber auch den Rahmen, innerhalb dessen sich im Pflanzenbestand als dem eigentlichen Lebensraum des
Parasiten die für seine Entwicklung maßgeblichen Umweltbedingungen bewegen. Die aktuelle meteorologische Situation, insbesondere hinsichtlich der Strahlungsverhältnisse, bestimmt das Entstehen eigenständiger
Mikroklimate und ihre graduelle Ausbildung in Abhängigkeit von den
morphologischen Eigenschaften und dem Entwicklungszustand der Wirtspflanze und der Struktur des Pflanzenbestandes. Dies wirkt zurück auf
den Zyklus der Erregerentwicklung selbst, was seinerseits wiederum die
Pflanzenentwicklung beeinflußt und damit auch Rückwirkungen auf das
Mikroklima haben kann.

Dieses Bild eines Wirkungsdreiecks Wirt-Parasit-Umwelt ist insofern
unvollständig, als bei der Betrachtung agrarischer Ökosysteme stets
ein anthropogenes Element hinzugefügt werden muß, denn es ist ja gerade kennzeichnend für solche Systeme, daß der Mensch mit Kulturmaßnahmen
aktiv steuernd in ihre Funktionen eingreift. Damit aber muß das genannte Bild gewissermaßen zu einem dreidimensionalen Wirkungs-Tetraeder

erweitert werden (ZADOKS und SCHEIN, 1980). Dies bedeutet zugleich,
daß in Agro-Ökosystemen bestimmte Kulturmaßnahmen sowohl krankheits-
fördernd wirken können, als auch gezielt eingesetzt werden können, um
Pflanzenkrankheiten zu verhindern oder zumindest in ihren Folgen unter
der wirtschaftlichen Schadensschwelle zu halten, und zwar unabhängig
von direkten Bekämpfungsmaßnahmen durch den Einsatz von Pflanzenschutzmitteln. Diese Möglichkeit basiert auf der durch pflanzenbauliche Maßnahmen in gewissen Grenzen erreichbaren Veränderung der physikalischen
Umweltbedingungen in einer für den Krankheitserreger ungünstigen Richtung, um den Aufbau eines für epidemische Entwicklungen erforderlichen
Infektionspotentials unmöglich zu machen oder doch zumindest zu erschweren, was nach ROTEM und PALTI (1980) auf den verschiedensten Wegen mit mehr oder minderer Wirksamkeit geschehen kann. Diese Wirksamkeit anthropogener Eingriffe hängt nämlich wiederum sehr stark von den
Klima- und Witterungsbedingungen ab. Sind diese ohnehin ungünstig für
die Entwicklung des Erregers und die Ausbreitung der Erkrankung, so
haben derartige Eingriffe natürlich wenig Sinn, während bei extrem günstigen Klimabedingungen für den Erreger die letztlich doch nur begrenzten Veränderungen der Umweltfaktoren durch Kulturmaßnahmen eine epidemische Entwicklung kaum verhindern können. Dies gilt im übrigen auch
dann, wenn ein Parasit in einem sehr weiten Bereich von äußeren Bedingungen zu epidemischer Entwicklung fähig ist. Dabei kann das Phänomen der Kompensation (AUST, BASHI und ROTEM, 1980) eine entscheidende
Rolle spielen, das sich darin äußert, daß innerhalb der Wechselwirkungen zwischen Wirt, Erreger und Umwelt der ungünstige Einfluß eines
bestimmten Faktors durch den gleichzeitigen günstigen Einfluß eines
anderen Faktors kompensiert wird, oder bestimmte Schwächen des Parasiten durch bestimmte Stärken ausgeglichen werden, oder im Kreislauf der
Erregerentwicklung Phasen mangelhafter Entwicklung durch Phasen über-
proportional starker Entwicklung aufgewogen werden (ROTEM, 1978).

Die Wirkung von Kulturmaßnahmen auf Pflanzenkrankheiten wird daher vor
allem dort sichtbar, wo die Bedingungen für den Parasiten nur teilweise
günstig sind. Damit wiederum hängt diese Wirkung von den wechselseitigen Beziehungen zwischen Wirt, Erreger und Umwelt im Pflanzenbestand
ab und beruht im wesentlichen darauf, die mikroklimatischen Verhältnisse zielgerichtet zu verändern, z.B. hinsichtlich der Luft-, Boden-
oder Pflanzentemperatur, der relativen Feuchtigkeit oder der Dauer der
Blattbenetzung etc. Daß man darüberhinaus die Möglichkeiten einer gezielten Einflußnahme auch noch methodisch nutzen kann zur Untersuchung
und Interpretation der Beziehungen zwischen Parasit und Umwelt, haben

schon SCHRÖDTER und STOLL (1949) und SCHRÖDTER (1949, 1952a) an verschiedenen Beispielen deutlich machen können.

Der Rahmen wird jedoch, - und darauf soll nochmals ausdrücklich aufmerksam gemacht werden -, stets von den durch Makroklima und aktuelles
Wettergeschehen vorgegebenen Bedingungen gesetzt (ROTEM, 1978), auch
wenn die Verhältnisse im Mikroklima des Pflanzenbestandes schließlich
den eigentlichen und unmittelbaren Einfluß auf die Erregerentwicklung
und auf die Wechselwirkungen zwischen Parasit und Wirt ausüben. Allein
diese Tatsache läßt es sinnvoll erscheinen, bei der Behandlung der allgemeinen Aspekte der biometeorologisch-epidemiologischen Beziehungen
zunächst die Rolle des Klimas im Hinblick auf das Auftreten von Pflanzenkrankheiten zu betrachten, dann die Frage der Relationen zwischen
Epidemien und Wetter bzw. Wetterlage zu behandeln und erst danach auf
die allgemeine Bedeutung des Mikroklimas für die komplexen Vorgänge
einzugehen.

2.1   KLIMA UND PFLANZENKRANKHEITEN

Bestimmte klimatische Bedingungen, welche die Ansprüche eines Krankheitserregers an die physikalische Umwelt erfüllen, sind zwar eine notwendige, keineswegs jedoch hinreichende Bedingung für das Auftreten von
Epidemien. Vielmehr ist auch ein Kreis von Wirtspflanzen erforderlich,
der einen ungestörten Ablauf im Entwicklungszyklus des Erregers sicher-
stellt. Diese Feststellung ist nicht so trivial, wie sie auf den ersten
Blick erscheinen mag. Ein typisches Beispiel hierfür ist der Weizen-
schwarzrost, bei dem es neben den dominierenden und weit verbreiteten
Rassen auch solche gibt, die nur in geographisch mehr oder weniger eng
begrenzten Gebieten vorkommen, ohne daß dies sich allein aus klimatischen Unterschieden zwischen diesen Gebieten erklären ließe. Dies gilt
z.B. für Differenzen im Rassenspektrum zwischen Nord- und Süddeutschland (HASSEBRAUK, 1966, 1967a) und hängt offensichtlich mit dem Vorkommen der Berberitze (*Berberis vulgaris*) als Zwischenwirt von *Puccinia
graminis* zusammen. Da der Schwarzrost in Mitteleuropa normalerweise
nicht im Uredostadium überwintern kann, resultiert sein Auftreten im
Sommer nach Überwinterung mit Teleutosporen aus Infektionen der Berberitze. Da diese als potentieller Überwinterungsherd in Süddeutschland
häufig vorkommt, in Nordwestdeutschland, Holland und Dänemark dagegen
fehlt oder äußerst selten ist, ergeben sich solche geographischen Un-

terschiede auch unabhängig vom Klima aus der wichtigen Rolle, welche
das Wirtspflanzenspektrum spielt (HASSEBRAUK, 1967b; ZADOKS, 1965).

Eine weitere und ebenso wichtige Voraussetzung für epidemische Entwicklungen in Abhängigkeit vom Klima ist das Vorhandensein entsprechend anfälliger Kulturen. Auch dies erscheint natürlich selbstverständlich,
hat aber insofern für die Beziehungen zwischen Klima und Pflanzenkrankheiten eine besondere Bedeutung, als die zunehmende genetische Unifor-
mität der landwirtschaftlichen Nutzpflanzen ihre Anfälligkeit erhöhen
kann. Dies wiederum kann zur Folge haben, daß ein Parasit zu epidemiologischer Bedeutung gelangt in einem Gebiet, in dem er vorher so gut
wie unbekannt war, ohne daß sich die klimatischen Bedingungen dieser
Region in einer für diesen Erreger günstigen Richtung verändert haben
(CAREFOOT und SPROTT, 1967). Umgekehrt sind es vor allem in neuerer
Zeit vertieften Erkenntnisse um die Ursachen der Krankheitsresistenz
und die daraus sich ergebenden Möglichkeiten der Resistenzzüchtung,
welche die Voraussetzung hinreichender Anfälligkeit und damit indirekt
das Spektrum der Beziehungen zwischen Klima und Pflanzenkrankheiten
stetig verändern (VANDERPLANK, 1984). Der Trend zu ausgedehnten Mono-
kulturen und Veränderungen in den Produktionskonzeptionen hinsichtlich
Kulturarten, Fruchtfolge, Anbaupraxis etc. bilden ebenfalls die Ursache
für Verschiebungen im epidemiologischen Geschehen, die nicht auf Klima-
schwankungen zurückzuführen sind, wohl aber wegen der Klimaabhängigkeit
epidemischer Entwicklungen plötzlich deutlich und meist unerwartet zu-
tage treten können (BOURKE, 1970).

Im Prinzip lassen sich im Verhältnis zwischen Klima und Pflanzenkrankheiten drei Grundformen unterscheiden, die in Abb. 1 schematisch dargestellt sind. Hierbei wird postuliert, daß sich allein mit den beiden
Parametern x und y sowohl das Klima K selbst, als auch der Anspruch P
des Erregers oder der Krankheitsentwicklung an das Klima klar abgrenzen läßt. So vereinfacht sind dann drei mögliche Fälle gegeben:

Im Fall I entsprechen die klimatischen Bedingungen der Region K_1 in
keiner Weise den Ansprüchen des Parasiten, d.h. er kann sich in dieser
Region nicht entwickeln und die durch ihn verursachte Erkrankung kann
hier nicht auftreten. Eine solche negative Aussage ist für das Problem
der geographischen Verbreitung von Pflanzenkrankheiten durchaus wert-
voll und hat ihre besondere Bedeutung im Zusammenhang mit Quarantäne-
fragen. Als Beispiel sei hier der durch *Urocystis cepulae* verursachte
Zwiebelbrand genannt. Dieser tritt z.B. in den USA nur in den kühleren

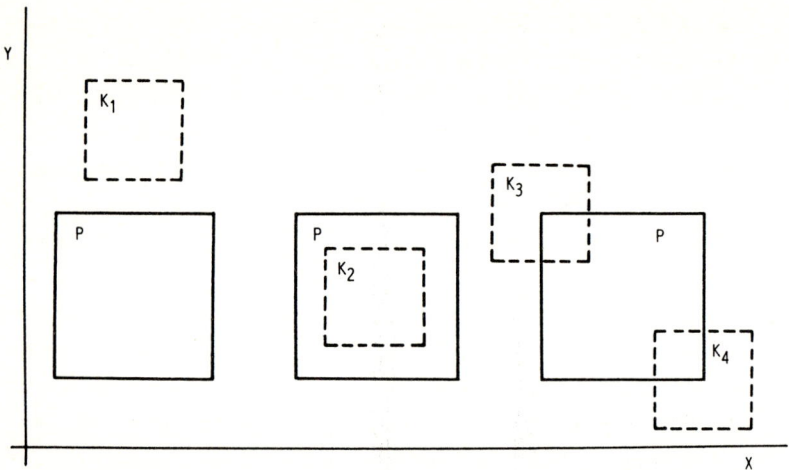

Abb. 1. Vereinfachte schematische Darstellung der Grundformen in den Beziehungen zwischen Klima und Pflanzenkrankheiten (Erläuterungen siehe Text)

nördlichen Gebieten in Erscheinung, obwohl der Erreger zweifellos auch nach Texas und in die anderen Golfstaaten eingeschleppt wird. Hier kann er sich jedoch nicht entwickeln, da der obere Grenzwert für die Brandsporenkeimung bei einer Bodentemperatur von $28^{\circ}C$ liegt und in den südlichen Gebieten während der kritischen Periode des Auflaufens der Zwiebeln stets überschritten wird.

Der Fall II stellt dementsprechend das andere Extrem dar. Die klimatischen Ansprüche des Parasiten umfassen einen weit größeren Bereich als die Gegebenheiten des Klimas der Region K_2, d.h. die Klimabedingungen dieser Region sind jederzeit günstig für eine epidemische Entwicklung. So ist z.B. bekannt, daß im warmen und feuchten Klima von Neuseeland gewisse Pilzarten nicht nur in ganz bestimmten Perioden, sondern praktisch während der gesamten Vegetationsperiode die Wirtspflanzen befallen können. Die Bedeutung des Falles II liegt demnach vor allem darin, daß hier das Problem der Auswahl der für einen ökonomisch sinnvollen Anbau noch geeigneten resistenten Kulturen eine größere Rolle spielt als Bekämpfungsmaßnahmen.

Der Fall III schließlich ist als der Normalfall zu bezeichnen. Hier erfüllen die klimatischen Bedingungen der Regionen K_3 und K_4 teilweise bzw. zeitweise die Ansprüche des Erregers, so daß es von den jeweiligen aktuellen Konstellationen abhängt, ob es zu einer Epidemie kommt oder nicht. Dabei können diese Konstellationen in den verschiedenen Klimaten durchaus unterschiedlich sein, was in Abb. 1 durch K_3 und K_4 schematisch ausgedrückt ist. Ein typisches Beispiel hierfür bietet die Kartoffelkrautfäule, bei welcher der Temperaturbereich für die Sporangienbildung des Erregers etwa zwischen 10°C und 23°C liegt. Unter der Voraussetzung optimaler Feuchtigkeitsbedingungen spielt daher in den kühleren nördlichen Gebieten das Überschreiten der unteren Temperaturgrenze die Hauptrolle und die für Krautfäuleepidemien günstige Witterung wird als "mild und feucht" bezeichnet, während in wärmeren südlichen Gebieten das Unterschreiten der oberen Temperaturgrenze maßgebend ist und die eine Epidemie auslösende Witterung als "kühl und feucht" charakterisiert wird. Damit aber wird zugleich deutlich, daß eine so allgemein gehaltene Kennzeichnung der meteorologischen Gegebenheiten wenig Aussagekraft für die Beurteilung des epidemiologischen Geschehens hat und durch exaktere Angaben ersetzt werden muß.

Einen ersten Überblick über die klimatisch bedingte geographische Verteilung von Pflanzenkrankheiten kann zunächst schon eine über einen längeren Zeitraum durchgeführte Bestandsaufnahme vorkommender Krankheitserreger bieten. So hat z.B. GHEORGHIES (1975/76) gezeigt, daß siebenjährige mikroskopische Analysen der an Winterweizen in verschiedenen Teilen gefundenen Pilze es ermöglichen, die Verbreitung von *Septoria tritici* und *Septoria nodorum* den orographisch unterschiedlichen Regionen zuzuordnen und diese Zuordnung aus der klimatischen Differenzierung heraus zu interpretieren, auch wenn die gewonnenen Aussagen noch recht allgemein gehalten sind. Für eine schärfere Abgrenzung sind dagegen exaktere Angaben unverzichtbar. Hier kommt es weniger auf eine umfassende und durch eine Vielzahl von Daten belegte Klimabeschreibung an, als vielmehr auf die Erfassung der für die epidemiologische Entwicklung entscheidenden Größen und ihre Konstellationen. So haben z.B. STETTINER und LOMAS (1967) den Einfluß des Klimas auf die geographische Verteilung des Mehltaus der Rebe in Israel mit Hilfe des vorhandenen Netzes meteorologischer Stationen dadurch darstellen können, daß sie aus der Kenntnis der Temperatur- und Feuchtigkeitsabhängigkeit dieser Krankheit heraus sogenannte "mildew-hours" definierten und die geographische Verteilung ihrer mittleren Summe von März bis Juni ermittelten. Hieraus ließ sich ableiten, welche Gebiete von der klimatischen Seite her günstiger und welche ungünstiger für das Auftreten dieser Krankheit sind. Summenwerte, und zwar "negative Gradtage" und "positive Gradtage" verwendeten auch COAKLEY und LINE (1981) in Verbindung mit einer Art Krankheitsindex, um nachzuweisen, daß die seit Beginn der 60er Jahre erhöhte Intensität des Gelbrostes an Winterweizen im pazifischen Nordwesten der USA auf eine Verschiebung in den klimatischen Bedingungen gegenüber der Periode von 1940 bis 1960 zurückzuführen ist.

Schwieriger wird die Situation, wenn für das epidemische Auftreten einer Krankheit meteorologische Parameter entscheidend sind, die mit den üblichen Aufzeichnungen der Klimastationen nicht erfaßt werden und wegen ihrer Eigenart auch nur schwer zu erfassen sind. Typisch hierfür ist die Infektion der Sonnenblume durch *Sclerotinia sclerotiorum*, die nach LAMARQUE (1983) zumindest unter den Bedingungen der französischen Anbaugebiete praktisch ausschließlich von der Dauer der Benetzung des Blütenstandes abhängig ist. Hier kann nur auf indirektem Wege auf den maßgebenden Parameter geschlossen werden, wobei in diesem speziellen Fall von CHOISNEL und PAYEN (1981) ein Modell entwickelt wurde, das aus einer Reihe direkt meßbarer meteorologischer Standarddaten die Benetzungsdauer der Blütenstände recht gut abzuschätzen gestattet und es ermöglicht, auf der Grundlage langjähriger Klimabeobachtungen die geographische Verteilung des potentiellen Infektionsrisikos kartenmäßig darzustellen (GERBIER und LOBREGAT, 1981; PAYEN, 1983).

Ein weiteres Problem, das bei der Frage der klimageographischen Verteilung von Pflanzenkrankheiten Beachtung verdient, ergibt sich aus der Möglichkeit einer überregionalen Ausbreitung von Krankheiten, wodurch die klimatische Begünstigung eines Erregers in einem bestimmten Gebiet die ungünstigeren Bedingungen in einem anderen Gebiet überdecken kann. So hat z.B. schon WALLIN (1964a) an fast 60jährigen Beobachtungen des Auftretens von Getreiderost in den USA festgestellt, daß eine kausale Beziehung besteht zwischen den Märzniederschlägen in Texas und Oklahoma und nachfolgenden Schwarzrostepidemien im Mai in Kansas und im Juni bzw. Juli in Nebraska, den Dakotas und Minnesota, obwohl die klimatischen Bedingungen in den letztgenannten Gebieten an sich ungünstig sind, da der Parasit hier wegen zu niedriger Temperaturen nicht überwintern kann. Betrachtet man unter diesem Aspekt die weltweite Verbreitung von Pflanzenkrankheiten, so wird deutlich, daß es länderübergreifender Zusammenarbeit bedarf, um zu besseren Erkenntnissen über die Beziehungen zwischen Klima und Pflanzenkrankheiten zu kommen. Dies ist schon frühzeitig erkannt worden, wie als Beispiel für zahlreiche ähnliche Unternehmungen der von POST et al. (1963) im Rahmen der World Meteorological Organization (WMO) veröffentlichte Bericht einer internationalen wie interdisziplinären Arbeitsgruppe über das weltweite Auftreten des Apfelschorfes zeigt.

Ein Weg, um zumindest in begrenzten Regionen mit relativ einfachen Klimaklassifikationen zu einer Beurteilung der geographischen Verteilung des Krankheitsrisikos zu kommen, ist in neuerer Zeit ·z.B. für die landwirtschaftlichen Gebiete Schottlands von RICHARDSON (1980, 1983) aufgezeigt worden, und zwar führt dieser Weg über Ertrags- und Krankheitserhebungen an einer Vielzahl von Einzelflächen. In diesem Fall wurden über eine Reihe von Jahren an 1300 Flächen mit Winterweizen, Sommergerste und Hafer die potentiellen Erträge und die Ertragsverluste ermittelt. An Hand der langjährigen Mittelwerte von Temperatur und Niederschlag wurden diese Flächen den Abweichungen von diesen Mittelwerten zugeordnet, und zwar getrennt nach Winter (November bis März), Frühjahr (April bis Mai) und Sommer (Juni bis Juli). Hieraus ließ sich ableiten, wie das wahrscheinliche Krankheitsrisiko in den verschiedenen Entwicklungsstadien der Kulturen geographisch verteilt ist und welche Beziehungen jeweils zur klimatischen Differenzierung der Regionen bestehen.

Auch bei diesem Verfahren zeigt sich, daß es letztlich doch ziemlich schwierig ist, zu vollständig vergleichbaren Datensammlungen von Pflanzenkrankheiten aus verschiedenen Klimazonen zu kommen, da die jahreszeitlichen Änderungen der Witterung häufig die klimatischen Grenzen verwischen und eine klare Zuordnung erschweren, obwohl natürlich das potentielle Risiko einer über die ökonomische Schadensschwelle hinaus sich erhöhenden Krankheitsintensität vor allem vom Klima bestimmt wird. Wesentlich ist dabei, daß eine epidemische Entwicklung, - wie es schon die vorangegangenen Ausführungen erkennen lassen -, nicht nur die Reaktion auf das gerade ablaufende meteorologische Geschehen ist, sondern das Ergebnis des Zusammenwirkens der Umweltfaktoren in verschiedenen Jahreszeiten. Dies hat zum Konzept einer "Geophytopathologie" geführt, wie es in neuerer Zeit von WELTZIEN (1978) entwickelt und u.a. an Beispielen aus dem Nahen und Mittleren Osten von ihm erläutert wurde (WELTZIEN, 1983). Auch dieses Konzept basiert auf langjährigen Erhebungen der in wenige Stufen eingeteilten Krankheitsintensität und auf klimatischen Mittelwerten, vornehmlich von Temperatur und Niederschlag, wobei teilweise von dem von WALTER und LIETH (1966) erarbeiteten Klimadiagramm-Weltatlas Gebrauch gemacht wird. Probleme ergeben sich jedoch dann, wenn, - wie oben bereits ausgeführt -, langjährig nicht erfaßte Parameter wie z.B. die Benetzungsdauer eine entscheidende Rolle spielen. Mit der Entwicklung einer Weltkarte des Auftretens von *Plasmopara viticola* hat jedoch WELTZIEN (1981) zeigen können, daß trotz solcher Einschränkungen wertvolle Aussagen gewonnen werden können.

Mit Sicherheit aber erweist es sich als zwingend notwendig, von den bisherigen starren kalendermäßigen Formen klimatologischer Mittelwerte auf solche überzugehen, die sich an der biologischen Entwicklung orientieren und dabei sowohl den Entwicklungsrhythmus der Pflanze als auch den der Krankheitserreger berücksichtigen.

2.2 EPIDEMIEN UND WETTERLAGE

Schon bei den eingangs erwähnten großen Epidemien des 19. Jahrhunderts war erkannt worden, daß offensichtlich ein Zusammenhang zwischen der Wetterlage und dem Auftreten von Pflanzenkrankheiten besteht. Die Intensivierung der Wetterbeobachtung und die stetige Verbesserung der Wetterprognose legten daher bald den Gedanken nahe, nicht nur die Beziehungen zwischen Wetter und Pflanzenkrankheiten zu analysieren, sondern aus den dabei gewonnenen Erkenntnissen heraus über die Vorhersage der zu erwartenden Wetterentwicklung auch zu einer Epidemieprognose zu kommen. Vor allem BOURKE (1957) suchte nach Beziehungen zwischen bestimmten synoptischen Wettersituationen und dem nachfolgenden Auftreten von Krautfäuleepidemien. Dabei fand er u.a., daß während der Vegetationszeit der Kartoffel im nordwesteuropäischen Raum vor allem Südwestlagen, bei denen Tiefdruckstörungen mit ausgeprägtem Warmsektor maritime Tropikluft heranführen, für das epidemische Auftreten der Kartoffelkrautfäule geradezu ideal sind, da sie sowohl von der Temperatur als auch von der Feuchtigkeit her optimale Voraussetzungen für die Erregerentwicklung mit sich bringen. Den Vorteil dieser synoptischen Betrachtungsweise sah BOURKE (1959) vor allem darin, daß die Wirkung einer bestimmten Wetterlage sich nicht nur auf eine bestimmte Pflanzenkrankheit bezieht, sondern auf eine Gruppe von Krankheiten mit ähnlichen Ansprüchen an die atmosphärische Umwelt. So soll z.B. die gleiche Wetterlage wie oben für *Phytophthora infestans* angegeben auch die Sporulation von *Sclerotinia fructigena* begünstigen und Ursache starker Schäden in den Obstanbaugebieten Englands sein.

Ein enger Zusammenhang mit der Wetterlage ergibt sich natürlich vor allem in Bezug auf den Sporentransport durch Luftströmungen, insbesondere bei der Frage der Verbreitung über große Entfernungen hinweg. Hier versuchte schon MIELKE (1943) auf die wahrscheinliche Ausbreitung von *Cronartium ribicola* während der Frühjahrsmonate mit Hilfe von synoptischen Karten der Höhenströmung zu schließen. WALLIN und RILEY (1960)

benutzten ebenfalls Höhenwetterkarten, um Phytophthorawetterlagen zu
identifizieren und vorherzusagen. Sie gingen dabei davon aus, daß zwischen der Zirkulation in der Höhe und den Temperatur- und Niederschlags-
verhältnissen über weiten Gebieten der USA ein enger Zusammenhang besteht. Intensiv befaßten sich GULLACH und WALLIN (1970) mit diesem Problem bei dem Versuch, das Auftreten der Blattfleckenkrankheit der Zuk-
kerrübe in den Anbaugebieten von Iowa mit der Wetterlage in den Monaten Juni bis September in Beziehung zu setzen. Aus fast 500 Boden- und
Höhenwetterkarten bei gleichzeitiger Messung der Temperatur- und Feuchtigkeitsverhältnisse in Zuckerrübenbeständen ermittelten sie diejenigen Wetterlagen, die für das Auftreten dieser Krankheit günstig bzw.
ungünstig sind, wofür in Abb. 2 ein vereinfachtes Beispiel angegeben
sei.

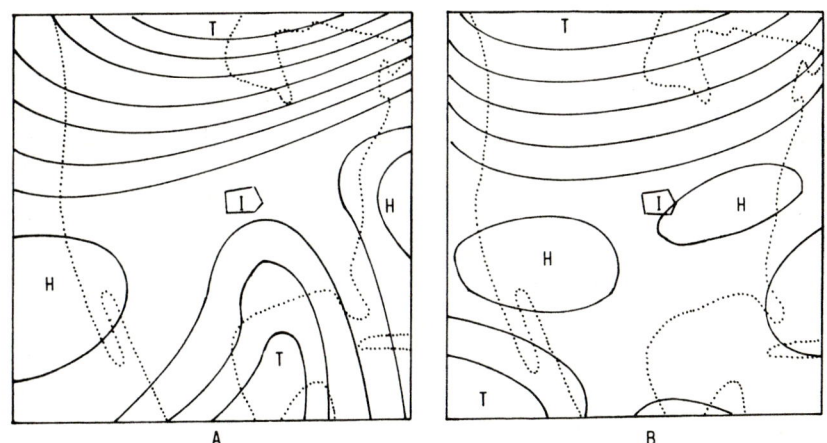

Abb. 2. Mittlere Höhenströmung über Nordamerika bei starkem (A) und schwachem (B) Auftreten der Rüben-
Blattfleckenkrankheit in den Zuckerrübenanbaugebieten von Iowa (I)

Danach sind in Iowa optimale Temperaturen und genügend lange Andauerzeiten hoher Luftfeuchtigkeit für den Erreger vor allem dann gegeben,
wenn maritime Tropikluft aus dem Süden bzw. Südosten herangeführt wird
(Teil A der Abb. 2), während eine stabile Hochdrucklage (Teil B der
Abb. 2) wegen zunehmender Trockenheit und Anstieg der Temperaturen auf
mehr als 30°C die Krankheitsentwicklung verhindert.

Aus korrelativen Beziehungen zwischen Änderungen des Luftdrucks und Änderungen der biologischen und physikalisch-chemischen Reaktionen unter
konstanten Laborbedingungen glaubte BORTELS (1950) eine ganz andere Art
der Wirkung der Dynamik des Wetters zu erkennen, die er als Einfluß einer noch unbekannten "Wetterstrahlung" deutete, da sich diese Wirkung
an räumlich weit voneinander entfernten Orten gleichzeitig einstellte

und sich durch Überdecken der Versuchsobjekte mit Metallen und anderen
Materialien modifizieren ließ. Bei künstlicher Infektion von jungen To
matenpflanzen mit *Phytophthora infestans* unter ständig konstant gehaltenen Laborbedingungen zeigte sich z.B. nach BORTELS, MASSFELDER und
WEDLER (1964), daß die Pflanzen in der Regel dann besonders schwer erkrankten, wenn die Infektion am Tage nach dem Durchzug eines Tiefdruck
gebietes bei wieder steigendem Luftdruck vorgenommen wurde. Leicht ode
garnicht erkrankten die Pflanzen, wenn am Tage vor dem Durchzug eines
Tiefs bei noch fallendem Luftdruck infiziert wurde. Diese Erscheinung
erklärte BORTELS (1942) schon in früheren Untersuchungen damit, daß
bei aeroben Organismen Atmung und Zellvermehrung, Resistenz des Wirts
und Virulenz des Parasiten bei steigendem Luftdruck erhöht und bei
fallendem Luftdruck erniedrigt werden. Da aber der komplizierter gebaute Wirtsorganismus langsamer reagiert als der einfacher gebaute Parasit, kommt es zu Phasenverschiebungen derart, daß z.B. auf der Rück-
seite eines Tiefs bei steigendem Luftdruck die Resistenz des Wirts noc
schwach, die Virulenz des Parasiten aber schon stark ausgeprägt ist,
während vor einem Tief bei fallendem Luftdruck die Resistenz noch relativ stark, die Virulenz aber bereits wieder schwach ist. Diese im
statistischen Mittel gefundenen Beziehungen sind jedoch bisher ohne
Bedeutung für die Epidemiologie geblieben und ein schlüssiger Beweis
für eine solche indirekte Wirkung der Wetterlage auf Pflanzenkrankheiten konnte bis heute nicht erbracht werden.

Eine andere und ebenfalls mehr indirekte Wirkung der Wetterlage deuten
die Untersuchungen von SHARP (1972) über den Einfluß der Ionisierung
der Luft auf biologische Vorgänge an. Danach sind hohe Konzentrationen
von Großionen z.B. eng verbunden mit einer Reduzierung der Keimungsrate der Uredosporen des Gelbrostes. Bei austauscharmen Wetterlagen mit
ausgeprägter Inversion, die eine besonders hohe Konzentration von Groß
ionen in der bodennahen Atmosphäre zur Folge haben, ergab sich bei der
künstlichen Infektion von Weizenpflanzen eine erhöhte Resistenz und
eine Verlängerung der Inkubationszeit um etwa vier Tage. Dies zeigt,
daß sich auch über die Luftqualität indirekt ein Einfluß von Wetterlagen auf Pflanzenkrankheiten und deren Erreger bemerkbar machen kann.

Die in den 60er Jahren intensiv betriebenen und später wieder in den
Hintergrund getretenen Versuche, aus der Wetterlage und ihrer Dynamik
heraus auf den Ausbruch von Epidemien zu schließen, sind mit der Entwicklung der Satellitentechnik und mit dem routinemäßigen Einsatz von
Wettersatelliten in neuerer Zeit wieder zu größerer Bedeutung gelangt.

Dies beweisen u.a. die von NAGARAJAN, SEIBOLDT und KRANZ (1982) durchgeführten Untersuchungen. Mit Hilfe von Aufnahmen des Wettersatelliten
NOAA-5 konnte nachgewiesen werden, daß Gelbrost- und Braunrostepidemien
an Weizen in Indien und Pakistan mit bestimmten Großwetterlagen über
dem indischen Subkontinent eng verbunden sind. Vergleiche täglicher Daten aus dem Defense Meteorological Satellite Programme (DMSP) der USA
über den Grad der Wolkenbedeckung über Indien mit der Entwicklung des
Getreiderostes an verschiedenen Standorten zeigten außerdem, daß der
kumulative Prozentsatz an wolkenbedeckter Landfläche ganz ähnlich verläuft, wie die am Boden ermittelte Befallskurve des Gelbrostes. Nach
Ansicht der Autoren machen Wettersatelliten mit ihrer exakten Darstellung der großräumigen Bewölkungsverhältnisse es bei Kenntnis der statistischen Relationen zwischen Wolkenbedeckung, Krankheitsverlauf und
Wirtspflanzenentwicklung möglich, das Risiko einer Epidemie und die
wahrscheinlichen Ertragsverluste im voraus abzuschätzen. Die genannten
Untersuchungen bestätigen damit die schon früher von NAGARAJAN et al.
(1976) vertretene Auffassung, daß sich mit Hilfe von Wettersatelliten
neue Methoden der Epidemieprognose erarbeiten lassen, wie überhaupt die
sogenannten Fernerkundungsverfahren (Remote Sensing) von Flugzeugen
oder Satelliten aus die Möglichkeit einer raschen Identifizierung er-
krankter Anbauflächen und damit eine rechtzeitige Information über epidemiologisch bedenkliche Entwicklungen bieten (siehe z.B. CROWN, 1977).
Voraussetzung für eine Epidemieprognose auf der Basis der aktuellen
Wetterlage ist allerdings, daß ein genügend hohes Infektionspotential
entweder ständig gegeben ist oder sich zuvor aufgebaut hat, da nur dann
eine gegebene synoptische Situation zum auslösenden Mechanismus einer
Epidemie werden kann. Für den Aufbau eines solchen Potentials spielen
aber auch und gerade die mikroklimatischen Bedingungen eine wichtige
und nicht zu unterschätzende Rolle.

2.3   BEDEUTUNG DES MIKROKLIMAS

Klima und Wetter geben zwar den Rahmen für die Möglichkeit epidemiologisch bedeutsamer Entwicklungen, entscheidender für das Wirt-Parasit-
Verhältnis sind jedoch die meteorologischen Bedingungen im eigentlichen Lebensraum von Pflanze und Krankheitserreger. Dieser Lebensraum
ist einerseits der Standort des Pflanzenbestandes bzw. die unmittelbare Umgebung der Pflanze, andererseits für den Parasiten aber auch die
Pflanze selbst, bzw. die Grenzschicht zwischen Pflanzenoberfläche und

Luft und u.U. sogar das Innere pflanzlicher Hohlräume wie Kapseln oder Hülsen (siehe z.B. SCHRÖDTER, 1952a). Das Mikroklima kennzeichnet die ökophysikalischen Bedingungen in diesem Lebensraum, wobei dieser Begriff im allgemeinen nicht nur auf mittlere Zustände, sondern auch auf aktuelle mikrometeorologische Vorgänge bezogen wird.

Die mikroklimatische Struktur eines Pflanzenbestandes hängt eng mit der Bestandsstruktur zusammen, die ihrerseits vom Phänotyp der Pflanze von der Bestandsdichte, von Blattflächenentwicklung, Blatthaltung usw. bestimmt wird, so daß das Mikroklima allein schon durch die phänologische Entwicklung im Laufe einer Vegetationsperiode kontinuierlichen Veränderungen unterworfen ist. Dies gilt in Abhängigkeit von den äußeren meteorologischen Randbedingungen wie Strahlung und Luftbewegung insbesondere für die Licht- bzw. Strahlungsverhältnisse im Bestand und für die Temperatur- und Feuchtigkeitsbedingungen, aber auch z.B. für die Niederschlagsinterzeption und die Dauer der Blattbenetzung. Die mikroklimatischen Differenzierungen innerhalb eines Pflanzenbestandes können in ihrer Wirkung auf das Wirt-Parasit-Verhältnis während einer Vegetationsperiode entscheidender sein, als am gleichen Standort die makroklimatischen Unterschiede zwischen zwei Vegetationsperioden. Hierauf hat erst in neuerer Zeit wieder MÜLLER (1983) am Beispiel der Modifikation der meteorologischen Parameter in Winterweizenbeständen hingewiesen und auf die Notwendigkeit aufmerksam gemacht, auch bei der Abschätzung von Nutzen und Risiko in der Bekämpfung von Pflanzenkrankheiten den grundlegenden physikalischen Beziehungen zwischen Pflanze und atmosphärischer Umwelt im Agroökosystem Pflanzenbestand, wie sie z.B. von GRACE, FORD und JARVIS (1981) und insbesondere von MONTEITH (1978) eingehend behandelt werden, besondere Beachtung zu schenken.

Die Bedeutung des Mikroklimas für die Entwicklung parasitischer Pilze wird seit langem immer wieder betont. Die umfassenden Darstellungen zu diesem Problem von SCHRÖDTER (1952a) und WAGGONER (1965) machten in zahlreichen Beispielen deutlich, daß eine der Voraussetzungen für die richtige Einschätzung dieser Bedeutung in Bezug auf epidemiologische Fragestellungen eine vertiefte Kenntnis der komplexen Zusammenhänge is die nicht nur zur Ausbildung eines eigenständigen Mikroklimas führen, sondern auch das Ausmaß seiner Wirkung auf das epidemische Geschehen bestimmen. Dementsprechend hat daher z.B. auch VAN EIMERN (1964b) seine eingehenden Untersuchungen über das Mikroklima von Pflanzenbeständen vor allem unter den Gesichtspunkt der Bedeutung der Ergebnisse für Phytopathologie und Pflanzenschutz gestellt. Auch aus seinen wie zahl-

reichen anderen Untersuchungen geht hervor, daß die Bestandsstruktur,
d.h. die im Laufe der vegetativen Entwicklung sich verändernde oder
die durch pflanzenbauliche Maßnahmen gezielt variierte Bestandsdichte
einen beherrschenden Einfluß ausübt. Wie groß dieser Einfluß auf bestimmte Entwicklungsstadien eines Erregers sein kann, haben z.B. schon
SCHRÖDTER und STOLL (1949) und SCHRÖDTER (1951) in Freilandexperimenten über die Wirkung mikroklimatischer Differenzierungen verschieden
dichter Pflanzenbestände auf die Sporulation von Pilzen der Gattung
Ascochyta nachweisen können. Wie deutlich sich selbst geringe Unterschiede in der mikroklimatischen Temperaturschichtung auswirken können, möge die aus dem Material dieser Untersuchungen zusammengestellte
Abb. 3 als anschauliches Beispiel zeigen. Hier ist die nächtliche vertikale Temperaturverteilung in drei Ackerbohnenbeständen mit 6, 16 und
44 Pflanzen pro m^2 dargestellt, und zwar durch die Differenzen zu der
gleichzeitig in 2 m Höhe über Grund (Wetterhütte) gemessenen Temperatur, sowie die vertikale Verteilung der in Stärkegraden von 0 bis 10
bestimmten Sporulation von *Ascochyta pinodella*.

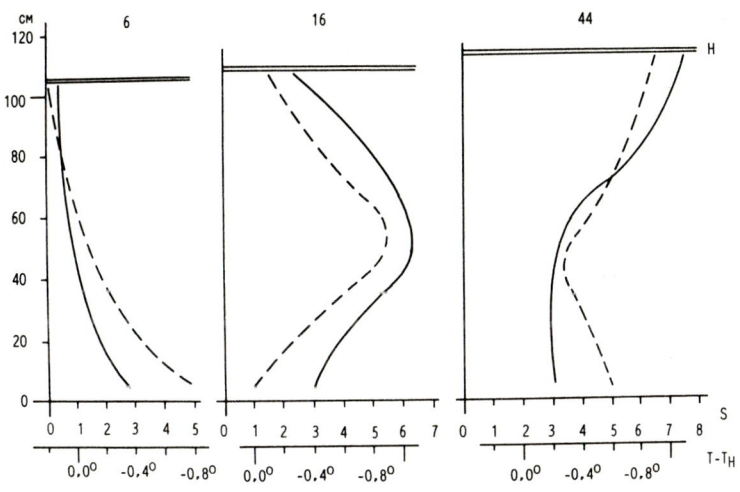

Abb. 3. Nächtliche vertikale Verteilung der Temperaturabweichung vom Hüttenklima T-T$_H$(-----) und der
Stärke der Sporulation von Ascochyta pinodella S (———) in verschieden dichten Ackerbohnenbeständen
mit 6, 16 und 44 Pflanzen pro m^2 (H = Bestandshöhe in cm)

Deutlich folgt die Sporulationsstärke sowohl der vertikalen Temperaturverteilung an sich, als auch der durch die unterschiedliche Bestandsdichte stark variierenden Form der thermischen Struktur des Mikroklimas, obwohl die Temperaturdifferenzen nur wenige Zehntel Grad betragen.
Zwar kann dies natürlich nicht als ein direkter Einfluß dieser Tempera-
turunterschiede auf die Sporulation interpretiert werden, ist aber doch
ein indirekter Einfluß dieser Schichtung insofern, als durch sie die

Dauer der Blattbenetzung durch Tau doch so stark beeinflußt wird, daß
sich eine entsprechend klare Differenzierung in der Stärke des Sporenaustritts aus den Pyknidien und damit ein deutlicher Einfluß des Mikro
klimas auf die Erregerentwicklung ergibt (SCHRÖDTER, 1949). Die wichtige Rolle der Blattbenetzung für die Sporulation zéigt sich im übrige
auch bei zahlreichen anderen parasitischen Pilzen und macht die spezielle Bedeutung der besonderen Eigenschaften des Mikroklimas deutlich,
wie u.a. die Untersuchungen von STEPHAN (1982) zum Einfluß meteorologischer Faktoren auf die Sporulation von *Phytophthora infestans* an Kar
toffeln erkennen lassen.

In diesem Zusammenhang ist es interessant, daß auch schon WALLIN und
WAGGONER (1950) experimentell nachweisen konnten, daß nicht nur die
bewußt durch extrem unterschiedliche Pflanzenzahlen je Einheit der Bodenfläche herbeigeführten mikroklimatischen Veränderungen für die Erregerentwicklung von Bedeutung sind. In Kartoffelbeständen unterschiedlichen Entwicklungszustandes legten sie durch Inokulation mit Sporen-
suspensionen von *Phytophthora infestans* künstliche Infektionsquellen
an und beobachteten die Ausbreitung der Erkrankung. Die dabei auftre-
tenden Unterschiede ließen sich eindeutig den mikroklimatischen Differenzen zwischen den Parzellen infolge der unterschiedlichen Pflanzenentwicklung zuordnen. Die früher häufig geübte Praxis, beim Bestands-
schluß der Kartoffeln mit vorbeugenden Spritzungen gegen die Kraut-.
fäule zu beginnen, ging also durchaus nicht unberechtigt von der Vor-
stellung aus, daß von diesem Zeitpunkt an mit günstigen mikroklimatischen Bedingungen für die Erregerentwicklung und daher mit der Gefahr
einer Epidemie zu rechnen sei.

In ihren Untersuchungen über den Einfluß des Mikroklimas auf den Befal
des Leins durch *Polyspora lini* kamen SCHRÖDTER und HOFFMANN (1961) zu
dem Ergebnis, daß das häufig beobachtete Auftreten der Erkrankung erst
zur Blütezeit und die zeitliche Verschiebung des Krankheitsbeginns entsprechend der zeitlichen Verschiebung des Blühbeginns bei späterer Aussaat zweifellos auch in der entwicklungsbedingten Veränderung des Mikroklimas begründet ist, da sich infolge der zur Blütezeit beginnenden
stärkeren Verzweigung der Pflanzen die Temperatur- und Feuchtigkeitsbedingungen im Bestand nach einer für den Erreger günstigeren Seite hin
verändern. Auch die Arbeit von BRETTSCHNEIDER-HERRMANN und LANGERFELD
(1971) zur Frage des verstärkten Auftretens der Spelzenbräune nach CCC-
Behandlung des Weizens ist in diesem Zusammenhang interessant, da sie
zeigt, daß die Erhöhung des Befalls nicht der Behandlung an sich sonde

der durch sie über die Beeinflussung der Pflanzenentwicklung verursachten Veränderung des Mikroklimas im Bereich der oberen Blätter und der Ähren zuzuschreiben ist. Daß selbst bei künstlicher Feldberegnung der Einfluß unterschiedlicher Bestandsstruktur und damit des Mikroklimas auf den Erreger erhalten bleibt, zeigten WEISS et al. (1980) am Beispiel von zwei Bohnensorten unterschiedlicher Bestandsstruktur hinsichtlich des Befalls mit *Sclerotinia sclerotiorum* unter normaler und starker Beregnung.

Die angeführten Beispiele machen deutlich, daß die Einbeziehung der besonderen mikroklimatischen Verhältnisse im Pflanzenbestand in epidemiologische Untersuchungen insbesondere dann unerläßlich ist, wenn es darum geht, die Interaktionen zwischen Wirt, Erreger und Umwelt in einem Agroökosystem in ihrer ganzen Vielfalt aufzuklären und ein Grundlagenwissen zu schaffen, das es ermöglicht, über Systemanalyse, Modellbildung und Simulation Entscheidungshilfen für gezielte menschliche Eingriffe in dieses Agroökosystem anzubieten. Die Untersuchungen von AUST (1981) über den Verlauf von Mehltauepidemien in einem Gerstenfeld sind ein gutes Beispiel dafür, wie es mit gezielten Experimenten sowohl unter Laborbedingungen als auch im Pflanzenbestand möglich ist, Epidemien zu analysieren und diejenigen Faktorenkonstellationen aufzudecken, die zu einer besonders heftigen Krankheitsentwicklung führen. Die Berücksichtigung des Mikroklimas als Teil des agroökologischen Gesamtsystems ist daher ohne Zweifel gerade im Hinblick auf die Entwicklung umweltgerechter Methoden des integrierten Pflanzenschutzes unverzichtbar.

3 EINFLUSS METEOROLOGISCHER PARAMETER AUF KRANKHEITSERREGER UND KRANKHEITSENTWICKLUNG

Die Vielschichtigkeit in der Problematik des Einflusses von Wetter und Klima auf Pflanzenkrankheiten beruht nicht nur darauf, daß stets mehrere meteorologische Faktoren und Faktorenkombinationen wirksam sind. Vielmehr liegt diese Vielschichtigkeit darin, daß die Interaktionen zwischen Klima, Erreger und Wirt in jedem Abschnitt der Entwicklung unterschiedlich sind, wobei sich, wie RAPILLY (1983) an verschiedenen Beispielen gezeigt hat, für jedes Stadium der Erreger- bzw. Krankheitsentwicklung eine gewisse Rangordnung in der Wirksamkeit der Parameter ergibt. Das Erkennen dieser Rangordnung erlaubt es zwar, eine Gruppierung der Pflanzenkrankheiten in Abhängigkeit von ihrer Reaktion auf den für einen bestimmten Entwicklungsabschnitt an erster Stelle maßgebenden Klimaparameter vorzunehmen, läßt es aber nur bedingt zu, den gesamten Ablauf einer Epidemie einer oder zwei Hauptwirkungsvariablen zuzuordnen. Immerhin gibt es Beispiele dafür, daß gerade der besonders gravierende Einfluß des einen oder anderen Faktors es u.U. erlaubt, die zu einer Epidemie führende synoptische Wettersituation klar zu definieren (BOURKE, 1970; NOUALLET, 1981). Auf jeden Fall ist die Kenntnis der Hierarchie im Komplex der wirksamen meteorologischen Parameter unerläßlich, um wohlbegründete Prognoseverfahren auf der Grundlage von Klimadaten entwickeln zu können.

Für die Sporenverbreitung z.B. spielen Wind und Turbulenz zweifellos eine überragende Rolle. Ihr Einfluß ist daher auch besonders eingehend untersucht worden, wobei verschiedene Modelle für die Ermittlung der Gradienten der Ausbreitung von Pflanzenkrankheiten entwickelt wurden (GREGORY, 1968). Aber schon die Frage, wie denn die Sporen in die Luftströmungen gelangen, mit denen sie transportiert werden, zeigt, daß auch andere Faktoren in Rechnung zu stellen sind, so z.B. der Einfluß der Feuchtigkeit auf die Freisetzung der Sporen, oder der Einfluß verschiedener Spektralbereiche des Lichts auf das Ausschleudern von Ascosporen und Sporangien und ähnliche Effekte, wie sie z.B. von RAPILLY et al. (1970) und RAPILLY (1977) beschrieben werden. Auch die mecha-

nische Verbreitung der Sporen durch Regen sei in diesem Zusammenhang
erwähnt, die nicht nur eine Funktion von Niederschlagsdauer und Nieder-
schlagsintensität ist, sondern auch eine Funktion der Morphologie der
Fruchtkörper (PAUVERT et al., 1970).

Sporenkeimung und Infektion sind bei zahlreichen parasitischen Pilzen
vor allem von Temperatur und Feuchtigkeit abhängig, wobei die Kombination Temperatur und Dauer der Benetzung oder Dauer hoher Luftfeuchtigkeit nahe Sättigung die Hauptrolle spielt. LAMARQUE (1978) z.B. zeigte,
daß für die Ascosporen von *Sclerotinia sclerotiorum* bei einer Temperatur von 20°C eine ununterbrochene Feuchtperiode von 42 Stunden Dauer
notwendig ist für den Infektionserfolg und daher die Feuchtedauer bzw.
Benetzungsdauer der für eine an Sonnenblumen auftretende Epidemie maßgebende Faktor ist. Dagegen spielt bei den echten Mehltauarten im Gegensatz zum falschen Mehltau die Temperatur eine Hauptrolle, während
die Benetzung eher negativ wirksam ist, jedoch die relative Luftfeuchtigkeit nicht ganz unberücksichtigt bleiben darf (AUST, 1981; BASHI und
AUST, 1980). Auch Inkubationszeit und Latenzperiode sind bei den echten Mehltauarten in erster Linie eine Funktion der Temperatur, während
beim falschen Mehltau im gesamten Zyklus seiner Entwicklung stets auch
die Feuchtigkeit bzw. die Benetzung in Rechnung zu stellen ist, die in
Abhängigkeit von ihrer Dauer und von der Art des betreffenden Parasiten einen additiven oder multiplikativen Effekt haben kann, auf jeden
Fall aber ein Charakteristikum dieser Parasitengruppe ist, wie es z.B.
SHANER (1981) deutlich gemacht hat.

Koloniewachstum und Sporulation sind beim echten Mehltau wiederum in
erster Linie von der Temperatur abhängig, während Benetzung, vor allem
als Folge von Regen, die Sporenproduktion stoppt, die relative Luftfeuchtigkeit dagegen zumindest während der Reifungsphase der Konidien
eine gewisse Rolle spielt (AUST, 1975). Bei den falschen Mehltauarten
jedoch sind hohe Feuchtigkeit bzw. Benetzung neben der Temperatur eine
wichtige Voraussetzung für die Sporulation. Dies kann in Einzelfällen,
wie RAPILLY et al. (1975) am Beispiel von *Kabatiella zeae* zeigten, von
erheblicher Bedeutung in Zusammenhang mit dem Einsatz künstlicher Feldberegnung sein. Sie stellten nämlich fest, daß nach 90 Minuten Sprüh-
beregnung die Konidiophoren fast vollständig von Sporen entleert waren,
daß aber, - bei Unterbrechung der Beregnung -, nach 4 Stunden ein neues
Maximum der Sporulation erreicht wurde und weitere 2-3 Stunden später
ein erneuter Höhepunkt der Sporulation erfolgte, der viermal größer war
als der erste, so daß die Beregnung zwar die Konidiophoren in ihrer

Entwicklung vorübergehend behindert, aber zugleich die laufende Bildung neuer Sporen fördert.

Dieser allgemeine und naturgemäß unvollkommene Überblick macht bereits deutlich, daß es für das Verständnis der biometeorologischen Grundlagen der Epidemiologie sinnvoll ist, zunächst der Frage der Wirkung einzelner meteorologischer Parameter in diesem Komplex nachzugehen, wie dies in den nachfolgenden Abschnitten geschehen soll. Hierbei werden die Einflußfaktoren Temperatur, Feuchtigkeit, Niederschlag und Wind, die vor allem im Hinblick auf die Entwicklung von Verfahren der Epidemieprognose zu den wichtigsten gehören, besonders eingehend behandelt, doch wird auch auf andere Wirkungsgrößen hingewiesen werden, um die Vielgestaltigkeit der Einflußmöglichkeiten von Wetter und Klima auf das Krankheitsgeschehen deutlich werden zu lassen.

3.1 TEMPERATUR

Die hohe Bedeutung der Temperatur für das Auftreten von Pflanzenkrankheiten liegt darin begründet, daß sie praktisch alle Stadien der Entwicklung eines Parasiten und des Wirt-Parasit-Verhältnisses in irgendeiner Form beeinflußt. Die detaillierte Analyse der Temperaturabhängigkeit gehört daher seit langem zum Standard labormäßiger Untersuchungen zur Biologie von Krankheitserregern, wobei es in der Regel hauptsächlich um die Feststellung des Optimalbereichs der Temperatur für die verschiedenen Entwicklungsabschnitte geht. So wird, - um nur ein willkürlich herausgegriffenes Beispiel zu nennen -, beim Rapskrebs nach Laboruntersuchungen von KRÜGER (1976) z.B. die Apothezienentwicklung von *Sclerotinia sclerotiorum* vor allem von Temperaturen zwischen 7°C und 11°C günstig beeinflußt, während bei tieferen Temperaturen sich die Keimung um 2-4 Wochen verzögert und bei höheren Temperaturen ab etwa 18°C praktisch keine Entwicklung mehr erfolgt.

Da sich naturgemäß Schwierigkeiten ergeben, labormäßig bei konstanten Temperaturen erzielte Ergebnisse auf die wechselnden Bedingungen im Freiland zu übertragen, ist es notwendig, auch bei Untersuchungen in vitro mit alternierenden Temperaturen zu arbeiten. Als Beispiel seien Ergebnisse von ROWE und POWELSON (1973a) bezüglich des Erregers der Halmbruchkrankheit des Weizens angeführt. Danach erfolgt die maximale Sporulation von *Cercosporella (Pseudocercosporella) herpotrichoides* unter konstanten Temperaturen bei 10°C und sinkt auf ein Minimum sowohl bei 0°C als auch bei 20°C. Unter alternierend tiefen und hohen Temperaturen sporuliert der Pilz mit mäßiger Stärke immer dann, wenn sich die Temperatur im Bereich von 8-12°C befindet, vorausgesetzt, daß im Zuge der Temperaturschwankungen eine Temperatur von 0°C nicht länger als 14 Stunden unterschritten wird. Wird im täglichen Gang eine Temperatur von 20°C für mehr als 10 Stunden überschritten, so findet eine Sporulation selbst dann nicht mehr statt, wenn für den Rest des Tages günstige Temperaturen von 8-12°C herrschen.

Vielfach kommt die Temperaturwirkung erst dann zur Geltung, wenn bestimmte Feuchtigkeitsbedingungen gegeben sind, worauf später noch näher eingegangen werden soll. Aber auch dann kann der Temperatureinfluß die beherrschende Rolle spielen. So wird z.B. bei der Knollenfäule der Kartoffel nach SATO (1979) die Knolleninfektion vor allem von der Bodentemperatur während oder unmittelbar nach Regen beeinflußt in der Weise, daß sie in nassem kaltem Boden hoch, in nassem warmem Boden (über 18°C Bodentemperatur) aber niedrig ist, so daß offensichtlich Temperaturen unter 18°C für die Infektion ausschlaggebend sind.

Wenn auch für zahlreiche Pflanzenkrankheiten die Temperaturbedingungen und der von ihnen abhängige Aufbau eines Inokulumpotentials während der laufenden Vegetationsperiode die Hauptrolle spielen, so ist doch für andere Krankheiten schon das Inokulumpotential zu Beginn der Vegetationsperiode epidemiologisch von entscheidender Bedeutung. Damit aber hängt, wie JEGER und BUTT (1983) zeigen konnten, die Krankheitsentwicklung in speziellen Fällen bereits von den Bedingungen des Vorjahres ab und vor allem davon, wie weit die Wintertemperaturen den Erreger in seiner Überlebensfähigkeit beeinträchtigt haben. So werden z.B. nach BENSON (1982) das Myzel von *Phytophthora cinnamomi* bei -6,7°C schon nach 2 Tagen, bei -1,4°C erst nach 6 Tagen und die Chlamydosporen bei -6,4°C nach 2 Tagen und bei -1,5°C sogar erst nach 29 Tagen inaktiviert. Trotzdem kann in diesem Fall sogar eine Inaktivierung des Infektionspotentials um 99% die Krankheitsentwicklung nur bedingt beeinflussen, da schon 1% des Originalinokulums ausreicht, um die Krankheit wieder hundertprozentig auszulösen.

Die Stärke des Einflusses der Temperatur ist natürlich auch von der Stärke des Einflusses anderer Parameter wie der Anfälligkeit des Wirts oder der Benetzungsdauer abhängig. So zeigen z.B. Klimakammerexperimente von AUST und HAU (1983), daß die Variabilität in der Latenzzeit von

Septoria nodorum an unterschiedlich alten Pflanzen von Sommerweizen
(erstes Keimblatt bzw. 2-Knoten-Stadium) zu 33% auf die Wirtsanfällig-
keit und nur zu 16% auf die Temperatur zurückzuführen ist. Andererseits
kann z.B. beim Gerstenmehltau nach AUST (1981) allein die Temperatur,
und hier speziell die infolge starker Einstrahlung überhöhte Blatt-
temperatur der entscheidende Grund dafür sein, daß sich eine Epidemie
nicht oder nur schwach entwickeln kann.

Schon COCHRANE (1958) hat gezeigt, daß die für das vegetative Wachstum
pilzlicher Parasiten optimalen Temperaturen im allgemeinen zwischen
12°C und 39°C liegen mit einem Mittel um 25°C. Für die Sporenkeimung
dagegen gilt in der Regel ein niedrigerer Temperaturbereich, der offenbar mit der Tatsache in Verbindung steht, daß in zahlreichen Fällen
die Sporenkeimung hohe relative Luftfeuchtigkeit bzw. Benetzung (z.B.
durch Tau) erfordert und diese Situation eher bei den niedrigeren Temperaturen während der Nachtstunden gegeben ist. Der Temperaturbereich
für Sporulation und Infektion ist meist enger begrenzt als der für das
Wachstum in vivo und in vitro. Der Temperaturbereich für das Wachstum
in vivo ist häufig enger begrenzt als der für das Wachstum in vitro,
und es ist für zahlreiche parasitische Pilze typisch, daß ihr Wachstum
in künstlicher Kultur bereits bei Temperaturen erfolgt, die unterhalb
des Minimums für die Infektion liegen. Für einige Pflanzenkrankheiten
ist das Temperaturoptimum für die Krankheitsentwicklung deutlich verschieden von dem für die Erregerentwicklung. Nach COCHRANE (1958) besteht jedoch ganz offensichtlich ein enger Zusammenhang zwischen dem
Temperaturoptimum eines Organismus und den Temperaturbedingungen seines
Verbreitungsgebietes.

Die außerordentlich umfangreiche Literatur über die Wirkung der Temperatur ist von COLHOUN (1973) unter zahlreichen Gesichtspunkten eingehend bearbeitet worden, so daß es im folgenden nur auf die prinzipiellen Formen der Temperaturabhängigkeit und die Frage ihrer Ermittlung
und Darstellung ankommt. Hierauf soll nunmehr eingegangen werden, und
zwar unter dem Aspekt, daß nur aus diesen Kenntnissen heraus der Tem-
peraturkomplex in das Gesamtsystem biometeorologischer Beziehungen in
der Epidemiologie seiner Bedeutung gemäß richtig eingeordnet werden
kann.

3.1.1 Temperatur und Krankheitsverlauf

Den Darstellungen von WAGGONER (1965, 1968) folgend kann man die zeitliche Entwicklung einer Epidemie in Abhängigkeit von der Temperatur T
bis zu einem Krankheitsbefall P am besten darstellen mit Hilfe der von
VANDERPLANK (1960, 1963) definierten apparenten Infektionsrate r, auf
die später noch näher eingegangen wird (s. auch KRANZ, 1974). Postuliert man, daß r nur von der Temperatur abhängig ist, so ist der zeitliche Fortschritt der epidemischen Entwicklung gegeben durch

$$\frac{dP}{P} = r \cdot dt \ , \qquad\qquad (3.1.1-1)$$

wobei die Temperaturabhängigkeit von r, wie eingangs gezeigt, im wesentlichen durch drei Kardinalpunkte gekennzeichnet ist, nämlich durch
die untere und obere Temperaturgrenze der Entwicklungsmöglichkeit T_{min}
und T_{max}, für die r = 0 ist, und durch die optimale Temperatur T_{opt},
bei der r den Höchstwert erreicht. In stark vereinfachter Form läßt
sich diese Temperaturabhängigkeit zunächst durch eine Parabel annähern,
so daß gilt

$$r = r_{max} - a(T - T_{opt})^2 \qquad\qquad (3.1.1-2)$$

mit r_{max} als dem Maximum der Infektionsrate bei der optimalen Temperatur T_{opt} und a als Regressionskoeffizient. Für diejenigen Temperaturen,
die um $\sqrt{r_{max}/a}$ Grad unter oder über T_{opt} liegen, ist r = 0 und wird
dann negativ, sofern dies nicht per Definition ausgeschlossen wird.
Eine solche negative Infektionsrate ist aber durchaus auch denkbar, so
z.B. wenn sich r aus dem Verhältnis von befallener zu nichtbefallener
Blattfläche ableitet und die Blattflächenentwicklung noch nicht abge-
schlossen ist.

Um nun die Wirkung der Temperatur auf den Epidemieverlauf zu verdeutlichen, sei von nachfolgenden fiktiven Beispielen ausgegangen. Es sei
zunächst vorausgesetzt, daß sich der Temperaturanstieg im Frühjahr zu
Beginn der Vegetationsperiode vom Zeitpunkt des Initialbefalls an darstellen läßt durch

$$T = T_o + k \cdot t \qquad\qquad (3.1.1-3)$$

mit T_o als Temperatur beim Erstbefall, k als Temperaturanstieg pro Tag
und t als Zeit. Dann ergibt sich für den Epidemieverlauf in Abhängig-

keit von Zeit und Temperatur

$$\int_{P_o}^{P} \frac{dP}{P} = \int_0^t \{r_{max} - a(T_o + k\cdot t - T_{opt})^2\}dt \ . \qquad (3.1.1-4)$$

Es sei angenommen, daß $r_{max} = 0,1/Tag$ bei $T_{opt} = 10^oC$ und $r = 0$ bei 0^oC und 20^oC sei. k möge 0,2 K/Tag betragen. Ist nun z.B. $T_o = 8^oC$, dann ist nach Gleichung (3.1.1-4) das Maximum der Epidemie nach 60 Tagen erreicht. Ist jedoch unter sonst gleichen Voraussetzungen $T_o = 12^o$, so ist das Maximum bereits nach 40 Tagen erreicht. Der entscheidende Unterschied liegt jedoch darin, - wie leicht einzusehen ist -, daß im zweiten Fall das Epidemiemaximum wesentlich niedriger ist, also eine deutlich geringere Vermehrung stattgefunden hat, weil die für die Entwicklung der Krankheit optimale Temperatur bereits überschritten war. Dies bedeutet praktisch, daß wegen einer solchen Temperaturabhängigkeit die Wahl des Aussaat- bzw. Pflanztermins u.U. ausschlaggebend für die Stärke einer Epidemie sein kann, wenn wie hier die Temperatur bei späterer Aussaat die Befallsentwicklung stärker begrenzt.

Ein anderes Bild stellt sich dar, wenn die Krankheitsentwicklung sich über den Sommer hinaus fortsetzt, weil dann nicht nur wie im eben behandelten Fall der Temperaturanstieg zum Sommer, sondern auch der Temperaturrückgang zum Herbst, d.h. der Jahresgang der Temperatur eine Rolle spielt. Dieser läßt sich nach BINGHAM (1961) sehr vereinfacht darstellen durch

$$T = T_m + A\cdot\sin t \ , \qquad (3.1.1-5)$$

worin T_m die Jahresmitteltemperatur und A die Amplitude bzw. der Anstieg zum sommerlichen Temperaturmaximum ist. Dann ergibt sich für die zeitliche Krankheitsentwicklung in Abhängigkeit von der Temperatur

$$\int_{P_o}^{P} \frac{dP}{P} = \int_0^t \{r_{max} - a(T_m + A\cdot\sin t - T_{opt})^2\}dt \ , \qquad (3.1.1-6)$$

wobei die Einheit der Zeit t aus $\frac{\pi}{2} = t$ für $T = T_m + A$ abzuleiten ist. Um nun die Wirkung des jahreszeitlichen Temperaturganges auf den Epidemieverlauf zu verdeutlichen, sei auch hier ein fiktives Beispiel behandelt.

Gegeben sei zunächst $r_{max} = 0,5/Dekade$ bei $T_{opt} = 15^oC$ und $r = 0$ bei $T = 10^oC$ und $T = 20^oC$. Ferner seien zwei Standorte I und II mit gleicher Mitteltemperatur $T_m = 10^oC$ betrachtet, jedoch sei für den Standort I die Amplitude A = 10 K gegeben, während für den Standort II der Wert A = 11 K gelten möge. Am Standort I erreicht also die sommerliche Höchsttemperatur mit 20°C gerade die obere Temperaturgrenze für die Krankheitsentwicklung, während sie am Standort II mit dem Maximum von 21°C um 1 K überschritten wird. Weiterhin sei vorausgesetzt, daß der die Epidemie auslösende Initialbefall in der letzten Aprildekade gerade zu dem Zeitpunkt auftritt, in dem T = T$_m$ ist. Der daraus sich ergebende unterschiedliche Epidemieverlauf an den Standorten I und II ist in Abb. 4 dargestellt.

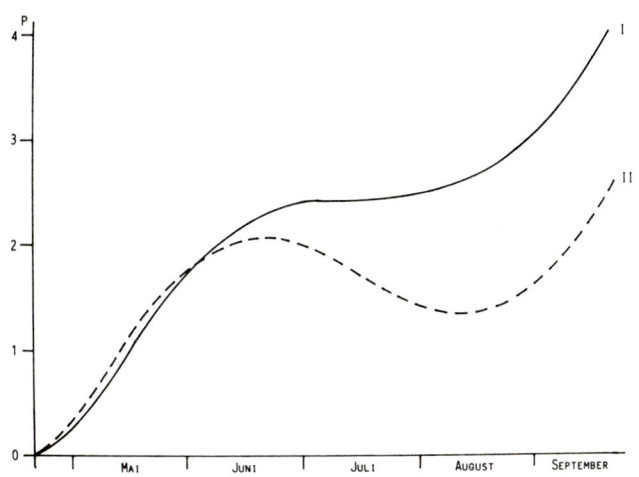

<u>Abb. 4.</u> Entwicklung einer Epidemie in Abhängigkeit von der Temperatur an zwei Standorten I und II mit gleicher Mitteltemperatur, aber unterschiedlicher Temperaturamplitude im Jahresgang

Wie die Abb. 4 zeigt, führt die größere Temperaturamplitude am Standort II zunächst zwar zu einer etwas rascheren epidemischen Entwicklung als am Standort I, doch bricht die Epidemie im Sommer schließlich zusammen und kann sich erst später wieder erneut aufbauen, ohne jedoch bis zum Ende der Vegetationszeit den hohen Befallsgrad zu erreichen, auf den sie bei der kontinuierlicheren Entwicklung am Standort I angestiegen ist.

An diesen Beispielen wird zugleich deutlich, daß Mitteltemperaturen nur bedingt aussagekräftig sein können, da es doch sehr auf den Schwankungsbereich der Temperatur ankommt. Dies aber gilt in übertragenem Sinne natürlich auch für kürzere Zeiträume wie Monate oder Tage und kann die tatsächlichen Beziehungen zwischen Temperatur und Krankheitsverlauf verdecken. So kam z.B. schon WALLIN (1964b) bei seinen Arbeiten über das Auftreten des Weizenhalmrostes in verschiedenen Gebieten der

USA zu dem Ergebnis, daß über die Monatsmittel der Temperatur keine klare Trennung der Jahre mit und ohne Rostauftreten möglich ist, selbst wenn man den Niederschlag mitberücksichtigt. Auch TYLDESLEY und THOMPSON (1980) hatten bei dem Versuch, im Rahmen der Entwicklung einer Prognosemethode für das Auftreten von *Septoria nodorum* an Winterweizen die Mitteltemperaturen bzw. deren Abweichungen vom langjährigen Durchschnitt zusammen mit anderen Einflußgrößen als unabhängige Variablen in lineare Mehrfachregressionsgleichungen einzubringen, einige Schwierigkeiten, und dies nicht nur wegen der Tatsache, daß die meteorologischen Faktoren eben nicht als unabhängig voneinander betrachtet werden können. Nur auf lange Sicht und in größerem Rahmen gesehen erlauben daher Mitteltemperaturen eine Aussage über die Wahrscheinlichkeit eines Krankheitsauftretens bzw. über die Möglichkeit der Überschreitung ökonomischer Schadensschwellen und können dann wie bei WELTZIEN (1983) die Basis für das Konzept einer Geophytopathologie bilden.

3.1.2 Beziehungen zur Temperatursumme

Die deutliche Temperaturabhängigkeit des zeitlichen Ablaufs verschiedener Entwicklungsprozesse wie die Dauer der Latenz- oder Inkubationszeit bei Krankheitserregern oder die Zeitspanne zwischen bestimmten phänologischen Phasen bei Kulturpflanzen hat von jeher zu dem Versuch angeregt, durch Summierung von sogenannten Wärmeeinheiten (heat units) oder Gradtagen (degree days) zu Vorhersagen der betreffenden Entwicklungsdauer oder des Eintritts bestimmter phänologischer Phasen zu kommen. So hat z.B. schon LESSMANN (1948) aus der Bildung von Temperatursummen eine Blühvorhersage bei Obstgehölzen versucht, und JAHN (1943) verwendete eine Temperatursummenregel zur Bestimmung des ersten Spritztermins gegen den Apfelschorf. In neuerer Zeit haben BLOC et al. (1983) in Frankreich verschiedene Methoden zur Vorhersage der Entwicklung von Mais getestet, die alle auf Summen der täglichen Mitteltemperatur über $6^{o}C$ basieren, und FRANQUIN (1983) hat ein Modell für den Entwicklungszyklus von Kulturen während der vegetativen Phase entwickelt, das aus Gradtagsummen u.a. die Blattentwicklung zu bestimmen gestattet.

Auch die Vorhersage von Epidemien wird verschiedentlich mit Hilfe von Temperatursummen versucht. So kommt STEPHAN (1978) in Untersuchungen über die Entwicklung eines Bekämpfungssystems gegen den Gerstenmehltau zu dem Schluß, daß der Zusammenhang zwischen Beginn und Stärke einer

Epidemie für die gezielte Bekämpfung besondere Bedeutung hat und hierbei die Temperatur die entscheidende Einflußgröße ist. Dabei läßt sich
aus der Temperatursumme, - gerechnet von Jahresbeginn an über einer
Basistemperatur von $5^{o}C$ -, auf den Befallsverlauf schließen insofern,
als frühes starkes Ansteigen der Temperatursumme konform geht mit einem raschen Epidemieanstieg, wobei Summen über 400 mit starkem und unter 300 mit schwachem Befall verbunden sind. Die Veränderungen in der
Häufigkeit und Schwere der Streifenrostkrankheit an Winterweizen im
Nordwesten der USA in den letzten Jahrzehnten versuchten COAKLEY und
LINE (1981) mit Hilfe von Beziehungen zu Temperatursummen zu deuten,
wobei sie negative und positive Gradtage zusammen mit einem Krankheitsindex in multiple Regressionsgleichungen einführten und fanden, daß
sich fast 90% der Schwankungen im Rostauftreten aus den negativen Gradtagsummen zwischen dem 1. Dezember und dem 31. Januar und den positi-
ven Gradtagsummen vom 1. April bis zum 30. Juni erklären lassen.

Die sogenannte Temperatursummenregel geht letztlich auf die Arbeiten
von JANISCH (1925, 1928) zur Analyse der Temperaturabhängigkeit biologischer Vorgänge zurück, auf deren Bedeutung für die Epidemiologie
schon von BLUNCK (1929) hingewiesen wurde. Die "Bluncksche Hyperbel",
aus der sich die Temperatursummenregel ableitet (SCHRÖDTER, 1952c), ist
nämlich nichts anderes als eine Näherungsform für das Exponentialgesetz
von JANISCH (1925). Nach einer Modifikation von ANALYTIS (1980) läßt
sich dieses z.B. für die Latenz- oder Inkubationszeit y_i darstellen in
der Form

$$y_i = \frac{M}{2}\{e^{k(T_i - T_{opt})} + e^{-k(T_i - T_{opt})}\} \qquad (3.1.2-1)$$

oder

$$y_i = M \cdot \cosh(k|T_i - T_{opt}|) \qquad (3.1.2-2)$$

mit M als Minimaldauer bei der Temperatur T_{opt}, T_i als aktueller Temperatur und k einem die Neigung der Kurve bestimmenden Parameter, der
sich als Regressionskoeffizient zwischen $|T_i - T_{opt}|$ als unabhängiger
und $\ln(y_i/M + \sqrt{y_i^2/M^2 - 1})$ als abhängiger Variablen ergibt.

Die Annäherung dieser Funktion durch eine Hyperbel geht nun davon aus,
daß in gemäßigten Klimaten in den meisten Fällen die Optimaltemperatur
garnicht erreicht wird, so daß nur der begrenzte Kurvenabschnitt der
Abnahme der Prozeßdauer mit steigender Temperatur in Betracht zu ziehen

ist. Die Gleichung der Hyperbel

$$\frac{x^2}{a^2} - \frac{y^2}{b^2} = 1 \qquad (3.1.2-3)$$

nimmt in Bezug auf ihre beiden Asymptoten als Koordinatenachsen die vorteilhafte Gestalt

$$x \cdot y = \frac{a^2 + b^2}{4} = \text{const} \qquad (3.1.2-4)$$

oder

$$x = c \cdot \frac{1}{y} \qquad (3.1.2-5)$$

an. Wie z.B. schon SCHRÖDTER und KÖHLER (1952) am Beispiel der Inkubationszeit von *Didymella applanata* gezeigt haben, läßt sich deren Beziehung zur Temperatur nach Ergebnissen aus Freilandexperimenten durch die Funktion

$$T_m = c_1 + c_2 \frac{1}{y} \qquad (3.1.2-6)$$

darstellen, - und zwar in bewußter Umkehr von abhängiger und unabhängiger Variablen -, wobei y die Inkubationsdauer und T_m die Mitteltemperatur ist. Für $y = \infty$ ist $T_m = c_1$, d.h. c_1 ist eine Art Grenztemperatur oder Basistemperatur, durch welche die Asymptote der Hyperbel geht, was bei entsprechender Koordinatenverschiebung zu

$$T_m - c_1 = T_m' = c_2 \frac{1}{y} \qquad (3.1.2-7)$$

oder

$$T_m' \cdot y = c_2 \qquad (3.1.2-8)$$

führt. Da y die Inkubationszeit und T_m' die um die Basistemperatur verminderte Mitteltemperatur während dieser Zeit ist, ergibt sich

$$T_m' \cdot y = \frac{\Sigma T'}{y} \, y = \Sigma T' = c_2 \;, \qquad (3.1.2-9)$$

d.h. die Summe der um die Basistemperatur verminderten Temperaturen ist eine Konstante und würde bedeuten, daß die Inkubationszeit in Abhängigkeit vom Temperaturverlauf immer dann beendet ist, wenn die Summe der aktuellen Temperaturen abzüglich der Basistemperatur den Wert c_2 er-

reicht, wobei c_2 je nach der Einheit der Zeit in Gradtagen oder Gradstunden ausgedrückt ist.

Für eine Gegenüberstellung der beiden Formen der Temperaturabhängigkeit nach den Gleichungen (3.1.2-2) und (3.1.2-6) seien Ergebnisse ü-
ber den Einfluß der Temperatur auf die Inkubationszeit von *Phytophthora infestans* an Kartoffeln herangezogen. WALLIN (1953) fand für diesen
Parasiten als kürzeste Inkubationszeit unter Feldbedingungen rund 77
Stunden bei 24°C. SCHRÖDTER und ULLRICH (1965) ermittelten aus einer
Vielzahl von Angaben verschiedener Autoren eine Ausgleichshyperbel entsprechend Gleichung (3.1.2-6) und damit eine Temperatursummenbeziehung
von der Form

$$y_i = 1543 \frac{1}{T_i - 7} \qquad (3.1.2-10)$$

mit einer Temperatursumme von 1543 Gradstunden und einer Basistemperatur von 7°C. Übernimmt man die hierfür benutzten Daten zusammen mit der
obigen Angabe von WALLIN (1953) für die Bestimmung der Temperaturfunktion nach ANALYTIS (1980) entsprechend Gleichung (3.1.2-2), so erhält
man

$$y_i = 77 \cdot \cosh(0{,}173|T_i - T_{opt}|) \qquad (3.1.2-11)$$

mit M = 77 Stunden, T_{opt} = 24°C und k = 0,173. Beide Funktionen sind
in Abb. 5 dargestellt.

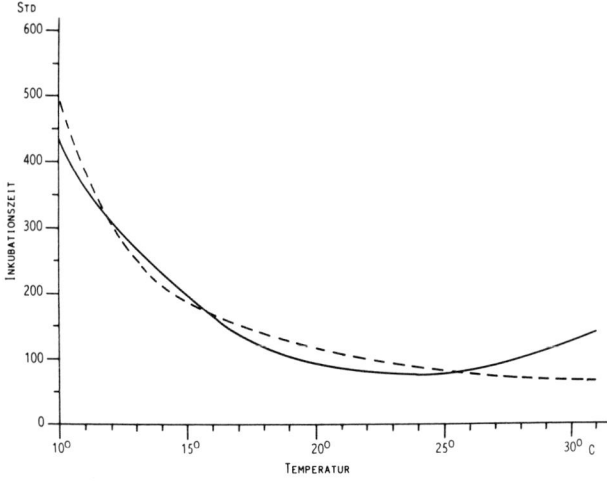

Abb. 5. Temperaturabhängigkeit der Inkubationszeit von Phytophthora infestans nach der Temperatursummenregel (-----) entsprechend SCHRÖDTER und ULLRICH (1965) und nach dem Exponentialgesetz (———) entsprechend ANALYTIS (1980)

Die Kurven in Abb. 5 zeigen in einem relativ weiten Bereich der Temperatur eine recht gute Übereinstimmung, insbesondere wenn man die relativ große Streuung in den Angaben der verschiedenen Autoren berücksichtigt, die den beiden Funktionen zugrunde liegen. Die Hyperbelfunktion nach Gleichung (3.1.2-10) ist allerdings naturgemäß nicht in der Lage, eine Minimaldauer der Inkubationszeit anzugeben. Die experimentell gefundene Minimaldauer von M = 77 Stunden bei 24°C wird nach Gleichung (3.1.2-10) erst bei T = 27°C erreicht, d.h. daß diese Gleichung nur unter solchen klimatischen Bedingungen sinnvoll verwendet werden kann, unter denen T_{opt} und damit M mit Sicherheit nicht erreicht werden können. Die von ANALYTIS (1980) gezeigten Beispiele für die unterschiedliche Temperaturabhängigkeit der Inkubationszeit des Krautfäuleerregers bei verschiedenen Kartoffelsorten machen die begrenzte Anwendbarkeit der Gleichung (3.1.2-6) deutlich, auch wenn SCHRÖDTER und KÖHLER (1952) in ihrem speziellen Fall gleichfalls sortentypisch unterschiedliche Relationen zeigen konnten. Auch die von STEPHAN (1980) entwickelte Potenzfunktion für die Abhängigkeit der Inkubationszeit von *Erysiphe graminis* von der Temperatur läßt sich mit hinreichender Genauigkeit durch eine Temperatursummenregel ersetzen, weist aber gegenüber den diesbezüglichen Ergebnissen von AUST et al. (1978), die eine parabolische Funktion benutzten, einige Abweichungen auf. Aus alledem ergibt sich, daß eine Verwendung von Temperatursummen in der Epidemiologie immer nur mit Einschränkungen möglich sein wird.

3.1.3 *Statistische Analyse der Temperaturabhängigkeit*

Die Ergebnisse labormäßiger Experimente zur Klärung der Beziehungen zwischen der Temperatur und der Biologie von Krankheitserregern lassen sich nicht ohne weiteres auf die Verhältnisse unter natürlichen Bedingungen übertragen, so daß insbesondere unter epidemiologischen Aspekten häufig eine Analyse dieser Beziehungen auf der Grundlage von Freilandbeobachtungen notwendig wird. Hierbei liegt es natürlich nahe, durch die Berechnung von Korrelationskoeffizienten darauf zu schließen, ob zwischen der beobachteten Erreger- oder Krankheitsentwicklung und der Temperatur ein stochastischer Zusammenhang besteht und wie eng dieser ist. Das Problem dabei liegt darin, daß von vornherein nicht mit einem linearen Zusammenhang gerechnet werden kann, wie schon in den vorangegangenen Abschnitten dargelegt, sondern daß sich die Frage ergibt, wie die für die Korrelationsrechnung erforderliche Voraussetzung

hinreichender Linearität erfüllt werden kann. Hier bieten sich einige
einfache Verfahrensweisen an (SCHRÖDTER, 1952a, 1959, 1965), deren An-
wendungsmöglichkeit sich danach richtet, welches meteorologische Datenmaterial jeweils verfügbar ist. Hierauf soll nachfolgend eingegangen werden, wobei zur Vereinfachung zunächst angenommen sei, daß auf
epidemiologischer Seite unmittelbar verwertbare tägliche Beobachtungen
in situ vorliegen.

Allgemein ist die Temperaturabhängigkeit gekennzeichnet durch die drei
Kardinalpunkte Minimum, Optimum und Maximum. Sie läßt sich näherungs-
weise nach Gleichung (3.1.1-2) durch eine parabolische Funktion ausdrücken. Stehen nun für eine Korrelationsanalyse unter obigen Voraussetzungen nur Tagesmittelwerte der Temperatur zur Verfügung, so kann
in weiterer Vereinfachung davon ausgegangen werden, daß die Entwicklungsrate, also z.B. das Myzelwachstum, beim Anstieg der Temperatur
vom Minimum zum Optimum hinreichend linear zunimmt und bei weiterem
Anstieg der Temperatur vom Optimum zum Maximum ebenfalls hinreichend
linear abnimmt, so daß, – sinngemäß zur parabolischen Funktion –, vorausgesetzt werden kann, daß beiderseits des Temperaturoptimums die betragsmäßig gleiche Temperaturänderung zur gleichen Reduzierung bei der
Wachstumsrate führt. Die Temperaturrelation wird also durch ein gleich-
schenkliges Dreieck bzw. ein "Delta" angenähert, dessen Spitze beim
Temperaturoptimum liegt. Die Korrelationsrechnung wird dann nicht mit
den Temperaturmittelwerten durchgeführt, sondern mit deren Abweichungen vom Temperaturoptimum. In der Formel des Korrelationskoeffizienten

$$r = \frac{\Sigma(x_i - x_m)(y_i - y_m)}{(n - 1)s_x s_y} \qquad (3.1.3-1)$$

mit der unabhängigen Variablen x, ihrer Streuung s_x, der abhängigen
Variablen y, ihrer Streuung s_y und der Anzahl der Wertepaare n wird
die unabhängige Variable also ersetzt durch

$$x = |(T - T_{opt})| \quad , \qquad (3.1.3-2)$$

woraus sich neue Werte x_i, x_m und s_x ergeben. Da aber T_{opt} zunächst
nicht bekannt ist, wird von systematischen Annahmen über seine Lage
ausgegangen und die Rechnung mit diesen Annahmen wiederholt. Diese
Iterationen führen dann zu einer Reihe von Korrelationskoeffizienten,
deren höchster negativer Wert das wahrscheinliche Temperaturoptimum
angibt, wobei eine Kurvendarstellung von r = f(T) unter günstigen
Voraussetzungen bereits ein erstes Bild von der möglichen Form der
Temperaturabhängigkeit vermitteln kann.

Nachteil dieser "Delta-Korrelationsanalyse" ist, daß sie nur dann zu
hinreichend brauchbaren Ergebnissen führt, wenn man sich überwiegend
im aufsteigenden oder absteigenden Ast der eigentlichen Temperaturfunktion bewegt. Außerdem ergeben sich gewisse Verzerrungen dadurch,
daß die Tagesmitteltemperatur keine Information über den Temperaturverlauf des betreffenden Tages enthält, der biologische Vorgang aber
letztlich das Ergebnis eben dieses Temperaturverlaufs ist. Liegen daher außer der Mitteltemperatur auch noch Angaben über die höchste und
tiefste Temperatur jedes Tages vor, so ist es zweckmäßig, auch diese
zu berücksichtigen. Dies kann z.B. dadurch geschehen, daß zunächst in
gleicher Weise wie zuvor die Korrelationen zu den Extremen der Temperatur bestimmt werden und mit diesen dann die partiellen Korrelationskoeffizienten zwischen dem Temperaturmittel bzw. seiner Abweichung vom
Optimum und der Erreger- oder Krankheitsentwicklung berechnet werden
unter Ausschaltung des Einflusses der Temperaturextreme, d.h. des Einflusses der Tagesschwankungen der Temperatur. Auf diese Weise lassen
sich Verzerrungen vermeiden und eine gewisse Annäherung an die wahren
Beziehungen erreichen, zumindest was die Frage der optimalen Temperatur angeht (SCHRÖDTER, 1965).

Liegen kontinuierliche Temperaturregistrierungen vor, so bietet sich
das ebenfalls iterative Verfahren der "Häufigkeits-Korrelationsanalyse"
an (SCHRÖDTER, 1952a, 1965), das sich häufig bewährt hat und auch für
die Entwicklung von mathematischen Modellen zur Epidemieprognose verwendet werden kann (siehe z.B. SIEBRASSE, 1982). Das Verfahren geht
davon aus, daß nicht eine mittlere Temperatur, sondern die Häufigkeit
günstiger und ungünstiger Temperaturen in ihrem wechselnden Verhältnis zueinander für die Erregerentwicklung und den Krankheitsverlauf
im betrachteten Zeitraum maßgebend ist. Temperaturmittelwerte sind ja
schon insofern nur bedingt brauchbar, als die Häufigkeitsverteilung
der Temperaturen eines bestimmten Zeitraumes nicht einer Normalverteilung entspricht und daher die mittlere Temperatur nicht zugleich die
häufigste Temperatur ist. Ferner geht dieses Verfahren davon aus, daß
zwischen der Häufigkeit günstiger Temperaturen und der Entwicklung
ein hinreichend linearer Zusammenhang angenommen werden kann. Wird
nun für jede Zeiteinheit die Häufigkeitsverteilung der Temperatur in
verschiedenen, gegebenenfalls auch übergreifenden Klassen bestimmt, so
entstehen für diese Temperaturklassen Zeitreihen wechselnder Häufigkeit, die jede für sich mit der Zeitreihe der beobachteten Entwicklung
korreliert wird. In der vorstehenden Gleichung (3.1.3-1) wird also die
unabhängige Variable x ersetzt durch

$$x = h_i(T_k) \ , \qquad\qquad (3.1.3\text{-}3)$$

d.h. durch die i verschiedenen Häufigkeiten h von Temperaturen T in Klassen k, und mit $r = f(T)$ erhält man eine Kurve der Korrelationskoeffizienten, die der wahren Temperaturfunktion sehr ähnlich ist und zu einer realistischen Angabe der für die Entwicklung optimalen Temperatur führt (SCHRÖDTER, 1959, 1965). Der Nachteil dieses Verfahrens liegt darin, daß das meteorologische Datenmaterial nicht voll genutzt werden kann, da bei den nur gering besetzten Temperaturklassen in den Grenzbereichen in der Regel keine statistische Sicherung möglich ist.

Bei allen vorstehend beschriebenen Verfahren besteht das zusätzliche Problem, daß auch die Beobachtungen auf epidemiologischer Seite meist nicht unmittelbar als abhängige Variablen übernommen werden können, sondern der Transformation bedürfen, um den Voraussetzungen einer statistischen Analyse zu entsprechen. So ergeben Beobachtungen der epidemischen Entwicklung grundsätzlich eine Zeitreihe, die zum einen den zufälligen Schwankungen als Folge von Beobachtungs- oder Meßfehlern unterliegt, zum anderen eine Grundtendenz oder Grundbewegung und Abweichungen von dieser unter dem Einfluß unabhängiger Variablen aufweist (SCHRÖDTER und HOFFMANN, 1961). Während sich zufällige Schwankungen nach der Methode der gleitenden Durchschnitte eliminieren lassen, ist die Feststellung der Grundbewegung eine entscheidende Voraussetzung für die Anwendung der oben behandelten Verfahren, denn nur die Abweichung von der Grundbewegung kann als abhängige Variable in die Analyse eingehen.

Wie Wachstumskurven allgemein zeigt auch der Befallsverlauf bei Pflanzenkrankheiten in der Regel eine S-förmige Gestalt. Dies aber bedeutet, daß die gleiche Wirkungsintensität eines Einflußfaktors keineswegs zur quantitativ gleichen Reaktion führt, weil wegen der S-Form der betragsmäßig gleiche Entwicklungsfortschritt zu zwei verschiedenen Zeiten unterschiedliche Bedeutung hat. Für die hieraus sich ergebenden Folgen finden sich bei SCHRÖDTER (1965) und ANALYTIS (1973) ausführlich erläuterte Beispiele. Die für Korrelationsanalysen nach den beschriebenen Verfahren notwendige Äquivalenz der Werte der abhängigen Variablen läßt sich also nur durch eine geeignete Transformation solcher S-förmiger Kurven erreichen.

In erster Näherung entspricht die Kurve der Zuwachsraten eines Krank-
heitsbefalls etwa einer Normalverteilung und damit die Grundbewegung
eines Befallsverlaufs der Summenprozentlinie des Gaußschen Integrals,
zumindest im Bereich zwischen 5% und 95%. Daher läßt sich eine Linearisierung durch eine Probit-Transformation der Beobachtungsergebnisse
erreichen, die sich bekanntlich auf die Transformation der Gaußschen
Kurve in eine Gerade mit Hilfe der NED-Skala (Normal Equivalent Devi-
ation) stützt. Die Werte für die abhängige Variable können auf diese
Weise in äquivalente Probits transformiert und nach obigen Verfahren
statistisch verarbeitet werden. Über weitere Methoden der Transformation wird später in anderem Zusammenhang noch zu sprechen sein. Im
übrigen eignet sich die hier aufgeführte Häufigkeits-Korrelationsanalyse nicht nur zur Ermittlung der Temperaturabhängigkeit, sondern auch
zur statistischen Behandlung der Frage des Einflusses anderer meteorologischer Parameter.

3.1.4 Analytische Darstellung der Temperaturrelation

Statistische Analysen der Temperaturabhängigkeit der Erreger- oder
Krankheitsentwicklung sind in ihrer Aussagekraft auf den Bereich der
ihnen zugrunde liegenden Messungen und Beobachtungen beschränkt und
daher nur bedingt für die Erarbeitung von Modellen und Simulatoren geeignet. Insbesondere für erklärende Modelle, bei denen die Übertragbarkeit von Modellaussagen um so eher möglich ist, je weniger sie auf
empirischen Beziehungen basieren, ist es notwendig, möglichst viele
der im System ablaufenden Teilvorgänge analytisch darzustellen. Dies
gilt natürlich auch für die Wirkungsweise der Temperatur als einem der
wichtigsten Parameter. Eine analytische Beschreibung der Beziehungen
zwischen der Temperatur und der Entwicklungsrate bei parasitischen Pilzen ist daher sowohl für Zwecke der Interpolation oder Extrapolation
als auch für die Erarbeitung möglichst weitgehend deterministischer
Modelle notwendig.

Betrachtet man die empirisch gewonnenen Angaben über die Beziehungen
zwischen der Temperatur und der Entwicklung von Krankheitserregern, so
fällt auf, daß viele Beziehungskurven die weitgehend ähnliche Form einer
nach rechts schiefen Glockenkurve haben. Diese Asymmetrie ist dadurch
bedingt, daß der Anstieg vom Minimum zum Optimum langsamer erfolgt als
der Abfall vom Optimum zum Maximum. Diesen prinzipiell einheitlichen

Typus der Kurvenform konnten COHEN und YARWOOD (1952) bei der Untersuchung einer großen Anzahl von Wachstumskurven zahlreicher parasitischer Pilze nachweisen. Sie benutzten nun die aus allen untersuchten
Kurven sich ergebende mittlere Kurvenform zur graphischen Konstruktion
eines Nomogramms, in welchem die Kurve als Gerade erscheint. Den Vorteil dieser Darstellungsweise sahen sie darin, daß die Unterschiede in
den thermischen Kardinalpunkten für die einzelnen Organismen klarer zu
erkennen sind, daß Ungenauigkeiten und Widersprüche in Versuchsergeb-
nissen leichter als solche erkannt werden können und daß eine größere
Zahl von Kurven zu Vergleichszwecken in einer einzigen Darstellung un-
tergebracht werden kann, ohne das Bild der Zusammenhänge zu verwirren.
Schließlich hofften sie, daß es mit Hilfe dieses empirisch gewonnenen
Nomogramms möglich sein müßte, bei der Untersuchung der Temperaturabhängigkeit mit der experimentellen Bestimmung nur noch zweier Punkte
(z.B. Minimum und Maximum) auszukommen, da alle anderen Werte mit hinreichender Genauigkeit aus dem Nomogramm abgelesen werden können.

Dieser empirisch gewonnene Befund von COHEN und YARWOOD (1952) wurde
von SCHRÖDTER (1965) zur Grundlage für die Erarbeitung einer analytischen Darstellung der Temperaturrelation benutzt. Die dabei entwickelte TE-Funktion (Temperature Equivalent Function) ist mathematisch in
der Form der $\sin^2$-Funktion eines Polynoms dritten Grades ausgedrückt,
d.h. durch

$$y = \sin^2(a_1 x + a_2 x^2 + a_3 x^3) \ , \qquad (3.1.4-1)$$

worin y das relative Wachstum bezogen auf die Wachstumsintensität bei
der optimalen Temperatur ist und x ein Temperaturäquivalent, das gegeben ist durch

$$x = \frac{T_i - T_{min}}{T_{max} - T_{min}} \qquad (3.1.4-2)$$

mit T_i als aktueller Temperatur und T_{max} als maximaler und T_{min} als
minimaler Temperatur der Entwicklungsmöglichkeit. Die Bestimmungsglei-
chungen für die Konstanten a_1, a_2 und a_3 lassen sich dann aus der von
COHEN und YARWOOD (1952) empirisch gewonnenen mittleren Kurvenform wie
folgt ableiten.

Entsprechend Gleichung (3.1.4-2) wird der Temperaturbereich zwischen
Minimum und Maximum gleich 1 gesetzt. Ebenfalls gleich 1 ist das relative Wachstum bei der Optimaltemperatur. Aus der Schiefe der Kurve von

COHEN und YARWOOD (1952) ergibt sich, daß das Optimum bei rund 67% des Temperaturbereichs und der Wendepunkt im ansteigenden Ast der Kurve bei 65,5% des relativen Wachstums und 45% des Temperaturbereichs liegt. Da nun gemäß Gleichung (3.1.4-1) für das Temperaturäquivalent x = 1 das relative Wachstum y = 0 sein muß, ergibt sich die erste Bestimmungsgleichung zu

$$\sin^2(a_1 + a_2 + a_3) = 0 \ , \qquad\qquad (3.1.4-3)$$

die zweite wegen y = 1 bei x = 0,67 zu

$$\sin^2(0,67a_1 + 0,4489a_2 + 0,300763a_3) = 1 \qquad (3.1.4-4)$$

und die dritte wegen y = 0,655 bei x = 0,45 zu

$$\sin^2(0,45a_1 + 0,2025a_2 + 0,091125a_3) = 0,655 \ . \qquad (3.1.4-5)$$

Aus diesen Gleichungen lassen sich die Werte der Konstanten a_1, a_2 und a_3 berechnen, was dann zu der TE-Funktion

$$y = \sin^2(128x - 74,6x^2 + 126,6x^3) \qquad (3.1.4-6)$$

führt. Mit dieser Funktion läßt sich schließlich wie bei COHEN und YARWOOD (1952) das in Abb. 6 dargestellte Nomogramm konstruieren und eine Linearisierung der Temperaturbeziehungskurve erreichen.

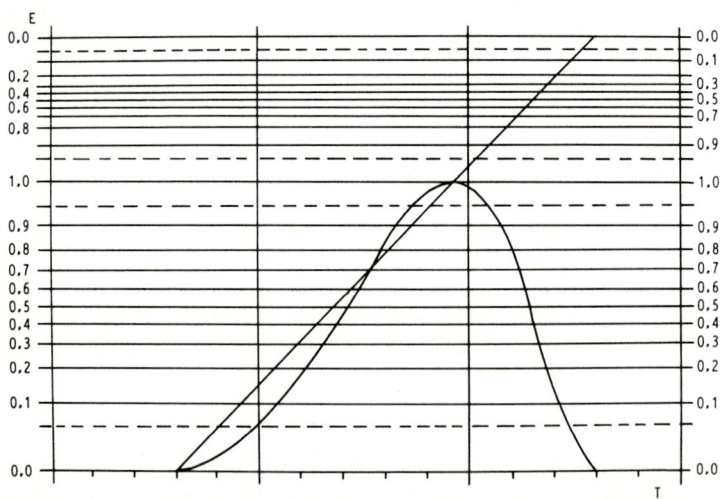

Abb. 6. Nomogramm zur Linearisierung der Temperaturbeziehungskurve nach der TE-Funktion

In dieser Form hat sich die TE-Funktion nach SCHRÖDTER (1965) vielfach bewährt, so z.B. bei den in den USA eingesetzten Modellen zur
Prognose der epidemischen Entwicklung des Getreiderostes (DIRKS und
ROMIG, 1970; EVERSMEYER und BURLEIGH, 1970; BURLEIGH et al., 1972;
EVERSMEYER et al., 1973). Auch ANALYTIS (1973) benutzte sie in seinen
Darstellungen zur Methodik der Analyse von Epidemien als Grundlage für
die Ableitung biometeorologischer Variablen, während sie von KRANZ et
al. (1973) in ein Simulationsmodell für den Apfelschorf eingebaut wurde (siehe auch KRANZ, 1974; BUTT und ROYLE, 1974).

Ein Mangel der TE-Funktion liegt darin, daß sie durch ihre Bindung an
die $\sin^2$-Form nicht flexibel genug ist. Zwar läßt sich durch Variation
der Konstanten a_1, a_2 und a_3 eine Anpassung an abweichende Kurvenver-
läufe erreichen, wie ANALYTIS (1973) und DIRKS und ROMIG (1970) gezeigt haben, doch ist dies eben nur in sehr engen Grenzen möglich. Von
ANALYTIS (1977, 1980) und ANALYTIS und THANASSOULOPOULOS (1978) wurde
daher die BETE-Funktion entwickelt, welche die Beziehungen zwischen
Entwicklungsrate und Temperatur bei parasitischen Pilzen analytisch in
einer wesentlich flexibleren Form beschreibt. Sie ist gegeben durch

$$r(\delta) = p \cdot \delta^n (1 - \delta)^m \qquad (3.1.4-7)$$

mit $r(\delta)$ als relative Wachstumsrate. Darin ist δ wie zuvor das Temperaturäquivalent nach Gleichung (3.1.4-2) und p ein Proportionalitäts-
faktor, der so skaliert ist, daß die Entwicklungsrate beim Optimum des
Temperaturäquivalents gleich 1, bei anderen Temperaturen ein Bruch-
teil von 1 und bei den beiden Temperaturextremen gleich Null ist. Die
Größen n und m sind Parameter, welche die Schiefe der Kurve und ihre
Krümmung bestimmen, womit die starre Bindung an die $\sin^2$-Form bei der
Schrödterschen TE-Funktion vermieden wird. Wird in Gleichung (3.1.4-7)
an die Stelle von n der Wert $n \cdot m$ gesetzt, so wird sie zu

$$r(\delta) = \{p \cdot \delta^n (1 - \delta)\}^m \qquad (3.1.4-8)$$

und erhält damit eine für Vergleiche zwischen verschiedenen Organismen
oder zwischen verschiedenen Stadien eines Organismus günstigere Form.

Obwohl diese BETE-Funktion nach ANALYTIS (1977) in erster Linie entwickelt wurde, um das Myzelwachstum von parasitischen Pilzen in Abhängigkeit von der Temperatur quantitativ beschreiben zu können, so
hat sich doch gezeigt, daß sie infolge ihrer Flexibilität wesentlich

breitere Anwendungsmöglichkeiten bietet. So ließen sich z.B., wie bei ANALYTIS (1977, 1980) beschrieben, experimentelle Daten über die Direktkeimung der Sporangien von *Phytophthora infestans* in Abhängigkeit von der Temperatur durch die Gleichung

$$r(\delta) = \{7,57 \cdot \delta^{2,3}(1 - \delta)\}^{2,4} \qquad (3.1.4-9)$$

anpassen. Hierbei wurden nach Linearisierung der BETE-Funktion und anschließender Wichtung der resultierenden Funktion durch $y^2 = r^2(\delta)$ die Parameter n und m aus den experimentellen Daten nach der Methode der kleinsten Quadrate abgeschätzt. Nach HAU et al. (1983) läßt sich auch die Temperaturabhängigkeit der Infektionsintensität des Gerstenmehltaus im Bereich zwischen 2°C und 30°C mit der BETE-Funktion nach obiger Gleichung (3.1.4-8) analytisch darstellen.

Prinzipiell ist für die analytische Darstellung des Einflusses der Temperatur auf die Entwicklungsrate auch ein anderes Vorgehen denkbar, indem man den Temperatureffekt in zwei Phasen unterteilt. Dabei wird die Phase I vom Minimum zum Optimum durch eine monoton ansteigende Funktion, die Phase II vom Optimum zum Maximum durch eine steil abfallende Funktion charakterisiert. Diese von zwei getrennten Funktionen ausgehende und von WOLLKIND et al. (1978) für die Modellierung biologischer Prozesse empfohlene Technik der "matched asymptotic expansions" hat sich zwar als geeignet für die Beschreibung der Temperaturabhängigkeit der Populationsdynamik tierischer Schädlinge erwiesen, hat jedoch in die Epidemiologie pilzlicher Schaderreger bisher keinen Eingang gefunden, wo sie sicherlich auch zu gewissen Interpretationsschwierigkeiten führen würde, so daß an dieser Stelle auf ihre Darstellung verzichtet sei.

3.2   FEUCHTIGKEIT

Neben der Temperatur gehört die Feuchtigkeit zu den wichtigsten Einflußgrößen bei der Entwicklung von Pflanzenkrankheiten und beim Entstehen von Epidemien. Dabei ist biologisch die Unterscheidung zwischen der Wirkung hoher Luftfeuchtigkeit nahe Sättigung und der von freiem Wasser oft nur schwer zu treffen (RAPILLY, 1983). Für die Keimung der Pilzsporen und das Eindringen des Erregers in das pflanzliche Gewebe stellt in den meisten Fällen die Feuchtigkeit in gebundener oder freier Form den begrenzenden Faktor dar, und im allgemeinen zieht jede Unterbrechung der erforderlichen minimalen Dauer des Vorhandenseins ausreichender Feuchtigkeit eine Verminderung der Überlebensfähigkeit des betreffenden Inokulums nach sich.

Nicht in erster Linie die Feuchtigkeit oder Benetzung an sich, sondern deren Dauer spielt die entscheidende Rolle, - meist jedoch nicht für sich allein, sondern in Verbindung mit der Temperatur -, und prägt damit den Grad der Erkrankung. Vor allem bei den falschen Mehltauarten ist das Vorhandensein tropfbar flüssigen Wassers eine zwingende Notwendigkeit. So besteht z.B. nach ROYLE (1973) eine ganz enge Korrelation zwischen der Dauer der Benetzung und der Infektion des Hopfens durch *Pseudoperonospora humuli*. Die mindestens notwendigen Andauerzeiten hoher Feuchte bzw. Benetzung durch Tau oder Regen können, - insbesondere in Abhängigkeit von der Temperatur -, sehr unterschiedlich sein. So ermittelte z.B. COHEN (1977), daß für die Infektion von Gurken durch *Pseudoperonospora cubensis* bei 20°C schon eine Benetzungsdauer von 2 Stunden ausreicht, während bei 5°- 10°C diese Dauer mindestens 12 Stunden betragen muß. FOURNET (1971) zeigte für den Fall von *Phoma destructiva*, daß eine Initialperiode von 24 Stunden Sättigungsfeuchte für eine Infektion notwendig ist und anschließende längere Feuchtperioden einen additiven bzw. multiplikativen Effekt auf die Ausprägung der Krankheit haben können. Bei den Ascosporen von *Sclerotinia sclerotiorum* ist nach LAMARQUE (1978) für den Infektionserfolg bei 20°C eine ununterbrochene Andauer von Feuchtesättigung über rund 42 Stunden erforderlich und stellt den maßgebenden Faktor für die Entwicklung von Epidemien bei Sonnenblumen dar.

Die Wirkung der verschiedenen Feuchtigkeitsformen und ihrer Dauer ist nicht nur auf Sporenkeimung und Infektion beschränkt. So ist es nach SHANER (1981) für necrotrophe Parasiten wie z.B. Septoria- oder Helminthosporiumarten geradezu charakteristisch, daß bei der Frage ihrer

Inkubationszeit oder Latenzzeit neben den Temperaturen auch die Dauer hoher Feuchtigkeit oder Benetzung in Rechnung zu stellen ist. Auch die Retentionswirkung der Luftfeuchtigkeit ist epidemiologisch von Bedeutung, obwohl hierüber bisher nur wenige Erkenntnisse vorliegen. So beobachteten z.B. RAPILLY und FOUCAULT (1976), daß bei den Blättern von Weizen und Saubohnen eine Erhöhung der relativen Luftfeuchtigkeit in der unmittelbaren Umgebung der Pflanzen zu einer Erhöhung der Anzahl der an der Blattoberfläche haftenden Sporen führt, wie dies im allgemeinen sonst bei Benetzung natürlich der Fall ist. Eine Retentionswirkung auf Pilzsporen übt aber nicht nur die unmittelbare Benetzung aus. YARWOOD (1977) zeigte, daß Blätter von Mais, die thermischen Schocks ausgesetzt wurden, mehr Sporen von *Puccinia sorghi* zurückhalten als solche, die einer derartigen Behandlung nicht ausgesetzt waren. Er erklärt dieses Phänomen mit Veränderungen des Wassergehalts im pflanzlichen Gewebe.

Schließlich ist die Luftfeuchtigkeit auch für die Erregerausbreitung von Bedeutung. So kann sich zwar nach RAPILLY et al. (1970) mit steigender relativer Luftfeuchtigkeit in der umgebenden Atmosphäre die Infektiosität der Verbreitungsorgane des Gelbrostes um mehr als das Doppelte erhöhen, doch wird gleichzeitig der Gradient der Ausbreitung signifikant reduziert. Nach SCHRÖDTER (1960) spielt die Luftfeuchtigkeit für den Sporenflug insofern eine Rolle, als sie die für den Transportmechanismus in der turbulenten Atmosphäre wichtige Sinkgeschwindigkeit der Sporen durch Wasserabgabe bzw. Wasseraufnahme verändern kann, so daß Ausbreitungsentfernung und Sporenkonzentration unter sonst gleichen Bedingungen in Abhängigkeit von der relativen Luftfeuchtigkeit variieren können.

Die meisten der bekannten Beziehungen zur Feuchtigkeit wurden in Laborversuchen ermittelt. Hinsichtlich der Übertragbarkeit der Ergebnisse auf natürliche Bedingungen macht sich nicht zuletzt das Fehlen geeigneter Transferkoeffizienten zwischen Makroklima und Mikroklima als Problem bemerkbar. Trotz aller Unvollkommenheiten ist es aber mit Hilfe von Freilandexperimenten möglich, auch auf der Basis meteorologischer Standardmessungen zu hinreichend sicheren Aussagen zu kommen. Beispiele hierfür sind die Arbeiten von SCHRÖDTER und FEHRMANN (1971) und SIEBRASSE (1982) über *Pseudocercosporella herpotrichoides* an Winterweizen, von LAMARQUE (1978) über *Sclerotinia sclerotiorum* an Sonnenblumen und von DARLES (1980) über *Puccinia recondita* an Weizen. Derartige, vielfach nur auf meteorologischen Daten beruhende Ergebnisse eröffnen dann häufig die Möglichkeit, Klimakarten des Infektionsrisikos zu entwerfen, wie dies z.B. DANNECKER (1985) für die Kraut- und Knollenfäule der Kartoffel getan hat, oder aber diejenigen synoptischen Situationen zu definieren, welche die Entwicklung einer Epidemie begünstigen. Schließlich ist die Kenntnis des Faktors Feuchtigkeit in seinem Einfluß auf das Infektionsverhalten parasitischer Pilze im Zusammenhang mit der künstlichen Feldberegnung von sicherlich nicht zu unterschätzender Bedeutung.

In den folgenden Unterabschnitten sei nunmehr die Rolle der Feuchtigkeit im epidemiologischen Geschehen etwas eingehender behandelt, wobei unter diesem Begriff sowohl relative Luftfeuchtigkeit als auch Benetzung durch Tau oder Regen verstanden werden soll und der Kombinationswirkung von Feuchtigkeit und Temperatur besondere Aufmerksamkeit geschenkt sei.

3.2.1 Bedeutung der relativen Luftfeuchtigkeit

Wie bereits ausgeführt, ist der Einfluß der relativen Luftfeuchtigkeit je nach der Gruppe der Erreger unterschiedlich zu bewerten, was am Beispiel der echten und falschen Mehltauarten besonders deutlich wird. Für den echten Mehltau ist die relative Luftfeuchtigkeit als solche durchaus von erheblicher Bedeutung. Nach AUST (1975, 1981) gilt dies z.B. beim Gerstenmehltau nicht nur für die Phasen der Keimung und der Infektion, sondern auch für die Reifungsphase der Konidien. Bei der Untersuchung des Einflusses präinokulativer Anzuchtbedingungen auf Keimung und Infektionszahl von *Erysiphe graminis* ergab sich eine starke Zunahme dieser beiden Größen schon bei einer Erhöhung der relativen Luftfeuchtigkeit von 70% auf 90%. Zwar ist es für diesen Pilz typisch, daß seine Konidien im Gegensatz zu anderen noch bei geringer relativer Luftfeuchtigkeit zu keimen vermögen, jedoch stellte auch KLOSE (1974) fest, daß höhere relative Luftfeuchtigkeit die Keimungsrate günstig beeinflußt. Dagegen wird die für die Schnelligkeit einer Reproduktion des Erregers maßgebende Keimdauer der Vermehrungsorgane, d.h. die zeitliche Abhängigkeit der Keimungsrate nur wenig durch eine verringerte Luftfeuchtigkeit beeinträchtigt.

Für die Mehrzahl der pilzlichen Krankheitserreger wird jedoch eine hohe Luftfeuchtigkeit nahe Sättigung als Voraussetzung für ihre Entwicklung

angesehen. So erfordern z.B. nach RAM und Joshi (1979) erfolgreiche
Infektionen durch *Alternaria triticina* rund 48 Stunden gesättigt feuchte Atmosphäre, während bei *Alternaria alternata* für den gleichen Infektionserfolg 72-96 Stunden Sättigungsfeuchte erforderlich sein sollen, wobei sich natürlich die Frage stellt, ob hier tatsächlich ein
Einfluß der relativen Luftfeuchtigkeit an sich vorliegt, oder ob diese
nicht nur als Indikator für Benetzung anzusehen ist, worauf weiter un-
ten noch eingegangen wird. Immerhin weisen im Falle von *Alternaria solani* WAGGONER und HORSFALL (1969) darauf hin, daß die Sporen sowohl in
freiem Wasser als auch in feuchter Luft relativ rasch keimen. Jedoch
können nur die bei hoher Luftfeuchtigkeit gekeimten Sporen Trockenperioden überleben, während in Wasser gekeimte Sporen schon nach zehnmi-
nütiger Trocknung auch bei Wiederbenetzung weder ein weiteres Wachstum
ihrer Keimschläuche zeigen, noch in der Lage sind, neue Keimschläuche
zu bilden. Bereits eine relative Luftfeuchtigkeit über 85% soll in
diesem Fall Sporenkeimung ermöglichen, und die so gekeimten Sporen
werden durch trockene Luft nicht so schnell abgetötet. Dies ist nach
WAGGONER und HORSFALL (1969) epidemiologisch von nicht zu unterschätzender Bedeutung. Wenn nämlich z.B., - bezogen auf die Tagesrhythmik -,
Alternaria-Sporen gegen Abend in feuchter Luft keimen und anschließend
einige Stunden Taubenetzung folgen, so kann noch vor der morgendlichen
Austrocknung der gesamte Infektionszyklus ablaufen. Die gleiche Anzahl
Benetzungsstunden ohne vorherige Keimung in feuchter Luft führt jedoch
nicht zur Infektion, sondern nur zur Keimung, welcher dann Austrocknung und Verlust der Infektionsfähigkeit am anderen Tage folgen.

Auch für die Überlebensfähigkeit der Sporen von *Phytophthora infestans*
ist, wie schon CROSIER (1934) festgestellt hat, in erster Linie die
relative Luftfeuchtigkeit maßgebend. Bei Rückgang der Feuchte unter 80%
ist die Mehrzahl der zuvor in tropfbar flüssigem Wasser gekeimten Sporen nach rund einer Stunde auf trockener Blattoberfläche abgestorben.
Nicht zuletzt diese Tatsache hat SCHRÖDTER und ULLRICH (1965, 1966)
veranlaßt, die Dauer von Perioden mit relativen Feuchten unter 70% als
epidemiehemmenden Faktor in ihr Prognosemodell aufzunehmen, zumal schon
DE WEILLE (1963) in Laboruntersuchungen festgestellt hatte, daß die
Keimfähigkeit dieses Pilzes in gesättigt feuchter Atmosphäre zwar nach
wenigen Stunden ein Maximum erreicht, daß aber bei Auftreten eines
Sättigungsdefizits diese Keimfähigkeit sofort absinkt, und zwar um so
rascher, je größer dieses Sättigungsdefizit ist. Nach KRAUS (1981) ist
auch bei *Pseudoperonospora humuli* an Hopfen die Lebensdauer der Zoo-
sporangien von der relativen Luftfeuchtigkeit abhängig und vermindert

sich proportional zum Sättigungsdefizit der Luft bzw. dessen Dauer, was für die Beurteilung der Infektionsgefahr von Bedeutung ist.

Die phytopathologische und mykologische Literatur ist reich an Arbeiten, die sich mit dem Einfluß der relativen Luftfeuchtigkeit auf die pflanzlichen Schaderreger befassen. In zahlreichen, meist im Laboratorium durchgeführten Untersuchungen wird dabei die Frage der Sporenkeimung mit Vorrang behandelt. Bei speziellen Pilzen und bei relativen Feuchten unter 90% sind solche Laborergebnisse sicher nicht als problematisch anzusehen. Gewisse Bedenken sind aber sicherlich angebracht bei Studien in Feuchtkammern, bei denen zur Erzeugung von relativen Feuchten über 90% bestimmte Salzlösungen benutzt werden. Hierauf hat schon SCHEIN (1963) eindringlich hingewiesen, weil nicht auszuschließen ist, daß unter solchen Bedingungen Kondensation an den Kammerwänden und an den Objektoberflächen auftritt. Dies resultiert einfach daraus, daß in dem für die meisten phytopathogenen Pilze maßgeblichen Temperaturbereich bei einer relativen Feuchte von mehr als 90% schon bei einer Temperaturerniedrigung von wenigen Zehntel Grad die Luft unter ihren Taupunkt abkühlt. Unter den allgemein üblichen Laborbedingungen führt dies zu zyklischen Kondensationsprozessen, da die Salzlösungen eine gewisse Zeit zur Resorption benötigen, so daß das Gleichgewicht zwischen der fast gesättigten Atmosphäre und der an abgekühlten Oberflächen kondensierten Feuchtigkeit fehlt. So hat SCHEIN (1963) mit einer speziellen Versuchsanordnung u.a. zeigen können, daß z.B. die Sporen von *Uromyces phaseoli* bei keiner Feuchtigkeit unterhalb der Sättigung keimen können, obwohl dies in der Literatur immer wieder behauptet wurde. Ebenso meldete schon ULLRICH (1957) erhebliche Zweifel an gegenüber Angaben, wonach bei *Phytophthora infestans* eine direkte Sporenkeimung bei hoher relativer Luftfeuchtigkeit und Abwesenheit von Wasser möglich sein soll. Allgemein kann man daher heute davon ausgehen, daß es mit Ausnahme der echten Mehltauarten nur wenige parasitische Pilze gibt, die bei relativen Luftfeuchtigkeiten unterhalb der Sättigung, wo kein durch Kondensation freies Wasser vorhanden ist, zu keimen vermögen.

Die mit vorstehenden Beispielen belegte Tatsache, daß die relative Luftfeuchtigkeit in zahlreichen Fällen eine nur mittelbar wirksame Einflußgröße mit dem Charakter eines Indikators ist, ändert an ihrer Bedeutung für die Epidemiologie prinzipiell nichts, erfordert jedoch eine entsprechend kritische Bewertung von diesbezüglichen Arbeitsergebnissen. Dies gilt naturgemäß in besonderem Maße dann, wenn für die

biometeorologische Analyse nur Standardmessungen normaler meteorologischer Stationen verfügbar sind, da ja dann nicht nur von der relativen Luftfeuchtigkeit im Pflanzenbestand auf die Feuchtigkeitsverhältnisse an der Pflanzenoberfläche geschlossen werden muß, sondern auch
noch von den makroklimatischen auf die mikroklimatischen Bedingungen.
Mittelwerte der relativen Luftfeuchtigkeit sind hierfür jedoch nicht
geeignet. Liegen dagegen kontinuierliche Registrierungen vor, so bietet sich im einfachsten Fall auch bei der Beurteilung des Einflusses
dieses Parameters auf die Krankheitsentwicklung wie im Falle der Temperatur das in Abschnitt 3.1.3 ausführlich dargestellte Verfahren der
Häufigkeits-Korrelationsanalyse an. Als Beispiel hierfür ist in Abb. 7
die Abhängigkeit der Infektion von Weizenkeimpflanzen durch *Pseudocercosporella herpotrichoides* von der relativen Luftfeuchtigkeit dargestellt, und zwar durch den Verlauf der Korrelationskoeffizienten, die
zwischen der Zahl infizierter Pflanzen und der Häufigkeit von Stundenwerten in verschiedenen Feuchteklassen (Klassenbreite 10%) während des
für die Möglichkeit einer Infektion maßgebenden Zeitabschnitts berechnet wurden.

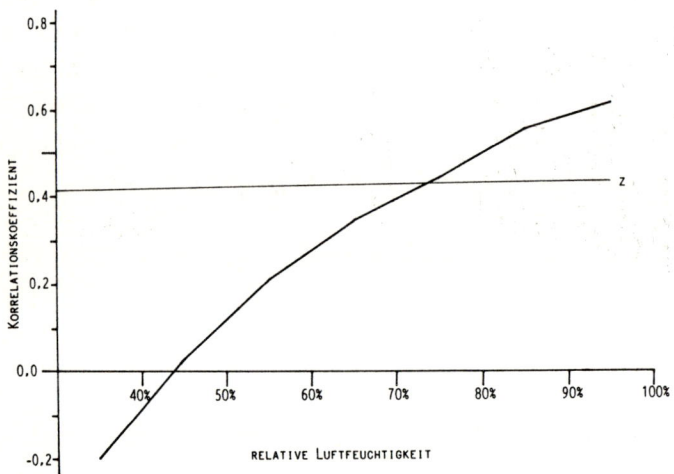

Abb. 7. Häufigkeits-Korrelationsanalyse des Zusammenhangs zwischen relativer Luftfeuchtigkeit und Zahl
der durch Pseudocercosporella herpotrichoides infizierten Weizenkeimpflanzen (z = Zufallshöchstwert
des Korrelationskoeffizienten für eine Grenzwahrscheinlichkeit von 1%)

Ein statistisch hinreichend gesicherter Zusammenhang ergibt sich in
diesem Fall erst ab rund 80% relative Luftfeuchtigkeit. Da die Registrierung der Feuchte in 2 m Höhe (Wetterhütte) erfolgte, kann das Ergebnis natürlich nicht so interpretiert werden, daß eine Luftfeuchtigkeit von 80% für eine Infektion ausreicht. Vielmehr besagt das Ergebnis nichts anderes, als daß von dieser Luftfeuchtigkeit an in aller

Regel, zumindest unter den diesem Versuch zugrunde liegenden Bedingungen im Pflanzenbestand günstige Feuchtigkeitsverhältnisse für die Infektion herrschten. Damit wird zugleich klar, daß ein solches Ergebnis nicht von allgemeiner Gültigkeit sein kann, da es stark von der jeweiligen Versuchsanordnung und ihren Randbedingungen abhängt. So ergab sich z.B. in entsprechenden Untersuchungen von SIEBRASSE (1982), daß bei Messungen in Bodennähe relative Luftfeuchtigkeiten oberhalb von 80%, bei Messungen in 2 m Höhe aber schon solche oberhalb 50% hoch signifikant mit dem Prozentsatz infizierter Pflanzen korreliert sein können, wobei jedoch auch deutlich wurde, daß die unmittelbar an der Halmbasis gemessenen Werte enger an den Befall gekoppelt sind als die aus 2 m Höhe. Daß dieses Ergebnis nur bei gleichzeitiger Berücksichtigung der Temperaturbeziehung zur Infektion erzielt werden konnte, sei am Rande erwähnt, da hierauf später noch eingegangen wird.

Das Ergebnis einer Häufigkeits-Korrelationsanalyse, wie es in Abb. 7 dargestellt ist, deutet bereits darauf hin, daß es nicht nur auf die eine Infektion begünstigende Höhe der relativen Luftfeuchtigkeit ankommen kann, sondern daß auch die Dauer optimaler Feuchtigkeitsverhältnisse eine entscheidende Rolle spielt. Geht man z.B. von der Abb. 7 aus und ermittelt aus dem gleichen, den Untersuchungen von SCHRÖDTER und FEHRMANN (1971) entstammenden Datenmaterial die Korrelationen zwischen dem Infektionserfolg und der Länge von Perioden mit relativen Feuchten über 80%, so führt dies zu dem in Abb. 8 dargestellten Ergebnis.

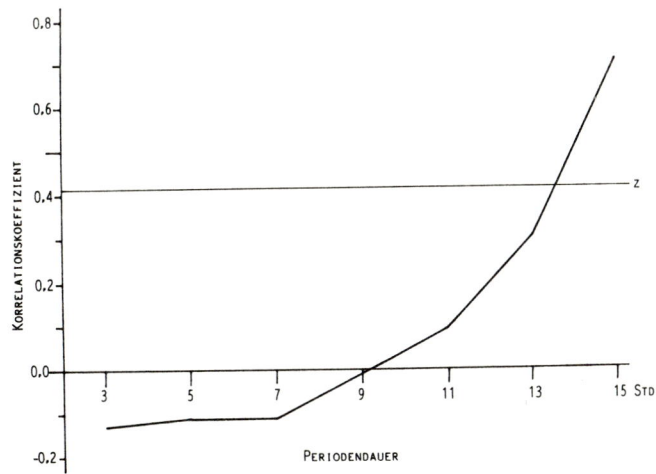

Abb. 8. Korrelation zwischen der Dauer relativer Luftfeuchtigkeit über 80% und der Zahl der durch Pseudocercosporella herpotrichoides infizierten Weizenkeimpflanzen (z = Zufallshöchstwert des Korrelationskoeffizienten für eine Grenzwahrscheinlichkeit von 1%)

Danach sind optimale Feuchtebedingungen von mindestens 13-15 Stunden
ununterbrochener Dauer für die Infektion erforderlich. Ein Vergleich
mit den Darstellungen von SIEBRASSE (1982) bei der gleichen Fragestellung zeigt im übrigen auch hier wieder, daß bei Messungen im Pflanzenbestand ein abweichendes Ergebnis erzielt wird, was auf die Problematik bei der Verwendung meteorologischer Daten von Klimastationen hin-
weist. Bei aller Zurückhaltung, die gegenüber derartigen Ergebnissen
angebracht ist, sind sie jedoch durchaus von praktischem Wert, insbesondere bei der Anwendung von Prognoseregeln zur zeitgerechten Krankheitsbekämpfung, die sich im allgemeinen auf die üblicherweise vorhandenen Klimadaten stützen müssen.

Schon VAN EIMERN (1964a) konnte nachweisen, daß sich die zur Bestimmung
von Infektionsperioden des Apfelschorfs nach der Millsschen Regel an
sich notwendige Benetzungsdauer mit genügender Genauigkeit durch die
Dauer von Perioden mit einer relativen Luftfeuchtigkeit über 85%, gemessen in 2 m Höhe in einer Wetterhütte, ersetzen läßt, und er hat sich
intensiv mit der Frage befaßt, welche Beziehungen zwischen der relativen Luftfeuchtigkeit in 2 m Höhe einerseits und dem Beginn der Taubenetzung am Abend und den Abtrocknungsvorgängen am Morgen andererseits
bei verschiedenen Pflanzenbeständen bestehen (VAN EIMERN, 1964b).Im
Zusammenhang mit der Prognose des Auftretens von *Phytophthora infestans*
sind auch verschiedene andere Autoren in zahlreichen, zum Teil langjährigen Versuchen schon vor längerer Zeit zu dem Ergebnis gekommen,
daß das Überschreiten einer Luftfeuchtigkeit von 90% ein Indiz dafür
ist, daß im Pflanzenbestand die für die Erregerentwicklung erforderliche Blattbenetzung gegeben oder zumindest sehr wahrscheinlich ist
(siehe z.B. WALLIN, 1963).

3.2.2 Wirkung der Benetzung mit freiem Wasser

Für die Mehrzahl der parasitischen Pilze ist, wie bereits gesagt, das
Vorhandensein freien Wassers an der Pflanzenoberfläche eine entscheidende Voraussetzung für ihre Entwicklung, insbesondere für die Freisetzung der Sporen und ihre Keimung. Lediglich die echten Mehltauarten
bilden, wie auch schon betont, insofern eine Ausnahme, als sie aufgrund
des hohen Wassergehalts ihrer Sporen zu einer Keimung ohne externe Zu-
fuhr von Wasser in der Lage sind. Für sie spielt daher die Benetzung
eine prinzipiell andere Rolle, wie nachfolgend noch gezeigt wird.

In welcher Form freies Wasser verfügbar ist, ob es sich also um Regen, Nebel oder Tau handelt, ist für seine Wirksamkeit zunächst von untergeordneter Bedeutung und in erster Linie eine Frage der äußeren Bedingungen. Neben diesen fallenden und abgesetzten Niederschlägen spielt aber auch das Guttationswasser eine Rolle, d.h. die aktive Ausscheidung von Wasser in flüssiger Form durch die Pflanzen selbst, ein Vorgang, der insbesondere nach feuchtwarmen Nächten, in denen keine Transpiration stattfinden kann, in verstärktem Maße zu beobachten ist. Seine Bedeutung für die Epidemiologie ist schon von YARWOOD (1952) erkannt und eingehend untersucht worden und wurde von ihm sogar als eine der wichtigsten Quellen des für die Pilzentwicklung notwendigen freien Wassers angesehen.

Maßgebend für die Wirkung der Benetzung ist nicht die Menge des verfügbaren Wassers, sondern die Dauer seines Vorhandenseins. So fand z.B. schon YARWOOD (1943), daß der stärkere Krankheitsbefall an der Nordwestseite von Pflanzen darauf zurückzuführen ist, daß nach Benetzung durch Regen oder Tau diese Seite im Laufe des Tages wesentlich langsamer abtrocknet, womit die Orientierung der Pflanzenteile über die Benetzungszeit die Entwicklung der Parasiten beeinflussen kann. Dies entspricht sinngemäß den im Zusammenhang mit dem Einfluß des Mikroklimas schon behandelten Ergebnissen von SCHRÖDTER (1949, 1951) über die Bedeutung des Taus für den Sporenaustritt bei Pilzen der Gattung Ascochyta (siehe Abschnitt 2.3, Seite 25/26), wo sich die vertikale Differenzierung der Stärke des Sporenaustritts (vergl. Abb. 3) als eine unmittelbare Folge der Unterschiede in der Taubenetzungsdauer im Zusammenhang mit der Differenzierung des nächtlichen Abkühlungsvorgangs darstellte.

Das für die Erregerverbreitung wichtige aktive Ausstreuen von Sporen wird eher durch Regen als durch Tau begünstigt. Zwar deutet eine Periodizität mit hoher nächtlicher Sporenkonzentration der Luft, wie sie CARTER und BANYER (1964) bei den Basidiosporen von *Puccinia malvacearum* festgestellt haben, darauf hin, daß der Tau für die Freisetzung der Sporen eine Rolle spielt, doch ist z.B. das Ausstreuen der Ascosporen von *Venturia inaequalis* vornehmlich an die Benetzung durch Regen gebunden. Daß andererseits in bestimmten Fällen auch Taubenetzung für sich allein ausreichen kann, um Perithezien auf den für das Ausschleudern von Ascosporen erforderlichen Feuchtigkeitsgehalt zu bringen, hat CARTER (1963) für *Mycosphaerella pinodes* nachgewiesen. Allerdings zeigte sich auch in diesem Fall, daß die höchste Sporenkonzentration in der

Luft nach Regenperioden auftrat. Im übrigen ist vom epidemiologischen Standpunkt aus die Freisetzung von Sporen durch Tau schon deshalb von geringerer Bedeutung, weil wegen der in Taunächten meist vorherrschenden Windstille rasche Sedimentation der ausgeschleuderten Sporen und damit nur geringe Weiterverbreitung erfolgt. Auch AYESU-OFFEI und CARTER (1971) fanden im Falle von *Rhynchosporium secalis*, daß zwar bei Benetzung durch Tau Sporulation erfolgte, daß aber die höchsten Sporenzahlen bei Regen oder künstlicher Beregnung auftraten, während bei relativ trockener Witterung nur wenige Konidien gefangen wurden. Zu ähnlichen Ergebnissen kamen auch BROWN et al. (1978) bei Untersuchungen zur Epidemiologie von *Mycosphaerella graminicola*. Daß es auch hier Ausnahmen gibt, d.h. aktive Sporenfreisetzung unter absolut trockenen Bedingungen, zeigte schon INGOLD (1960) in seiner ausführlichen Darstellung der Prozesse, die zum "take-off" der Sporen parasitischer Pilze als Voraussetzung für ihre Verbreitung führen.

Eine gegensätzliche Situation in Bezug auf die Wirkung der Benetzung ist beim echten Mehltau gegeben. So kam schon KLOSE (1974) zu dem Ergebnis, daß die Keimungsrate der Konidien des Gerstenmehltaus zwar durch hohe Luftfeuchtigkeit begünstigt wird, daß aber Blattbenetzung offenbar einen hemmenden Einfluß auf den Konidienflug ausübt. Eingehendere Untersuchungen hierzu mit Hilfe von Sporenfängen liegen von AUST (1981) vor. Danach übt die Blattbenetzung durch Tau, Nebel oder Regen eindeutig eine negative Wirkung auf die Sporenverbreitung aus.

Als typisches Beispiel für die überragende Bedeutung der Benetzung im Ablauf von Epidemien bei der Mehrzahl der durch parasitische Pilze verursachten Pflanzenkrankheiten kann die Kraut- und Knollenfäule der Kartoffel gelten, da für sie zu diesem Problem seit langem zahlreiche Einzeluntersuchungen vorliegen. Hier sei nur an die eingehenden Studien von ULLRICH (1957, 1958) über die Tau- und Regenbenetzung von Kartoffelbeständen als Beitrag zur Epidemiologie von *Phytophthora infestans* erinnert. Dieser Pilz benötigt als minimale Infektionszeit, wenn man von den Sporangien ausgeht, rund 2-3 Stunden Benetzung, doch tritt ein Infektionserfolg von 50% erst nach rund 5 Stunden Benetzungszeit ein. Weitere 10 Stunden sind für die Sporangienbildung erforderlich, so daß für das Entstehen einer Infektionswelle, d.h. für Sporangienbildung, Ausbreitung und erneute Infektion mindestens 15 Stunden Benetzung notwendig sind. Unter mitteleuropäischen Klimabedingungen sind reine Taubenetzungszeiten von mehr als 15 Stunden Dauer in dem für Krautfäuleepidemien in Betracht kommenden Zeitraum jedoch äußerst selten. Bei

starker Taubildung liegen sie meist bei nur wenig mehr als 10 Stunden.
Dies bedeutet, daß unter solchen Bedingungen die Taubenetzung allein
zwar das Zustandekommen von Infektionen ermöglicht, für eine Sporulation mit nachfolgender Neuinfektion aber nicht ausreicht. Zudem sind
in den im allgemeinen windschwachen Taunächten auch die Bedingungen
für die Ausbreitung der Sporangien von Feld zu Feld natürlich ungünstig, so daß Taubenetzung allein nur zu einer, - wie ULLRICH (1958) es
formulierte -, schleichenden Ausbreitung der Krankheit innerhalb eines
befallenen Feldes führen kann. Tiefer in den Bestand eindringender Regen, der im Bestandsinneren natürlich auch langsamer abtrocknet als
der auf der Bestandsoberfläche gebildete Tau, ist daher eine günstigere Voraussetzung für das Zustandekommen von genügend langen Benetzungszeiten mit entsprechend rascherem Ablauf einer Epidemie. Es können unter solchen Bedingungen eben einfach mehr Generationen pro Zeiteinheit
gebildet werden, und der Durchseuchungsgrad hängt, wie u.a. die theoretischen Vorstellungen von MÜLLER und HAIGH (1953) schon verdeutlicht
haben, ja nicht nur von der Infektionswahrscheinlichkeit und von der
Fruktifikationsintensität einer Blattläsion ab, sondern auch von der
Generationenzahl seit der Initialinfektion.

Daß demgegenüber in semiariden Gebieten gerade die Benetzung durch Tau
während der allgemeinen Trockenzeit die epidemiologisch entscheidende
Rolle spielt, haben ROTEM und REICHERT (1964) eindrucksvoll in Israel
zeigen können. In der recht trockenen Negevregion, wo tagsüber die relative Luftfeuchtigkeit rasch auf 30% absinkt und nachts kaum 80% erreicht, gab es in der für Krautfäuleepidemien fraglichen Zeit in etwa
80% der Nächte Taufall, wobei die Benetzungszeiten in fast der Hälfte
der Fälle über 10 Stunden und häufig nahe bei 15 Stunden lagen, was zu
starkem Befall führte. Wurde jedoch durch künstliche Abschirmung der
Pflanzenbestände in der Zeit zwischen Sonnenuntergang und Sonnenaufgang
die Taubenetzung verhindert, so konnten sich Krautfäuleepidemien nicht
entwickeln. Auch die Untersuchungen von COHEN und EYAL (1980) über
Pseudoperonospora cubensis beweisen, daß es in semiariden Gebieten oft
nur die Benetzung durch nächtliche Taubildung ist, welche starkes Auftreten des falschen Mehltaus selbst während der eigentlichen Trockenzeit ermöglicht. Daß der in dieser Zeit zur Ertragssicherung oft notwendige Einsatz künstlicher Beregnung einige Probleme im Hinblick auf
Warndienst und Prognose aufwirft, wie dies z.B. von LOMAS (1983) geschildert wird, dürfte verständlich sein.

Sehr lange Benetzungszeiten von ununterbrochener Dauer, wie sie z.B. nach LAMARQUE (1978, 1983) und LAMARQUE und RAPILLY (1981) mit rund 40 Stunden als maßgebender Faktor für das epidemische Auftreten von *Sclerotinia sclerotiorum* an Sonnenblumen unerläßlich sind, können naturgemäß nicht durch Tau, sondern nur durch Regen hervorgerufen werden, wobei die meteorologischen Bedingungen, unter denen eine so lange Benetzungsdauer möglich ist, eine besondere Rolle spielen, und zwar im Zusammenhang mit der Interzeptionsspeicherkapazität der Pflanzenbestände und der Interzeptionsverdunstung und daher auch im Zusammenhang mit dem Energiehaushalt (PAYEN, 1983). Daß einzelne Perioden der Benetzung nicht einfach zu einer Gesamtbenetzungsdauer addiert werden können, zumal ihre Bedeutung in verschiedenen phänologischen Stadien der Wirtspflanze unterschiedlich sein kann, haben MOLOT et al. (1983) am Beispiel von *Botrytis cinerea* in ihren umfassenden Untersuchungen zur Entwicklung eines Modells für die Prognose zur zeitgerechten Krankheitsbekämpfung gezeigt.

Auch für die Infektion des Hopfens durch *Pseudoperonospora humuli* ist in erster Linie Regenbenetzung notwendig, während Benetzung durch Tau kaum eine Bedeutung für den Infektionsvorgang hat. Ursache hierfür ist nach KREMHELLER und DIERCKS (1983) neben dem ausgeprägten Tagesgang des Zoosporangienfluges vor allem die Tatsache, daß bei Dunkelheit der Infektionserfolg auch bei hohen Inokulumdichten und optimalen sonstigen Bedingungen nur sehr gering ist, Benetzung durch Tau aber eben vor allem in den Nachtstunden erfolgt. Das von KRAUS (1981) vorgestellte Modell zur zeitgerechten Bekämpfung des falschen Mehltaus an Hopfen ermittelt daher die Infektionsgefahr aus der Anzahl der Stunden mit Regenbenetzung unter Berücksichtigung der Temperatur und des Zoosporangiengehalts der Luft.

Die große epidemiologische Bedeutung der Benetzung, insbesondere durch Tau, hat frühzeitig zu Versuchen Anlaß gegeben, die Benetzungsdauer durch geeignete Geräte registrierend zu·erfassen (WALLIN, 1963, 1967). Schon WINTERS und SMALL (1934) entwickelten eine entsprechende automatische Meßeinrichtung und KESSLER (1939) konstruierte eine mechanisch registrierende Tauwaage, während BARRETT und HERDON (1951) mit einem elektrischen Taupunkthygrometer dem Problem näher zu kommen suchten. Eine thermoelektrische Meßeinrichtung verwendete SCHRÖDTER (1952a) für die Bestimmung von Beginn und Ende der Taubenetzung unmittelbar an der Pflanzenoberfläche. Weitere Registriergeräte, die zum Teil breitere Anwendung in der Praxis fanden, wurden u.a. von TAYLOR (1956) und von

HIRST (1954, 1957) konstruiert. Eine umfassende Übersicht über die bis
Anfang der 60er Jahre entwickelten und zum Teil noch heute in Gebrauch
befindlichen mechanischen Geräte zur Registrierung der Benetzungsdauer
wurde von POST et al. (1963) zusammen mit ausführlichen technischen
Beschreibungen gegeben.

In neuerer Zeit, insbesondere im Zusammenhang mit der Entwicklung von
automatischen Warngeräten auf der Basis von Prognosemodellen, werden
zunehmend elektrische bzw. elektronische Verfahren eingesetzt. So versuchten DAVIS und HUGHES (1970) mit Hilfe geeigneter Sensoren über die
elektrische Widerstandsmessung den Parameter Benetzung durch Tau oder
Regen zu erfassen, und SCHURER und VAN DER WAL (1972) stellten einen
elektronischen Blattbenetzungsschreiber vor. Am Institut National de
la Recherche Agronomique (INRA) in Frankreich wurde eine elektronische
Meßeinrichtung entwickelt (PINGUET, 1983), mit der es möglich ist, auf
relativ einfache Weise einen Thermohygrographen zu einem Gerät umzurüsten, das neben Temperatur und relativer Luftfeuchtigkeit mit Hilfe
gesonderter elektrischer Meßwertgeber die Benetzung zu registrieren
gestattet und sich als Anlage zur Prognose verschiedener Pflanzenkrankheiten eignet. Nach OLIVIER et al. (1983) hat sich dieses "KIT-INRA"-
Gerät beim netzmäßigen Einsatz zur Prognose des Auftretens von Apfelschorf auf der Basis der sogenannten Millsschen Regel nach MILLS und
LA PLANTE (1954) ähnlich gut bewährt, wie das in der Bundesrepublik
Deutschland handelsübliche Schorfwarngerät. Über die Entwicklung von
elektrischen Meßverfahren zur Bestimmung der Benetzung unmittelbar an
Pflanzenteilen wie Blättern, Halmen etc. berichtet HÄCKEL (1984), mit
dessen Konstruktionen der Frage des Zusammenhangs zwischen relativer
Luftfeuchtigkeit und Benetzung besser nachgegangen werden kann, als
dies bei der Verwendung von Geräten mit künstlicher Auffangfläche möglich ist. Letztere haben natürlich im netzmäßigen Einsatz für den praktischen Warndienst ihre volle Berechtigung, während Direktmessungen an
der Pflanze selbst in erster Linie dem Bereich der wissenschaftlichen
Untersuchungsmethodik zuzuordnen sind (VAN EIMERN und HÄCKEL, 1979).

3.2.3 Kombinationswirkung von Feuchtigkeit und Temperatur

Im allgemeinen ist nicht nur ein einzelner meteorologischer Parameter von wesentlicher Bedeutung für die Erregerentwicklung und den Krankheitsverlauf. In den meisten Fällen sind es bestimmte Parameterkombinationen, welche den entscheidenden Einfluß ausüben. Dies gilt in besonderem Maße für die wohl als Hauptwirkungsvariablen zu bezeichnenden Parameter Feuchtigkeit und Temperatur. Schon das in Abb. 7 dargestellte Ergebnis einer Häufigkeits-Korrelationsanalyse des Zusammenhangs zwischen relativer Luftfeuchtigkeit und Halmbruchinfektion des Winterweizens (siehe Abschnitt 3.2.1) ist hierfür ein Beispiel, da es in dieser Deutlichkeit nur dadurch zustandekommen konnte, daß gleichzeitig der für einen Infektionserfolg optimale Temperaturbereich berücksichtigt wurde. Auch zahlreiche andere Beispiele unterstreichen die große Bedeutung gerade der kombinierten Wirkung von Temperatur und Feuchtigkeit, wobei hier unter Feuchtigkeit wieder sowohl die relative Luftfeuchtigkeit als auch die Benetzung durch Regen oder Tau etc. verstanden werden soll.

Am Beispiel des durch *Plasmopara viticola* verursachten Rebenmehltaus in Israel haben STETTINER und LOMAS (1967) gezeigt, daß die Art der Temperatur-Feuchte-Kombination über die geographische Verteilung der Häufigkeit von Epidemien entscheiden kann. Für den durch *Puccinia striiformis* verursachten Gelbrostbefall des Getreides ist nach HASSEBRAUK und RÖBBELEN (1975) die Kombination optimaler Temperaturen mit hoher Feuchtigkeit entscheidend und damit nicht nur bestimmend für das Ausmaß von Epidemien, sondern auch für die geographische Verteilung der Infektionsgefahr. Das Auftreten der Halmbruchkrankheit in einer bestimmten kritischen Periode erwies sich nach EHRENPFORDT und KUNTSCH (1979) als eng verknüpft mit der Niederschlagsmenge bei Einhalten eines bestimmten optimalen Temperaturbereichs während dieser Periode. Das verstärkte Auftreten von *Polyspora lini* an Lein zur Blütezeit ist nach SCHRÖDTER und HOFFMANN (1961) auf die durch die Pflanzenentwicklung bedingten Veränderungen des Mikroklimas in Richtung auf eine größere Häufigkeit der für die Erregerentwicklung optimalen Temperatur-Feuchte-Kombinationen zurückzuführen.

Vor allem die Kombination von Temperatur und Dauer der Benetzung durch Tau oder Regen spielt in vielen Fällen eine ausschlaggebende Rolle. Für *Pyricularia oryzae* stellte KATO (1974) fest, daß die Infektionsrate sowohl von der Dauer der Taubenetzung als auch von der Temperatur abhängig ist. So werden bei 20°C rund 8 Stunden, bei 30°C rund 10 Stunden und bei 10°C etwa 24 Stunden Taubenetzung für eine erfolgreiche Infektion benötigt, wobei diese Kombinationswirkung angenähert durch eine parabolische Funktion dargestellt werden kann. Die kombinierte Wirkung von Temperatur und Taubenetzung auf Sporulation und Keimung von *Peronosclerospora sacchari* an Mais haben BONDE und MELCHING (1979) eingehend untersucht. Auch bei *Alternaria solani* ergibt sich nach TVERSKOI et al. (1980) eine enge Korrelation zwischen Sporulation einerseits und Temperatur und Benetzung andererseits. Bei optimaler Temperatur erhöht sich z.B. die Sporenzahl mit einer von 6 auf 12 Stunden ansteigenden Benetzungsdauer um fast das Siebenfache, was sowohl in Laborversuchen als auch im Freiland festgestellt werden konnte. Bei *Alternaria triticina* und *Alternaria alternata* erfolgt nach RAM und JOSHI (1979) zwar die maximale Läsionenentwicklung bei beiden Parasiten bei 25°C, doch ist bei *Alternaria alternata* für den Infektionserfolg mit 72-96 Stunden eine fast doppelt so hohe Benetzungszeit erforderlich wie bei *Alternaria triticina*.

In einer ganzen Reihe von Fällen hat sich gezeigt, daß sich die Kenntnis der gemeinsamen Wirkung von Temperatur und Benetzungszeit erfolgreich als Grundlage für eine Epidemieprognose verwenden läßt. So entwickelte z.B. GILLESPIE (1972) aus der Kombination von Temperatur und Benetzungsdauer einen einfachen Index zur Bestimmung des Zeitpunktes und der Stärke des Befalls von Mais durch *Helminthosporium maydis* in Abhängigkeit von den Witterungsbedingungen. Das bekannteste und wohl typischste Beispiel hierfür liefert zweifellos die Millssche Regel für das Auftreten des Apfelschorfs (MILLS und LA PLANTE, 1954), die bis heute breite Anwendung in der Bekämpfungspraxis findet. Der danach bestehende Zusammenhang zwischen Erstinfektion einerseits und Temperatur und Benetzungsdauer andererseits sei auszugsweise in Tabelle 1 wiedergegeben.

Die Tabelle 1 zeigt zunächst, daß bei hohen Temperaturen eine kürzere Benetzungszeit erforderlich ist als bei niedrigen Temperaturen. Sie zeigt aber außerdem, daß die für eine Infektion weniger günstige Wirkung niedriger Temperaturen durch eine Verlängerung der Benetzungszeit ausgeglichen werden kann. So resultiert z.B. aus einer Benetzungsdauer von 18 Stunden bei 20°C eine starke, bei 8°C aber nur eine schwache Infektion. Eine Verdoppelung der Benetzungszeit auf 36 Stunden bewirkt aber auch bei 8°C eine starke Infektion. Die ungünstigere Wirkung des einen Faktors kann also offensichtlich durch die günstigere Wirkung des anderen Faktors gewissermaßen kompensiert werden.

Tabelle 1. Einfluß der Kombinationswirkung von Benetzungsdauer und Temperatur auf den Apfelschorf (nach MILLS und LA PLANTE, 1954)

Temperatur in ^{o}C	erforderliche Benetzungsdauer in Stunden für		
	schwache	mäßige	starke Infektion
6	25	34	51
8	18	24	36
10	14	19	29
12	12	16	24
14	10	14	22
16	9	13	21
18	9	12	18
20	9	12	18

Auch bei *Helminthosporium maydis* gibt es nach WALLIN (1972) in der Beziehung von Sporulation und Infektion zu Temperatur und Benetzungsdauer eine Art Kompensationseffekt. So werden z.B. bei 10°C für die Sporulation rund 20 Stunden und für die Infektion 9 Stunden Benetzung benötigt. Bei 24°C dagegen sind es nur 5 Stunden Benetzung für die Sporulation und 4 Stunden für die Infektion. Auch hier also wird die Wirkung einer Temperaturerniedrigung durch die Verlängerung der Benetzung kompensiert. Schon bei dem von SCHRÖDTER und STOLL (1949) auf der Basis von Freilandexperimenten entwickelten Klimagramm für die Kombinationswirkung der mikroklimatischen Temperatur- und Feuchtigkeitsbedingungen auf den Sporenaustritt von *Ascochyta pinodella* ist das Kompensationsprinzip, soweit es meteorologische Einflußgrößen betrifft, angedeutet.

Unterschiedliche Temperatur-Feuchte-Kombinationen spielen bei diesen vor allem von ROTEM (1978) eingehend behandelten und als Kompensationsphänomen beschriebenen Wechselwirkungen zwischen Wirtspflanze, Erreger und Umwelt eine nicht unbedeutende Rolle, wie sich u.a. nach BASHI und AUST (1980) auch beim Gurkenmehltau und nach AUST (1981) beim Gerstenmehltau zeigt. Weitere Beispiele dieser "factor-for-factor"-Kategorie des Kompensationsphänomens finden sich u.a. in einer ausführlichen Darstellung dieses Komplexes bei AUST et al. (1980). Danach dürfte klar sein, daß die Möglichkeit eines kompensatorischen Effekts bei der Analyse der Wirkung jedes einzelnen Faktors in Rechnung gestellt werden muß. Dies kann z.B. bei der oben beschriebenen Häufigkeits-Korrelations-Analyse für die Ermittlung der Temperaturwirkung dadurch geschehen, daß nur diejenigen Temperaturen berücksichtigt werden, die mit optimalen Feuchtigkeiten gekoppelt sind. Ebenso muß dann, wie schon erwähnt, bei der Frage nach der Feuchteabhängigkeit vom optimalen Temperaturbereich ausgegangen werden, wobei gegebenenfalls interativ vorzugehen ist. Der Nachteil eines solchen Vorgehens liegt allerdings darin, daß damit jeweils einer der beiden Faktoren gewissermaßen konstant gehalten wird, auf diese Weise aber noch keine Aussage darüber zu gewinnen ist, welches die Hauptwirkungsvariable ist. Hierfür sind andere Verfahrensweisen erforderlich, auf die später noch eingegangen wird.

3.3   NIEDERSCHLAG

Die Bedeutung des Niederschlages für das Auftreten von Pflanzenkrankheiten ist seit langem bekannt. Schon die große Krautfäuleepidemie von 1845 in Irland (siehe Abschnitt 1.2) hatte erkennen lassen, daß eine der Ursachen für die so katastrophale Entwicklung dieser Kartoffelkrankheit offensichtlich in den ungewöhnlich hohen Niederschlägen zu suchen war. Seitdem ist immer wieder versucht worden, zwischen Niederschlagsmenge oder Niederschlagshäufigkeit und Krankheitsgeschehen einen Zusammenhang herzustellen und prognostisch zu verwerten. Unabhängig davon, ob seine eigentliche Wirkung direkt über die Benetzung oder indirekt über die Erhöhung der relativen Luftfeuchtigkeit erfolgt, wurde und wird der Niederschlag dabei als Ausdruck dafür betrachtet, ob und in welchem Maße die klimatischen Bedingungen eines Gebietes fördernd oder hemmend auf epidemische Entwicklungen einwirken können. So besteht z.B. nach WALLIN (1964a) ein gewisser Zusammenhang zwischen den Winter- und Frühjahrsniederschlägen in Texas, Oklahoma und Kansas und der Stärke des Auftretens von Getreiderost in den nördlich davon gelegenen Gebieten, in welchen der Erreger normalerweise nicht überwintern kann. Allerdings mußte er auch feststellen, daß mit Monatssummen des Niederschlags keine eindeutige Trennung der Jahre mit und ohne Auftreten von Getreiderost möglich ist (WALLIN, 1964b). Die geographische Verbreitung von *Septoria tritici* und *Septoria nodorum* in Rumänien, – um noch ein Beispiel zu nennen –, hängt nach GHEORGHIES (1975/76) eng mit der Niederschlagsverteilung zusammen, und die Schwankungen im Auftreten der Erreger von Jahr zu Jahr sind auf die jeweiligen Niederschlagsverhältnisse zurückzuführen. Auch das Auftreten der Halmbruchkrankheit beim Wintergetreide ist nach VECHET (1980) mit dem Niederschlag gekoppelt und ist nach seinen Untersuchungen nicht nur stark von Niederschlagsmenge und Anzahl der Regentage im Zeitraum von März bis Mai abhängig, sondern wird auch durch reichliche Niederschläge im vorausgegangenen

Herbst begünstigt. Nach CRÜGER (1974) ist falscher Mehltau an Kürbis-
gewächsen weltweit gesehen dort von besonderer Bedeutung, wo während
der Kulturzeit höhere Temperaturen mit reichlichen Niederschlägen zu-
sammentreffen, woraus der Schluß gezogen wird, daß beim Anbau unter
künstlicher Bewässerung möglichst nicht von oben beregnet werden darf,
um keine längeren Benetzungsperioden zu induzieren.

Am letztgenannten Beispiel wird deutlich, daß neben dem natürlichen
Niederschlag auch die künstliche Beregnung für das Krankheitsauftreten
eine Rolle spielt, und zwar insbesondere im Hinblick auf die dadurch
bedingte Schaffung günstiger Voraussetzungen für diejenigen Erreger,
die für ihre Entwicklung hinreichend lange Benetzungszeiten benötigen.
Naturgemäß ist dies in den ariden und semiariden Gebieten, in denen die
Landwirtschaft in hohem Maße auf künstliche Zusatzbewässerung angewie-
sen ist, von herausragender Bedeutung. Dies zeigen u.a. schon die eingehenden diesbezüglichen Arbeiten von ROTEM und PALTI (1969a, b) und
ROTEM et al. (1970a, b) in Israel, die sich mit dem Problem der Einwirkung der verschiedenen Formen der künstlichen Bewässerung bzw. Beregnung auf die Epidemiologie unterschiedlicher Krankheitserreger und
die Möglichkeit ihres Auftretens auch in klimatisch für sie eigentlich
ungünstigen Gebieten befaßt haben. Daß hier nicht nur Art und Stärke
der Beregnung eine Rolle spielen, sondern in gewisser Weise auch die
Struktur der Pflanzenbestände, und zwar durch die Beeinflussung des
Mikroklimas, haben WEISS et al. (1980) nachweisen können. Auch bei den
Fußkrankheitserregern begünstigt der Einsatz der künstlichen Feldberbeg-
nung ihre Entwicklung. So wird z.B. nach HÖFLICH und STEINBRENNER (1980
bei Wintergetreide der Befall mit *Pseudocercosporella herpotrichoides*
und bei Sommergerste das Auftreten von *Gaeumannomyces graminis* durch
Beregnung gefördert, und zwar unabhängig vom Standort und vom Getrei-
deanteil in der Fruchtfolge. Auf einen völlig anderen und bis dahin
kaum untersuchten Effekt des Niederschlags machten SHRINER und COWLING
(1980) aufmerksam, indem sie an spezifischen Beispielen die potentiellen Wechselwirkungen zwischen saurem Regen und Pflanzenkrankheiten auf-
zeigten. Danach kann saurer Regen durch seine Ablagerungen auf folia-
ren Oberflächen ein kritischer Faktor für das Krankheitsauftreten sein.
Dies führt zu Wirkungen des Niederschlags, die nicht oder nur mittelbar mit seiner Bedeutung als ein mehr allgemeiner Ausdruck für den in
den vorangegangenen Abschnitten behandelten Effekt der Feuchtigkeit,
d.h. der relativen Luftfeuchtigkeit oder der Benetzung zusammenhängen
und ganz anderer und recht unterschiedlicher Art sein können.

Auf die Bedeutung des Niederschlags für die Freisetzung von Sporen verschiedener Krankheitserreger wurde bereits hingewiesen. Als Beispiel seien hier die Arbeiten von CARTER (1963) angeführt. Danach werden bei *Mycosphaerella pinodes* die meisten Sporen in den ersten Stunden nach Regenbeginn freigesetzt und Laborversuche ergaben, daß wahrscheinlich mehr als 80% der Ascosporen über die laminare Grenzschicht am Blatt hinaus aktiv ausgeschleudert werden und dann in der turbulenten Strömung passiv weiterverbreitet werden können, ein Effekt des Niederschlages, auf den schon INGOLD (1953) aufmerksam machte. Zahlreiche andere Ergebnisse von Sporenfängen beweisen, daß in vielen Fällen unmittelbar nach Beginn des Niederschlags die Zahl der trockenen Sporen in der Luft rasch ansteigt. Dieser Effekt ist darauf zurückzuführen, daß durch die auf die trockene Pflanzenoberfläche fallenden ersten Regentropfen viele der Sporen mechanisch durch Vibration abgelöst werden und im Augenblick der Kollision auch passiv mit einer Geschwindigkeit in die Luft geschleudert werden, die gleichfalls ausreicht, um aus der laminaren Grenzschicht am Blatt in die turbulente Strömung zu gelangen. Diesen "dry dispersal"-Effekt durch Regentropfen haben schon HIRST (1961) und HIRST und STEDMAN (1963) in einer Reihe von eindrucksvollen Experimenten mit Sporen verschiedener Erreger nachweisen können.

Andererseits aber ist nach WARD und MANNERS (1974) die Beeinträchtigung der Konidienbildung als Folge der Benetzung für den bei Niederschlägen zu beobachtenden Rückgang der Sporenmenge des Gerstenmehltaus verantwortlich, während STEPHAN (1980) feststellen konnte, daß die abspülende Wirkung insbesondere stärkerer und vor allem großtropfiger Niederschläge hierbei eine wesentliche Rolle spielt. Ohne Zweifel sind daher neben Zeitpunkt und Dauer des Niederschlags auch Intensität und Tropfengröße von einiger Bedeutung. Dies entspricht den Darstellungen von GREGORY (1961), wonach zwar für die Sporen einiger Arten parasitischer Pilze die Verbreitung durch Regentropfen charakteristisch ist, starke Niederschläge dagegen die Sporen von den Blättern abwaschen, während andererseits leichte Niederschläge durch ihren Effekt der Auswaschung der Atmosphäre die Sporen auf die Pflanzenoberfläche bringen und auf diese Weise die Infektion begünstigen können (INGOLD, 1960).

Der durch Niederschläge bedingte Auswaschungseffekt ist von phytopathologischer Seite lange Zeit hindurch vernachlässigt worden, obwohl er wahrscheinlich einer der wichtigsten Depositionsmechanismen ist, weil durch ihn die einmal in die Atmosphäre gelangten Sporen die Pflanzenoberfläche früher erreichen, als dies sonst der Fall gewesen wäre, womit die Ausbreitungsentfernung u.U. eng begrenzt wird. Die Wirksamkeit dieses Effekts hängt nicht nur von Menge und Dauer des Niederschlages ab, sondern auch von Tropfengröße und Fallgeschwindigkeit und nicht zuletzt von der Benetzbarkeit der Sporenoberfläche (DAVIES, 1961). Daher gibt es je nach Sporenart eine typische Tropfengröße mit maximalem Auswaschungseffekt (GREGORY, 1952, 1973). So liegt z.B. bei den Konidien von *Erysiphe graminis* dieser Maximaleffekt mit rund 80% bei einem Tropfendurchmesser von 2,8 mm.

Eine unmittelbare Verbreitung von Krankheitserregern durch den Niederschlag kommt zustande durch Spritzwirkung, wenn Regentropfen auf eine feuchte sporenbildende Oberfläche fallen. Der prinzipielle Mechanismus dieses "splash dispersal"-Effekts durch Niederschlag wurde bereits von GREGORY et al. (1959) recht eingehend studiert. Dabei wurde insbesondere die Wirkung des Auftreffens von Regentropfen auf einen Sporen enthaltenden dünnen Wasserfilm untersucht, und zwar hinsichtlich der Größe und Verbreitung der durch den Aufprall gewissermaßen reflektierten Wassertröpfchen, wobei als Testorganismus die Sporen von *Fusarium solani* dienten. Es wurde u.a. festgestellt, daß ein großer Regentropfen von 5 mm Durchmesser, der aus 7,5 m Höhe auf einen Sporen enthaltenden Wasserfilm von 0,1 mm Dicke trifft, rund 5000 Sprühtröpfchen erzeugt, von denen mehr als 2000 dann auch Sporen enthalten. Diese Tröpfchen haben einen Durchmesser von 5μ bis 2400μ und werden horizontal bis etwa 20 cm weit versprüht. Die kleinsten dieser Tröpfchen, die naturgemäß länger in der Luft bleiben, verdunsten rasch, so daß auf diese Weise auch Schleimsporen in die turbulente Atmosphäre gelangen und wie andere Sporen gewissermaßen trocken durch Wind weiterverbreitet werden können. Daß bei diesen Vorgängen auch die Morphologie der Fruktifikationsorgane eine Rolle spielt, haben PAUVERT et al. (1970) gezeigt.

Die direkte Verbreitung durch Niederschlag, also durch die Spritzwirkung von Regentropfen ist keineswegs selten. Sie spielt z.B. bei den Konidien von *Rhynchosporium secalis* nach AYESU-OFFEI und CARTER (1971) offenbar eine größere Rolle als die Ausbreitung durch den Wind. Allerdings ist die Ausbreitungsentfernung dabei relativ gering, da die Mehrzahl der Sprühtropfen wegen ihrer Größe rasch wieder abgelagert wird (GREGORY et al., 1959). So landen nach FITT und BAINBRIDGE (1983) die meisten Sporen von *Pseudocercosporella herpotrichoides* bereits in wenigen Metern Entfernung von der Sporenquelle, selbst wenn man einen zusätzlichen Windtransport der Tropfen mit in Rechnung stellt. Hierbei spielt, wie STEDMAN (1980) gezeigt hat, die Dichte des betreffenden

Pflanzenbestandes natürlich eine beherrschende Rolle, so daß oft nur
eine Ausbreitung des Erregers von Blatt zu Blatt oder zur nächstbenach-
barten Pflanze erfolgen kann.

Das Problem bei der richtigen Einschätzung der Bedeutung des Niederschlags für die Erregerausbreitung lag lange Zeit hindurch darin, daß
die so verbreiteten Sporen mit den allgemein üblichen Sporenfallen
nicht oder nur unzureichend zu erfassen waren, was manche Widersprüche
in verschiedenen Literaturangaben erklärt. RAPILLY et al. (1975) entwickelten ein Gerät, das es auch im Feldversuch erlaubt, die so verbreiteten Sporen verschiedener Erreger aufzufangen. Intensiv mit der
Entwicklung entsprechend geeigneter Fangmethoden haben sich FITT (1983)
und FITT und BAINBRIDGE (1983) befaßt und verschiedene Konstruktionen
im Zusammenhang mit der Frage der Ausbreitung der Sporen des Erregers
der Halmbruchkrankheit getestet und ihre Vor- und Nachteile herausgearbeitet. Die technische Schwierigkeit liegt danach offensichtlich
darin, daß die Sporen in Niederschlagstropfen recht unterschiedlicher
Größe enthalten sein können, so daß die parallele Verwendung verschie-
denartiger Sammler sinnvoll sein kann, insbesondere wenn es darum geht,
nicht nur die Ausbreitungsentfernung, sondern auch die Sporenkonzentration und ihre Änderung zu erfassen. Im allgemeinen läßt sich jedoch
sagen, daß die Krankheitsausbreitung durch Niederschlag, d.h. in diesem Falle durch "splash dispersal" meist nur für die epidemische Entwicklung innerhalb eines Pflanzenbestandes entscheidend sein dürfte,
während bei der Krankheitsübertragung von Feld zu Feld und von Region
zu Region oder über noch größere Entfernungen hinweg die Wirkung des
Windes und des turbulenten Massenaustauschs letztlich wohl doch die
maßgebende Größe ist.

3.4 SONSTIGE FAKTOREN

Die in den vorstehenden Abschnitten eingehend behandelten Parameter
werden im allgemeinen als die für die Epidemiologie von Pflanzenkrankheiten wichtigsten biometeorologischen Einflußgrößen betrachtet. Es
darf jedoch nicht übersehen werden, daß auch noch andere Faktoren wirksam werden können und gegebenenfalls zumindest in der Beurteilung von
Zusammenhängen Berücksichtigung finden müssen. Dies gilt z.B. für die
Bodentemperatur und die Bodenfeuchtigkeit bzw. den Bodenwassergehalt
und die Pflanzenwasserversorgung, ganz besonders aber für Licht und

Strahlung. Nachstehend soll daher auf diese Größen mit einigen Beispielen aus der Literatur wenigstens kurz eingegangen werden, um das
breite Spektrum biometeorologischer Einflüsse auf epidemiologische
Vorgänge deutlich zu machen.

3.4.1 *Bodentemperatur und Bodenfeuchtigkeit*

Es bedarf wohl keines besonderen Hinweises darauf, daß bei bodenbürti-
gen Pilzen natürlich Bodentemperatur und Bodenfeuchtigkeit die maßgeblichen Faktoren für ihre Entwicklung und das Auftreten der durch sie
verursachten Krankheiten sind. So haben z.B. DUBEN und FEHRMANN (1979)
in umfangreichen Labor- und Feldversuchen über die Pathogenität von
Fusariumarten an Winterweizen gezeigt, daß für die Infektion junger
Weizenpflanzen und den späteren Krankheitsverlauf Bodentemperatur und
Bodenfeuchtigkeit von entscheidender Bedeutung sind, allerdings je nach
der Art des Pathogens in unterschiedlicher Weise. So verursachten z.B.
Fusarium gramineum und *F. culmorum* die größten Auflaufschäden bei höheren Bodentemperaturen (10°- 20°C) und niedriger Bodenfeuchtigkeit
(40% der maximalen Wasserkapazität), während sich *F. nivale* und auch
F. nivale var. majus bei niedrigen Temperaturen (5°C) als am schäd-
lichsten erwiesen. Dies entspricht den von WONG et al. (1984) mitge-
teilten Ergebnissen, wonach Bodentemperatur und Bodenfeuchtigkeit erheblichen Einfluß auf die Pathogenität einer ganzen Reihe von Boden-
pilzen haben, und zwar sowohl auf die einzelne Pilzart als auch auf
Pilzkombinationen, wobei sich deutliche Optimalbereiche hinsichtlich
Bodentemperatur und Bodenfeuchtigkeit bzw. Wassergehalt abzeichnen.
Nach SATO (1979) beeinflußt die Bodentemperatur während und unmittelbar nach Regen die Knollenfäule der Kartoffeln mehr als die Regenmenge.
Dabei begünstigt relativ kaltes Wasser (unter 17°C) indirekt die Keimung der Sporangien und verlängert die Zeit der Beweglichkeit der Zoo-
sporen, während warmes Wasser (über 20°C) dies nicht tut.

Über derartige Beziehungen hinaus sind aber auch mehr indirekte Einflüsse von Bodentemperatur und Bodenfeuchtigkeit möglich. So stellten
z.B. OESTERGAARD und HENDRIKSEN (1983) in Untersuchungen zur Kartoffel-
knollenfäule fest, daß die Bodentemperatur im Zeitpunkt der Kartoffel-
ernte Einfluß auf den späteren Anteil kranker Knollen während der La-
gerung und auf die Beschädigungsempfindlichkeit und die Blaufleckig-
keit hat. UTRATA (1980) schließlich berücksichtigt in seinen multiplen

Regressionsgleichungen zur Konstruktion von Indexkarten für die Wahrscheinlichkeit des Auftretens von *Phytophthora infestans* nicht nur die üblichen meteorologischen Variablen, sondern auch eine Gruppierung der Bodentypen nach ihrem durchschnittlichen Wassergehalt.

Auf die Möglichkeit eines indirekten Einflusses des Bodenwassergehalts bzw. der Pflanzenwasserversorgung auf die Anfälligkeit von Wirtspflanzen machten schon SCHRÖDTER (1952b) und SCHRÖDTER und KÖHLER (1952) in Untersuchungen über das Rutensterben der Himbeeren aufmerksam. Danach ist zu vermuten, daß eine gleichmäßige Wasserversorgung die Pflanzen widerstandsfähiger gegen den Parasiten macht, was sich u.a. in einer Zunahme der Inkubationszeit ausdrückt. Wechselbeziehungen zwischen Bodenwasserpotential, Krankheitserreger und Wirtspflanze stellten auch COWAN und ZADOKS (1973) an Weizenkeimpflanzen fest, die mit *Puccinia recondita* infiziert waren. Danach verzögerte sich einerseits die Produktion von Uredosporen bei niedrigem Bodenwasserpotential, während andererseits die Transpiration der kranken Pflanzen anstieg und daher das Bodenwasserpotential im Wurzelraum befallener Keimpflanzen rascher abnahm als im Wurzelraum nicht infizierter Pflanzen.

Schon aus diesen wenigen Beispielen geht wohl hinreichend deutlich hervor, daß es die verschiedenartigsten Möglichkeiten und Wege gibt, über welche die bodenklimatischen Faktoren in die epidemische Entwicklung direkt oder auch indirekt einzugreifen vermögen.

3.4.2 Licht und Strahlung

Neben den biometeorologischen Standardgrößen Temperatur, Feuchtigkeit, Niederschlag etc. kommt auch dem Licht bzw. der Strahlung eine im Einzelfall sicher nicht zu unterschätzende epidemiologische Bedeutung zu, die sich in unterschiedlicher Art und Weise äußern kann. Zum einen liegt sie im Einfluß des tagesperiodischen Wechsels von Licht und Dunkelheit und in der jahreszeitlich bedingten Veränderung der Tageslänge, zum anderen in der Einwirkung der Strahlung und ihrer Intensität in den verschiedenen Wellenlängenbereichen auf Parasit und Wirtspflanze, wie die nachstehenden Beispiele aus der älteren und neueren Literatur zu diesem Problem zeigen sollen.

Schon RÖDER (1940) konnte z.B. bei seinen Versuchen über den Einfluß des Lichtes auf *Didymella arcuata* feststellen, daß Tageslicht das generative Wachstum, Dunkelheit dagegen das vegetative Wachstum dieses an Hanf schädlichen Pilzes fördert. In Untersuchungen über *Pseudomonas solanacearum* an Tomatenpflanzen zeigten GALLEGLY und WALKER (1949), daß die Krankheit sich bei geringer Lichtintensität und unter Kurztagverhältnissen (6-12 Stunden) stärker entwickelt als bei normaler Lichtintensität und Langtagverhältnissen (18 Stunden), was im Prinzip dem Ergebnis von KENDRICK und WALKER (1948) entspricht, wonach Tomatenpflanzen bei geringer Lichtintensität gegen die Bakterienwelke anfälliger sind als bei hoher Lichtintensität. Es ist daher, wie SEMPIO (1963) dargelegt hat, offensichtlich so, daß der Lichteinfluß auf die Krankheitsentwicklung über seine Wirkung sowohl auf den Abwehrmechanismus der Wirtspflanze als auch auf die Aggressivität des Erregers erfolgt. In diesem Zusammenhang ermittelten ULLRICH und KRUG (1965), daß die Resistenz verschiedener Kartoffelsorten gegen *Phytophthora infestans* unter Kurztagbedingungen vermindert ist und ein Zusammenhang besteht zwischen Resistenzänderung und der durch photoperiodisch-thermische Einflüsse gesteuerten Knollenbildung. Außerdem ergaben Laborversuche von DE WEILLE (1963b), daß bei diesem Schadpilz die Bildung der Konidienträger zwar zu jeder Zeit, die Bildung der Konidien selbst aber nur nachts erfolgen kann. BARNETT und LILLY (1950) wiederum fanden im Falle von *Choanephora cucurbitarum*, daß die Zahl der Konidien mit der Dauer der Exposition im Licht wächst. Diese unterschiedliche Reaktion der verschiedenen Arten von Krankheitserregern auf das Licht wird bei der vor allem hinsichtlich der Freisetzung von Sporen häufig zu beobachtenden Tagesperiodizität besonders deutlich.

Tagesperiodische Vorgänge im Entwicklungszyklus parasitischer Pilze sind seit langem bekannt. Die ersten Beobachtungen in dieser Richtung stammen schon von WESTON (1924), der damals allerdings noch die Auffassung vertrat, daß z.B. die nächtliche Sporulation von *Sclerospora graminicola* ausschließlich das Resultat der in den Nachtstunden meist hohen Luftfeuchtigkeit sei. Schon die späteren Arbeiten wie z.B. von YARWOOD (1934, 1937) zeigten jedoch, daß die Tagesperiodizität in der Sporulation der *Erysiphaceae* und *Peronosporaceae* auf den Wechsel von Licht und Dunkelheit im Ablauf des normalen Tages zurückzuführen ist, wobei allerdings im Falle der *Peronosporaceae* die Voraussetzung hoher Luftfeuchtigkeit gegeben sein muß, um diese Lichtabhängigkeit der Periodizität deutlich werden zu lassen. CRUIKSHANK (1963) schließlich konnte nachweisen, daß bei falschen Mehltauarten das Licht zwar hemmend auf den Sporulationsprozeß an sich wirkt, andererseits aber bei schon

infizierten Pflanzen die Pilzentwicklung fördert. Die durchaus aktuelle Bedeutung solcher Erkenntnisse zeigt die schon in anderem Zusammenhang erwähnte Arbeit von KREMHELLER und DIERCKS (1983) über die Epidemiologie und Prognose des falschen Mehltaus an Hopfen hinsichtlich
der Beziehungen zwischen Infektionserfolg einerseits und dem Tages-
rhythmus des Zoosporangienfluges und der Taubenetzung andererseits.

Natürlich können Tagesschwankungen der Sporulation auch völlig autono-
me Vorgänge sein. Dies zeigten schon INGOLD und COX (1955) für einen
speziellen Fall, wo sich trotz ständiger Dunkelheit die Periodizität
im Sporulationsprozeß über 12 Tage hinweg aufrechterhalten ließ, doch
ist hierin wohl eher die Ausnahme zu sehen. Auch Temperatur und Feuchtigkeit können, - bedingt durch ihren Einfluß auf die Sporulation -,
mit ihrem Tagesgang eine Periodizität induzieren, doch beweisen zahlreiche Ergebnisse von Fangversuchen mit Sporenfallen, daß das Licht
ein wesentlicher auslösender Faktor für die Tagesperiodik der Sporulation bzw. der Freisetzung von Sporen oder Konidien ist. Eine Besonderheit liegt jedoch darin, daß bei einigen Parasiten das Maximum tagsüber, bei anderen dagegen nachts auftritt. Ein Beispiel hierfür bietet
die nachstehende Abb. 9.

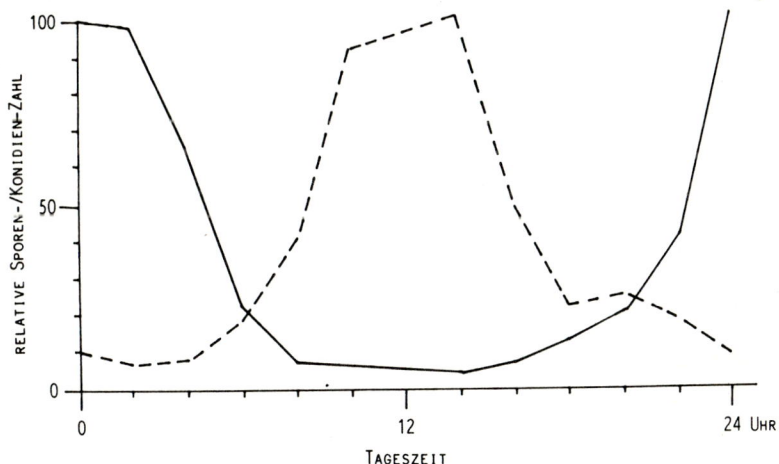

__Abb. 9.__ Mittlere relative Anzahl (bezogen auf den Maximalwert) der mittels Sporenfallen aufgefangenen
Sporen bzw. Konidien von Septoria nodorum (———) und Erysiphe graminis (-----) in ihrer Abhängigkeit
von der Tageszeit

Hier sind aus Untersuchungen über die Spelzenbräune des Winterweizens
(*Septoria nodorum*) und den Mehltau an Wintergerste (*Erysiphe graminis*)
die Ergebnisse von Messungen mittels Sporenfallen dargestellt, die den
mittleren tageszeitlichen Verlauf der Anzahl aufgefangener Sporen bzw.

Konidien in den Pflanzenbeständen wiedergeben. Zur Relativierung des
bei beiden Arten stark unterschiedlichen Niveaus der Fangzahlen wurden
diese auf das jeweils höchste Einzelergebnis bezogen. Während bei dem
Erreger der Spelzenbräune die meisten Sporen nachts gefangen wurden,
liegt beim Erreger des Gerstenmehltaus das Maximum des Konidienfluges
in den Mittagsstunden. Daß dies auf die Wirkung des Lichtes zurückzuführen ist, konnte KLOSE (1974) experimentell nachweisen, da sich die
normalerweise ausgeprägte Tagesrhythmik beim Konidienflug durch Zusatz-
belichtung während der Nacht weitgehend aufheben ließ. Wenn auch bei
der Spelzenbräune sicherlich ein Teil der zu beobachtenden Periodizität
auf die bei Nacht in der Regel günstigeren Temperatur- und Feuchtigkeitsbedingungen zurückzuführen ist, so ist doch auch hier ein gewisser
Einfluß des Lichtes nicht auszuschließen. So ist z.B. zwar allgemein
bekannt, daß bei den falschen Mehltauarten Temperatur und Benetzung
die epidemiologisch maßgebenden Faktoren sind, doch konnten COHEN und
EYAL (1980) bei *Pseudoperonospora cubensis* nachweisen, daß eine Licht-
wirkung insofern vorhanden ist, als die Optimaltemperatur für die Infektion bei Dunkelheit eine andere ist als bei Helligkeit.

Neben der hier geschilderten Wirkung des Lichtes ist auch die Energie
der Strahlung von erheblicher Bedeutung. Dies gilt z.B. für die Keimfähigkeit der Konidien verschiedener zur Gruppe der *Peronosporaceae*
gehörenden Pilze. DE WEILLE (1963a) hat dieses Problem seinerzeit im
Hinblick darauf eingehender behandelt, daß bis dahin dieser Frage nur
wenig Aufmerksamkeit geschenkt worden war. Schon in seinen umfangreichen Untersuchungen über die Bedeutung der durch *Exobasidium vexans*
verursachten sogenannten Teepocken für die Teekultur in Indonesien kam
DE WEILLE (1960) zu dem Ergebnis, daß neben Temperatur und Luftfeuchtigkeit die Intensität der Strahlung entscheidend ist für das Auftreten dieser Krankheit, und er zeigte, daß allein schon auf der Basis der
täglichen Sonnenscheindauer als Ersatz für fehlende Strahlungsmessungen
eine Epidemieprognose möglich ist.

Mit dem Einfluß des Lichtes bzw. der Strahlung auf die Sporulation, die
Sporenkeimung und die Infektion beim Getreiderost haben sich insbesondere ZADOKS (1967a) und ZADOKS und GROENEWEGEN (1967) intensiv befaßt,
wobei sie u.a. feststellten, daß im Dunkeln gebildete Sporen gegenüber
Strahlungseinflüssen empfindlicher sind als im Licht gebildete Sporen.
Beim echten Mehltau der Gerste beeinflußt nach AUST (1981) die Lichtintensität vor allem die Keimfähigkeit und Infektiosität der Konidien,
wobei das Licht indirekt über den Wirtsstoffwechsel auf die Infektiosität einwirkt.

Von besonderer Bedeutung für die Krankheitsausbreitung ist die Tatsache, daß die Überlebensdauer frisch ausgeschleuderter Sporen wesentlich von der Strahlungsintensität abhängt. Dies konnten· z.B. für die Ascosporen von *Mycosphaerella graminicola* BROWN et al. (1978) dadurch nachweisen, daß sich durch künstliche Abschirmung des direkten Sonnenlichtes bei diesen Sporen eine Verlängerung ihrer Überlebenszeit bis zu zwei Wochen erreichen ließ. Nach PAVLOVA und SANIN (1982) wirkt sich die direkte Sonnenstrahlung auf die Keimfähigkeit und die Infektionstüchtigkeit der Uredosporen des Weizenbraunrostes besonders nachteilig aus. So wird die Keimfähigkeit nach 10 Stunden Sonneneinstrahlung um 18%, nach 20 Stunden innerhalb von 2 Tagen um 58% und nach 30 Stunden innerhalb von 3 Tagen um 79% vermindert. Die Infektionsfähigkeit läßt sogar noch stärker nach und beträgt nach 3 Tagen weniger als 10%, bleibt aber bei diffusem Sonnenlicht unverändert erhalten. Die nächtliche Dunkelheit dient hier gewissermaßen als Erholungsphase und bewirkt nach maximal 8-9 Stunden eine Zunahme der Keimfähigkeit, doch nimmt dieses Regenerationsvermögen im Laufe der Zeit ab. Die in der Atmosphäre vorhandenen Uredosporen bleiben also bei trübem Wetter wesentlich länger infektionsfähig als bei sonnigem Wetter und können daher eine weitere Verbreitung der Krankheit induzieren. Zwar kann die Sporenkeimung durch Strahlungseinflüsse auch stimuliert werden, wie WULF und SCHAUTZ (1983) bei *Ustilago maydis* ermittelten, doch zeigt die Kurve des Energieflusses, daß Sättigung bereits bei 45 $\mu W/cm^2$ erreicht ist. Schon DE WEILLE (1963a) hatte festgestellt, daß der UV-Anteil der Globalstrahlung zwar zunächst stimulierend auf die Keimkraft der Konidien verschiedener Pilze wirken kann, daß aber höhere Dosen zum Verlust der Keimfähigkeit führen. ECKHARDT et al. (1984) schließlich kamen bei simulierten Tagesrhythmen von Temperatur, Feuchtigkeit und Lichtintensität zu dem Ergebnis, daß an sonnigen Tagen die mittlere Infektionseffizienz beim Gerstenmehltau geringer und die Inkubationszeit länger ist als an wolkigen Tagen und daß die Temperaturen eines wolkigen Tages für die Latenzzeit günstiger sind als diejenigen eines sonnigen Tages.

Die vorstehend behandelten Beispiele machen deutlich, daß Licht und Strahlung in unterschiedlicher Art und Weise in die Biologie und Epidemiologie der Krankheitserreger eingreifen können. Allerdings hat dieser gegenüber den Standardfaktoren oft verdeckte Einfluß bisher nur in Einzelfällen Eingang in die Praxis der Epidemieprognose gefunden.

3.5 ERMITTLUNG UND BEURTEILUNG DER FAKTORWIRKUNGEN NACH STATISTISCHEN VERFAHREN

Quantitative Methoden zur Analyse biometeorologischer Beziehungen auf mathematisch-statistischer Grundlage haben relativ spät Eingang in die Pflanzenpathologie gefunden, während in der Entomologie solche Verfahren wie Korrelation und Regression und andere schon seit den Arbeiten von COOK (1921) verbreitet genutzt wurden und zur Entwicklung mathematischer Modelle für die Anwendung in der Schädlingsbekämpfung führten (WATT, 1961). Mit der raschen Entwicklung der Computertechnik und der durch sie gegebenen Möglichkeiten stieg Anfang der sechziger Jahre auch in der Pflanzenpathologie das Interesse an der Anwendung aufwendigerer Methoden der mathematischen Statistik zur Lösung epidemiologischer Probleme, wie die Arbeiten von SCHRÖDTER und ULLRICH (1965, 1966, 1967), KRANZ (1968) und ANALYTIS (1973) beweisen. Eine besondere Rolle spielte dabei die Einführung der multiplen Regressionsanalyse, was der eingehenden Darstellung ihrer Bedeutung für die Epidemiologie von BUTT und ROYLE (1974) zu entnehmen ist. Ihre Brauchbarkeit als Methodik zur Entwicklung relativ einfacher und praxisnaher Prognoseverfahren ist in der internationalen Literatur unbestritten und sichert ihr bis heute breite Anwendung, wie z.B. die Arbeiten von BOGUSLAVSKAJA et al. (1983) über den Braunfäulebefall der Kartoffeln oder von PEDRO (1983) über den Kaffeerost zeigen, um nur zwei Beispiele aus der neueren Zeit zu nennen.

Aus diesem Grunde erscheint es zweckmäßig, über die in Abschnitt 3.1.3 bereits behandelten korrelationsanalytischen Verfahren hinaus an dieser Stelle einige Beispiele für die Anwendung statistischer Verfahren sowohl bei der Analyse als auch bei der Beurteilung des Einflusses biometeorologischer Faktoren bzw. Faktorenkomplexe auf epidemiologische Vorgänge zu behandeln. Daß sich damit die methodischen Möglichkeiten natürlich nicht erschöpfen, braucht wohl nicht besonders betont zu werden, doch würde eine umfassendere Behandlung dieses Teils der Analytik den hier vorgesehenen Rahmen sprengen, so daß auf die einschlägige Literatur zur Statistik, insbesondere zur biologischen Statistik verwiesen sei. Allgemeine Grundkenntnisse der mathematischen Statistik, wie sie für das Verständnis der folgenden Abschnitte notwendig sind, können wohl als vorhanden vorausgesetzt werden.

3.5.1 Regressionsansätze

Zunächst sei an das allgemeine Prinzip eines Regressionsansatzes erinnert. Während der Korrelationskoeffizient angibt, ob zwischen quantitativen Merkmalsreihen ein Zusammenhang besteht und wie eng dieser
ist, zeigt die Regressionsgleichung, wie sich z.B. im Falle von zwei
Veränderlichen die Zunahme der unabhängigen Variablen um eine Einheit
auf die abhängige Variable auswirkt. Kann die Beziehung zwischen den
Variablen als hinreichend linear angesehen werden, läßt sich also durch
die Punktwolke der Beobachtungsdaten mit hinreichender Sicherheit eine
Ausgleichsgerade legen, was im allgemeinen nach der Methode der kleinsten Quadrate erfolgen sollte, so läßt sich die Beziehung darstellen
durch die Gleichung

$$Y = \bar{y} + b(x - \bar{x}) \ . \qquad (3.5.1-1)$$

Darin ist Y der im Mittel zu erwartende Wert der abhängigen Variablen
bei einem bestimmten Wert x der unabhängigen Variablen, während $\bar{y}$ und
$\bar{x}$ die Mittelwerte der Variablen sind. Die Größe b stellt den Richtungs-
faktor dar, welcher die Steigung der Geraden angibt und als der Regressionskoeffizient bezeichnet wird. Diese Regressionsgleichung wird meist
in der Form

$$Y = a + bx \qquad (3.5.1-2)$$

geschrieben, wobei die Konstante a als Absolutglied gegeben ist durch

$$a = \bar{y} - b\bar{x} \qquad (3.5.1-3)$$

und den Abstand vom Koordinatenanfangspunkt angibt, in welchem die Gerade die y-Achse schneidet. Liegt eine Beziehung zu mehreren Einflußgrößen vor und kann davon ausgegangen werden, daß diese Beziehung zu
jeder der unabhängigen Variablen hinreichend linear ist, dann ergibt
sich die Gleichung der multiplen (partiellen) Regression zu

$$Y = a_o + a_1 x_1 + a_2 x_2 + \ldots + a_n x_n \qquad (3.5.1-4)$$

mit den unabhängigen Variablen x_1 bis x_n und den partiellen Regressionskoeffizienten a_1 bis a_n.

Eine hinreichende Linearität läßt sich erforderlichenfalls durch eine
geignete Transformation der Variablen oder durch die Wahl eines anderen Ausdrucks für diese erreichen. Eine solche Möglichkeit bietet sich
z.B. mit dem Rückgriff auf die in Abschnitt 3.1.3 dargestellte Häufigkeits-Korrelationsanalyse an. Hier bildeten ja nicht die Temperaturen
selbst, sondern die Häufigkeit des Vorkommens von Temperaturen in verschiedenen Klassen die Grundlage. Da vorausgesetzt werden kann, daß,
– um bei diesem Beispiel zu bleiben –, nicht nur die aus der Korrelationsanalyse sich ergebende optimale Temperatur für die Erreger- oder
Krankheitsentwicklung entscheidend ist, sondern mehr oder weniger alle
Temperaturen, d.h. die Temperaturverteilung insgesamt, läßt sich zur
quantitativen Beurteilung der Temperaturwirkung z.B. die Regressionsgleichung

$$Y(T) = a_o + a_1 h(T_1) + a_2 h(T_2) + \ldots + a_n h(T_n) \qquad (3.5.1-5)$$

aufstellen, worin h jeweils die Häufigkeit in den Temperaturklassen T_1
bis T_n ist, denn wie im Falle der beschriebenen Korrelationsanalyse
kann vorausgesetzt werden, daß die Beziehung zu den Häufigkeiten in
den einzelnen Klassen hinreichend linear ist.

Entsprechend Gleichung (3.5.1-5) kann natürlich auch mit anderen Einflußparametern verfahren werden, also z.B. mit der relativen Luftfeuchtigkeit RH oder der Benetzungsdauer D. Mit den entsprechenden Gleichungen ergeben sich auf diese Weise dann zunächst Schätzwerte von Y in Abhängigkeit von jedem einzelnen Parameter bzw. seiner Häufigkeitsverteilung, d.h. in diesem Fall Zeitreihen Y(T), Y(RH) und Y(D), von denen
jede Ausdruck eines einzelnen Wirkungsfaktors ist, so daß sich die Gesamtwirkung wiederum darstellen läßt durch die Regressionsgleichung

$$Y(T,RH,D) = b_o + b_1 Y(T) + b_2 Y(RH) + b_3 Y(D) \quad . \qquad (3.5.1-6)$$

Wie im folgenden Abschnitt noch zu zeigen sein wird, liegt der Vorteil eines solchen ineinandergreifenden Regressionsansatzes, – unbeschadet gewisser formalstatistischer Bedenken, die gegen dieses Verfahren einzuwenden wären –, in der dadurch gewissermaßen erfolgten Normierung der unabhängigen Variablen.

Als Maßstab für den Grad der Abhängigkeit bietet sich die sogenannte
Bestimmtheit an. Je enger sich nämlich die Beobachtungspunkte an die
Regressionsgerade anschließen, je geringer also die Streuung um diese

Regressionsgerade ist, um so schärfer ist sie bestimmt. Das Bestimmtheitsmaß B ist im Falle von zwei Veränderlichen x und y gegeben durch

$$B = \frac{s_{xy}^2}{s_x^2 \cdot s_y^2} \quad , \qquad (3.5.1-7)$$

d.h. durch das Verhältnis des Anteils der Streuung um die Regressionsgerade zur Gesamtstreuung. Es läßt sich im obigen Beispiel mit Hilfe
der partiellen Regressionskoeffizienten als multiple Bestimmtheit ausdrücken, wobei zur Vereinfachung der Schreibweise die Abweichungen von
den Mittelwerten der Größen in Gleichung (3.5.1-6) für die abhängige
Variable als y und für die unabhängigen Variablen als u, v und w bezeichnet seien. Das ergibt für die multiple Bestimmtheit die Gleichung

$$B = \frac{1}{\Sigma y_i^2}(b_1 \Sigma u_i y_i + b_2 \Sigma v_i y_i + b_3 \Sigma w_i y_i) \quad . \qquad (3.5.1-8)$$

Der Wert von B, der nur zwischen 0 und 1 liegen kann, gibt dann an, zu
welchem Anteil die beobachteten Schwankungen der abhängigen Variablen
allein auf die Wirkung der unabhängigen Variablen zurückzuführen sind.
Wäre z.B. im vorliegenden Fall B = 0,70, so würde dies bedeuten, daß
die festgestellte Krankheitsentwicklung zu 70% allein auf den Einfluß
von Temperatur, Feuchtigkeit und Benetzungsdauer zurückzuführen ist.
Die restlichen 30% sind dann aber nicht nur aus der Wirkung anderer,
nicht berücksichtigter Einflußgrößen zu erklären, sondern sind auch den
unvermeidlichen Beobachtungs- und Meßfehlern und anderen in jeder Versuchsanordnung steckenden Unsicherheiten, also dem allgemeinen Ver-
suchsfehler zuzuschreiben.

Liegt eine größere Anzahl von möglichen Einflußparametern vor, ohne daß
von vornherein entschieden werden kann, welche davon sinnvollerweise
auch tatsächlich berücksichtigt werden müssen, so läßt sich durch eine
schrittweise Regression, d.h. durch schrittweise Hinzufügung jeweils
eines neuen Parameters und die daraus sich ergebende Veränderung der
multiplen Bestimmtheit abschätzen, wie weit zusätzliche Parameter angesichts der vorhandenen Gesamtstreuung noch einen Beitrag zur Beurteil-
lung der Abhängigkeiten zu leisten vermögen. Ein Beispiel aus dem Datenmaterial der Untersuchungen von SCHRÖDTER und FEHRMANN (1971) über
die Abhängigkeit der Halmbruchkrankheit des Winterweizens von biometeorologischen Faktoren in verschiedenen Zeitabschnitten der Erregerentwicklung möge die Abb. 10 geben.

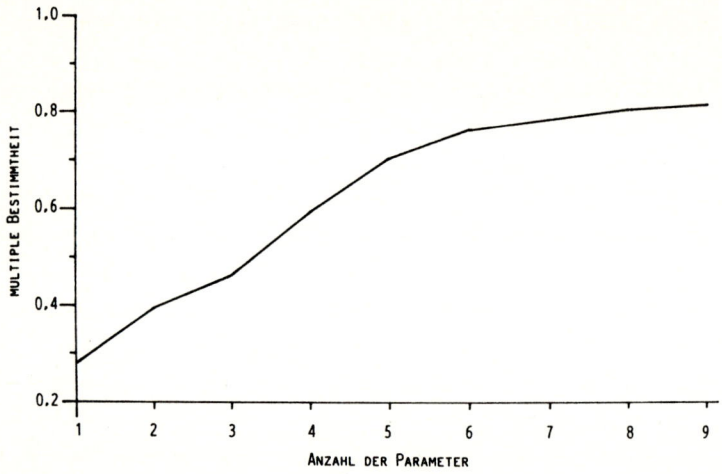

Abb. 10. Änderung der Bestimmtheit bei schrittweiser multipler Regression mit Zunahme der Anzahl zu berücksichtigender Parameter (nach SCHRÖDTER und FEHRMANN, 1971)

Wie aus Abb. 10 deutlich wird, zeigt der Verlauf der multiplen Bestimmtheit, daß die letzten drei Parameter praktisch keinen gesicherten Beitrag mehr zu leisten vermögen, so daß ihre Berücksichtigung in der Mehrfachregressionsgleichung nicht sinnvoll ist, was sich im übrigen durch einen Signifikanztest objektiv entscheiden läßt.

Natürlich können die in Gleichung (3.5.1-4) enthaltenen unabhängigen Variablen x_1 bis x_n auch komplexe Ausdrücke sein. So benutzten z.B. SCHRÖDTER und ULLRICH (1965) Polynome dritten Grades, während DIRKS und ROMIG (1970) u.a. die in Abschnitt 3.1.4 abgeleitete TE-Funktion als Parameter einsetzten. Auch hierin liegt schließlich eine Möglichkeit, der Forderung nach linearen Zusammenhängen näher zu kommen.

Der Nachteil der hier beschriebenen Ansätze liegt vor allem darin, daß mögliche Wechselwirkungen in den Beziehungen weder erkannt noch berücksichtigt werden können und nichtlineare Wirkungen nur mittelbar zu erfassen sind. Hier bietet sich daher u.a. nachstehendes Verfahren an, das zugleich eine Beurteilung nicht nur der Gesamtwirkung aller Faktoren, sondern auch eine differenziertere Beurteilung der einzelnen Wirkungsgrößen zuläßt.

3.5.2 Analyse verallgemeinerter Wechselwirkungskomponenten

Der Nachteil linearer Regressionsansätze liegt darin, daß sie nur für einen sehr engen Bereich der Faktorkombinationen einen befriedigenden Ausgleich erreichen können und auch bei geeigneter Transformation der Variablen zu einem Informationsverlust führen, zumal sie ja weder das Optimum der Kombination noch die gegenseitige Beeinflussung der Faktoren erfassen können. Für die Untersuchung des quantitativen Einflusses von Witterungsfaktoren auf biologische Vorgänge, also auch für die quantitative Beurteilung der Wirkung biometeorologischer Variablen auf die Erreger- und Krankheitsentwicklung unter Berücksichtigung von Wirkung und Wechselwirkung läßt sich ein von SCHNEIDER (1968) entwickeltes Verfahren anwenden, welches diese Begriffe allgemein formuliert und damit die Nachteile linearer Ansätze vermeidet.

Ausgangspunkt kann danach ein mathematisches Modell sein, das in diesem Fall den Einfluß biometeorologischer Faktoren durch eine Funktion mehrerer Veränderlicher beschreibt in der Form

$$y = f(x_1, x_2, \ldots, x_n) , \qquad (3.5.2-1)$$

wobei y die beobachtete Erreger- oder Krankheitsentwicklung ist und $x_1, x_2, \ldots, x_n$ die zu untersuchenden biometeorologischen Parameter sind. Geometrisch ist diese Funktion denkbar als n-dimensionale Hyperfläche im $(n+1)$-dimensionalen Raum, dessen Achsen durch y und die n Faktoren gebildet werden, eine Fläche, die allgemein als Reaktionsfläche bezeichnet werden kann. Die anschauliche Darstellung einer solchen Hyperfläche ist natürlich nur bei zwei Einflußgrößen im dreidimensionalen Raum möglich. Ein Beispiel hierfür möge die Abb. 11 in einer leicht idealisierten Darstellung aus Untersuchungen über die Abhängigkeit des Getreidehalmbruchs von Temperatur und Feuchtigkeit geben.

In einer solchen Hyperfläche sind natürlich alle Informationen über Wirkung und Wechselwirkung der n Faktoren enthalten, allerdings in einer sehr komplexen und bei mehr als zwei Faktoren nicht mehr anschaulich zu machenden Form. Die Analyse der einzelnen Wirkungen und Wechselwirkungen erfordert daher die Zerlegung der Reaktionsfläche in einzelne Komponenten mit Hilfe eines geeigneten mathematischen Formalismus, also z.B. durch die Annahme einer Ausgleichsfunktion. Da, wie gesagt, eine lineare Funktion hierfür nicht geeignet ist, bietet sich als der nächste Schritt eine quadratische Funktion an, mit welcher man in der

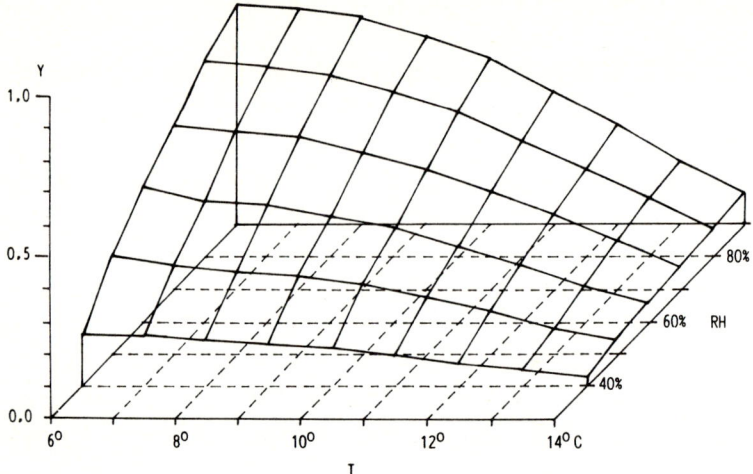

Abb. 11. Beispiel einer Reaktionsfläche für die Abhängigkeit des Infektionserfolges Y von Temperatur T und relativer Luftfeuchtigkeit RH (auf der Basis von Untersuchungen über den Getreidehalmbruch)

Regel auch auskommen wird. Diese läßt sich allgemein darstellen durch

$$y = a_o + a_1x_1 + \ldots + a_nx_n + a_{11}x_1^2 + a_{12}x_1x_2 + \ldots + a_{22}x_2^2 + \ldots + a_{nn}x_n^2 \ , \qquad (3.5.2-2)$$

was geometrisch als verallgemeinertes n-dimensionales Paraboloid im (n + 1)-dimensionalen Raum zu interpretieren ist, dessen Flächen gleicher Reaktion verallgemeinerte Kegelschnitte sind. Für zwei unabhängige Variablen, - um zur besseren Übersicht bei dem einfachen Beispiel entsprechend Abb. 11 zu bleiben -, ist die Gleichung gegeben durch

$$y = a_o + a_1x_1 + a_2x_2 + a_{11}x_1^2 + a_{12}x_1x_2 + a_{22}x_2^2 \ , \qquad (3.5.2-3)$$

worin x_1 die Temperatur und x_2 die relative Luftfeuchtigkeit sein soll.

Für die Analyse der einzelnen Wirkungskomponenten kann man nun davon ausgehen, daß sich die Wirkung Rx_i eines Faktors x_i durch das partielle Differential

$$Rx_i = \frac{\partial y}{\partial x_i} \qquad (3.5.2-4)$$

der Reaktionsfläche nach diesem Faktor x_i darstellen lassen muß, so daß sich für die weitere Analyse mit Hilfe der Funktion (3.5.2-3) das Gleichungssystem

$$\frac{\partial y}{\partial x_1} = a_1 + 2a_{11}x_1 + a_{12}x_2$$

$$\frac{\partial y}{\partial x_2} = a_2 + 2a_{22}x_2 + a_{12}x_1$$

(3.5.2-5)

ergibt. Dieses zeigt, daß sich die Wirkung jedes Faktors in drei additive Komponenten zerlegen läßt, von denen die erste aus dem Koeffizienten des linearen Gliedes, die zweite aus dem Koeffizienten des quadratischen Gliedes und dem Wert des Faktors, die dritte schließlich aus den gemischten Koeffizienten und dem Wert des jeweils anderen Faktors gebildet wird. Analog zu den aus der Varianzanalyse bekannten Definitionen kann man daher die erste Komponente als die lineare Wirkungskomponente, die zweite als die quadratische Wirkungskomponente und die dritte als die Wechselwirkungskomponente betrachten. Eine Schätzung dieser Komponenten bzw. ihrer Koeffizienten ist nach der Methode der kleinsten Quadrate möglich. Die Prüfung der Nullhypothese für die Komponenten bzw. für die ihnen zugeordneten Koeffizienten kann wie bei der Varianzanalyse mit Hilfe der F-Verteilung erfolgen, während die Berechnung der multiplen Bestimmtheit eine Aussage darüber verschafft, wie gut die Beobachtungswerte durch die so berechnete Reaktionsfläche ausgeglichen werden.

Da nach dem Gleichungssystem (3.5.2-5) der Einfluß eines Faktors x_i nicht allein von den Koeffizienten der linearen, quadratischen und gemischten Glieder abhängt, sondern auch von dem Wert des jeweils anderen Faktors, ist es nicht sinnvoll, die einzelnen Koeffizienten für sich allein zu betrachten. Vielmehr ist es vorteilhaft, aus allen Koeffizienten zusammen neue Größen zu berechnen, die eine biologisch interpretierbare Aussage über die Reaktionsfläche ermöglichen. Dabei kann man von denjenigen Faktorkombinationen ausgehen, die jeweils zur gleichen Reaktion führen. Bei einer quadratischen Ausgleichsfläche sind diese Isoreaktionsflächen verallgemeinerte Kegelschnitte im n-dimensionalen Faktorraum. Besitzt die Reaktionsfläche ein wohlbestimmtes Maximum, so sind dies Ellipsoide, besitzt sie einen Sattelpunkt, so sind dies Paraboloide usw. Der Typ der Kegelschnitte kann daher zur Kennzeichnung der Wirkung und Wechselwirkung der Faktoren herangezogen werden.

Nach bekannten Sätzen der analytischen Geometrie kann man aus den Eigenwerten und Eigenvektoren der quadratischen Form den Typ eines Kegelschnittes klar erkennen. Die Vorzeichen der Eigenwerte geben den Typ und ihre Größe die Länge der Hauptachsen an, während die Eigenvektoren

die Richtung der Hauptachsen bestimmen. Haben die Eigenwerte gleiche
Vorzeichen, so sind die Isoreaktionslinien Ellipsen. So ist z.B. im
vorgegebenen Fall der zwei unabhängigen Variablen Temperatur und relative Feuchtigkeit die Reaktionsfläche ein elliptisches Paraboloid entsprechend Gleichung (3.5.2-3) mit einem bestimmten Maximum. Die Koordinaten dieses Maximums erhält man, indem man die partiellen Differen-
tiale des Gleichungssystems (3.5.2-5) gleich Null setzt und die daraus
sich ergebenden Lösungen x_{1m} und x_{2m} in Gleichung (3.5.2-3) einsetzt
und damit den Wert dieses Maximums y_m erhält, in diesem Falle also den
Wert des maximalen Infektionserfolges bei der optimalen Kombination
von Temperatur und Feuchtigkeit.

Für die Berechnung der Eigenwerte und Eigenvektoren werden die quadratischen Glieder der Gleichung (3.5.2-3) herangezogen, aus denen sich
die Matrix der quadratischen Form

$$\begin{vmatrix} a_{11} & a'_{12} \\ a'_{21} & a_{22} \end{vmatrix} \qquad\qquad (3.5.2-6)$$

bilden läßt, wobei wegen $a_{12} = a_{21}$ der Koeffizient der Faktorkombina-
tion halbiert und je zur Hälfte als a'_{12} und a'_{21} in die Matrix aufgenommen wird, da a_{12} aufgefaßt werden kann als Summe der an sich zu den
Faktorkombinationen x_{12} und x_{21} gehörenden Koeffizienten und daher je
zur Hälfte diesen beiden Produkten zuzuordnen ist.

Die Eigenwerte e ergeben sich nun aus der Determinantengleichung

$$\begin{vmatrix} a_{11}- e & a'_{12} \\ a'_{21} & a_{22}- e \end{vmatrix} \qquad\qquad (3.5.2-7)$$

welche nach Auflösung eine quadratische Gleichung ergibt, deren Lösungen e_1 und e_2 die gesuchten Eigenwerte der Matrix (3.5.2-6) sind. Die
Quadratwurzel aus dem Betrag jedes Eigenwertes ist der Länge der ihm
entsprechenden Hauptachse umgekehrt proportional, d.h. in Richtung der
zum größten Eigenwert gehörenden Hauptachse, die also am kürzesten ist,
weist die Reaktionsfläche die größte Steilheit auf.

Der im zweidimensionalen Fall zu einem Eigenwert e gehörende Eigenvektor U mit den Komponenten u_1, u_2 ist als Lösungsvektor des homogenen

Gleichungssystems

$$(a_{11} - e)u_1 + a'_{12}u_2 = 0$$

$$a'_{21}u_1 + (a_{22} - e)u_2 = 0 \qquad\qquad (3.5.2\text{-}8)$$

gegeben, wobei sich durch die Forderung, daß die zu verschiedenen Eigenwerten gehörenden Eigenvektoren zueinander orthogonal sein sollen,
die Eindeutigkeit seiner Lösung ergibt. Ersetzt man daher die rechte
Seite des Gleichungssystems für e_1 durch den Vektor (1;0) und für e_2
durch den Vektor (0;1), so ergeben sich zwei Lösungen $(u_1,u_2)_1$ und
$(u_1,u_2)_2$, die anschließend orthonomiert die gesuchten Eigenvektoren,
d.h. den Kosinus des Winkels ergeben, den die Hauptachse mit den jeweiligen Faktorachsen einschließt.

Im vorliegenden Fall sind also zur Bestimmung der zu den Eigenwerten
e_1 und e_2 gehörenden Eigenvektoren $U_1(u_{11},u_{21})$ und $U_2(u_{12},u_{22})$ die
Gleichungssysteme

$$(a_{11} - e_1)u_{11} + a'_{12}u_{21} = 1$$

$$a'_{21}u_{11} + (a_{22} - e_1)u_{21} = 0 \qquad\qquad (3.5.2\text{-}9)$$

und

$$(a_{11} - e_2)u_{12} + a'_{12}u_{22} = 0$$

$$a'_{21}u_{12} + (a_{22} - e_2)u_{22} = 1 \qquad\qquad (3.5.2\text{-}10)$$

nach den Komponenten u_{11}, u_{21} bzw. u_{12}, u_{22} aufzulösen, welche orthonomiert die gesuchten Komponenten der zueinander orthogonalen Eigenvektoren ergeben. Da die Eigenvektoren die Wirkungsrichtung angeben,
gibt der zum größten Eigenwert gehörende Eigenvektor auch die Haupt-
wirkungsrichtung an, d.h. die Richtung, in welcher bereits eine kleine
Faktoränderung eine große Reaktionsänderung bewirkt, was sich allerdings nur in Fällen wie Abb. 11 noch anschaulich darstellen läßt.

Mit den aufeinander senkrecht stehenden Hauptachsen der Isoreaktions-
ellipsen kann nun ein neues Koordinatensystem im Faktorraum gebildet
werden, dessen Nullpunkt mit dem Ellipsenmittelpunkt, d.h. mit dem durch
Nullsetzen des Gleichungssystems (3.5.2-5) gewonnenen Maximumpunkt y_m

der Reaktionsfläche mit den Koordinaten x_{1m} und x_{2m} zusammenfällt. Für die Umrechnung der alten in die neuen Koordinaten X_1 und X_2 ergeben sich daher die Gleichungen

$$X_1 = u_{11}(x_1 - x_{1m}) + u_{21}(x_2 - x_{2m})$$

$$X_2 = u_{12}(x_1 - x_{1m}) + u_{22}(x_2 - x_{2m})$$

(3.5.2-11)

und die Gleichung der Reaktionsfläche nimmt dann die sehr einfache Gestalt

$$y = y_m - e_1 X_1^2 - e_2 X_2^2$$

(3.5.2-12)

an, d.h. die Quadrate der neuen Koordinatenwerte X_1 und X_2 werden lediglich mit den zugehörigen Eigenwerten multipliziert und vom zuvor berechneten Maximalwert abgezogen.

Für das der Abb. 11 zugrunde liegende Beispiel könnten sich somit theoretisch folgende Aussagen ergeben:
1. Ist im Extremfall der zur Hauptwirkungsvariablen X gehörende Eigenvektor ein Einheitsvektor, bei dem eine Komponente gleich 1 und die andere gleich 0 ist, so besteht keine Wechselwirkung zwischen den Faktoren, d.h. z.B. die Wirkung der Temperatur auf den Infektionserfolg wäre unabhängig von der Feuchtigkeit und deren Wirkung.
2. Sind alle Eigenvektorkomponenten gleich groß, – und dies wäre der andere Extremfall –, so besteht ein Höchstmaß an gegenseitiger Abhängigkeit zwischen den Einflußgrößen und damit maximale Wechselwirkung, d.h. nur das gleichmäßige Zusammenwirken beider Faktoren kann den Infektionserfolg steigern, eine Kompensation ist ausgeschlossen.
3. In der Regel werden die Verhältnisse zwischen diesen beiden Extremen liegen, d.h. die Einflußgrößen werden in gegenseitiger Wechselwirkung stehen, auch wenn eine dominieren wird. Dabei zeigen die Eigenwerte in der transformierten Gleichung (3.5.2-12) an, zu welchem Anteil die Faktoren auch bei Wechselwirkung Einfluß auf den Infektionserfolg haben, denn in Richtung der zum größten Eigenwert gehörenden Hauptachse verläuft die Reaktionsfläche ja wie gesagt am steilsten, d.h. der dieser Wirkungsrichtung zuzuordnende Einflußfaktor dominiert.

Diese zuletzt gemachte Aussage kann allerdings nur dann als Hinweis darauf gelten, welchem Faktor der dominierende Einfluß zukommt, wenn die Faktoren in gleichen Einheiten gemessen sind, was im vorliegenden

Fall ja keineswegs zutrifft. Diese Notwendigkeit gleicher Skalierung
wird sofort klar, wenn man bedenkt, daß z.B. die Wirkung von 1 K Temperaturänderung auf die Entwicklung eines Erregers garnicht vergleichbar
sein kann mit der Wirkung von 1% Änderung der relativen Luftfeuchtigkeit. Soll also mit Gleichung (3.5.2-12) aus den Eigenwerten auf die
dominierende Einflußgröße geschlossen werden, so ist vor Beginn der
obigen Rechenoperationen eine Normierung der unabhängigen Variablen
vorzunehmen, um nicht zu einem falschen Bild zu kommen. Im vorliegenden Fall z.B. wäre bei Verwendung der Originaldaten die Temperatur als
dominierender Faktor bestimmt worden, während in Wirklichkeit, d.h.
nach Bezug auf einheitliche Skalierung, der Feuchtigkeit der stärkere
Einfluß zukommt. Hier aber liegt der bei der Behandlung von Gleichung
(3.5.1-6) bereits erwähnte Vorteil der Variablentransformation mit Hilfe der dort beschriebenen Regressionsansätze, da damit die Einflußgrößen in skalengleichen und damit vergleichbaren Einheiten gegeben sind.
Auf die gleiche Weise läßt sich natürlich auch bei mehr als zwei unabhängigen Variablen die Reihenfolge ihrer epidemiologischen Bedeutung
abschätzen und gerade hierin liegt der Wert des hier ausführlich dargestellten Verfahrens der Analyse verallgemeinerter Wechselwirkungskomponenten.

3.5.3 ´Beurteilung nach der Hauptkomponentenanalyse

Das in Abschnitt 3.5.1 behandelte Bestimmtheitsmaß B, das nichts anderes ist als das Quadrat des Mehrfachkorrelationskoeffizienten R, d.h.
also $B = R^2$ bzw. $R = \sqrt{B}$, gibt zwar an, welchen Anteil die unabhängigen Variablen insgesamt an den Variationen der abhängigen Variablen
haben, wie weit also z.B. Temperatur und Feuchtigkeit zusammen die beobachteten Schwankungen des Infektionserfolges zu erklären vermögen,
doch läßt sich nicht ohne weiteres daraus ableiten, wie hoch der Anteil
jeder der einzelnen Variablen in Prozent des Bestimmtheitsmaßes ist.
Dies liegt daran, daß gerade bei der Arbeit mit biometeorologischen
Faktoren fast stets mit einer hohen Interkorrelation zwischen den unabhängigen Variablen gerechnet werden muß. Aufgrund dieser Interkorrelation kann es daher durchaus vorkommen, daß zwar ein hoher Wert von B
bzw. R^2 gefunden wird, die partiellen Regressionskoeffizienten jedoch
klein und nicht signifikant von Null verschieden sind. Sind z.B. Temperatur und Feuchtigkeit, zwischen denen ja im allgemeinen eine hohe Interkorrelation besteht, gleichermaßen wichtig für den Infektionserfolg,

so kann zwar die Mehrfachkorrelation R^2 hoch sein, aber die partielle
Regression zu jedem der Faktoren ist wegen der Wirksamkeit des jeweils
anderen Faktors nicht signifikant, was sich schließlich schon aus der
Betrachtung des Gleichungssystems (3.5.2-5) in Abschnitt 3.5.2 ableiten läßt. Nur bei Ausschaltung der Interkorrelation zwischen den unabhängigen Variablen ist daher eine eindeutige Beurteilung der anteil-
mäßigen Wirkung jedes einzelnen Einflußfaktors möglich. Einen von den
Einzelkorrelationen ausgehenden, im übrigen aber dem Verfahren in Abschnitt 3.5.2 entsprechenden Weg zeigte ANALYTIS (1973), der hierzu
die orthogonale Transformation der Hauptkomponentenanalyse benutzte.

Mit den bei zwei unabhängigen Variablen x_1 und x_2, - hier vereinfacht
als 1 und 2 bezeichnet -, gegebenen Korrelationen läßt sich die multiple Bestimmtheit ausdrücken durch

$$R^2 = \frac{r_{y1}^2 + r_{y2}^2 - 2r_{y1}r_{y2}r_{12}}{1 - r_{12}^2} \, , \qquad (3.5.3-1)$$

wobei entsprechend dem im vorigen Abschnitt verwendeten Beispiel y der
Infektionserfolg, x_1 die Temperatur und x_2 die relative Luftfeuchtigkeit sei. r_{12} ist dann die Interkorrelation zwischen diesen beiden unabhängigen Variablen. Wäre r_{12} = 0, so würde Gleichung (3.5.3-1) über-
gehen in

$$R^2 = r_{y1}^2 + r_{y2}^2 \qquad (3.5.3-2)$$

und der Einfluß der Temperatur und der Feuchtigkeit ließe sich jeder
für sich einfach mit Hilfe der Quadrate der Korrelationskoeffizienten
quantifizieren. Es müssen also nur x_1 und x_2 so transformiert werden,
daß sie untereinander unkorreliert sind. Nach ANALYTIS (1973) ist hierfür die dem in Abschnitt 3.5.2 behandelten Verfahren weitgehend entsprechende Hauptkomponentenanalyse geeignet, indem man den Komplex der
Einflußgrößen in orthogonale Wirkungsverhältnisse zerlegt, wofür die
Eigenwerte e_i der Varianz-Kovarianz-Matrix und die zugehörigen Eigenvektoren U_i zu bestimmen sind.

Mit der Korrelationsmatrix

$$\begin{vmatrix} 1 & r_{12} \\ r_{12} & 1 \end{vmatrix} \qquad (3.5.3-3)$$

ergeben sich die Eigenwerte e allgemein als Lösung der Gleichung

$$\begin{vmatrix} 1 - e & r_{12} \\ r_{12} & 1 - e \end{vmatrix} = 0 \ , \tag{3.5.3-4}$$

d.h. es ist

$$(1 - e)^2 - r_{12}^2 = 0 \tag{3.5.3-5}$$

bzw.

$$(1 - e + r_{12})(1 - e - r_{12}) = 0 \tag{3.5.3-6}$$

und daraus folgt für die Eigenwerte e_1 und e_2, daß

$$e_1 = 1 + r_{12} \quad \text{und} \quad e_2 = 1 - r_{12} \tag{3.5.3-7}$$

ist.

Die Komponenten U_{ij} der Eigenvektoren

$$U = \begin{vmatrix} u_{11} & u_{12} \\ u_{21} & u_{22} \end{vmatrix} \tag{3.5.3-8}$$

ergeben sich aus den Gleichungen

$$\begin{aligned} (1 - e_1)u_{11} + r_{12}u_{21} &= 0 \\ r_{12}u_{11} + (1 - e_1)u_{21} &= 0 \\ u_{11}^2 + u_{21}^2 &= 1 \end{aligned} \tag{3.5.3-9}$$

und

$$\begin{aligned} (1 - e_2)u_{12} + r_{12}u_{22} &= 0 \\ r_{12}u_{12} + (1 - e_2)u_{22} &= 0 \\ u_{12}^2 + u_{22}^2 &= 1 \end{aligned} \tag{3.5.3-10}$$

Die Lösungen der Gleichungssysteme (3.5.3-9) und (3.5.3-10) führen dann zu

$$u_{11} = u_{21} = \sqrt{0,5}$$

$$-u_{12} = u_{22} = \sqrt{0,5}$$

(3.5.3-11)

woraus sich für die Eigenvektoren

$$U = \begin{vmatrix} \sqrt{0,5} & -\sqrt{0,5} \\ \sqrt{0,5} & \sqrt{0,5} \end{vmatrix}$$

(3.5.3-12)

ergibt. Danach ist der zu e_1 gehörende Eigenvektor U_1 bestimmt durch die Komponenten $(u_{11}, u_{21}) = (\sqrt{0,5}, \sqrt{0,5})$ und der zu e_2 gehörende Eigenvektor U_2 durch die Komponenten $(u_{12}, u_{22}) = (-\sqrt{0,5}, \sqrt{0,5})$.

Allgemein ist dann die Bestimmtheit R^2_{yk} zwischen der abhängigen Variablen y und der k-ten Hauptkomponente gegeben durch

$$R^2_{yk} = \frac{(\Sigma a_{ki} r_{yi})^2}{e_k} \quad .$$

(3.5.3-13)

Damit beträgt dann im vorliegenden Fall der Anteil der Temperaturvariablen x_1 an der Gesamtvarianz

$$R^2_{y1} = \frac{(\sqrt{0,5}\, r_{y1} + \sqrt{0,5}\, r_{y2})^2}{e_1} = \frac{0,5(r_{y1} + r_{y2})^2}{1 + r_{12}}$$

(3.5.3-14)

und derjenige der Feuchtevariablen x_2

$$R^2_{y2} = \frac{(-\sqrt{0,5}\, r_{y1} + \sqrt{0,5}\, r_{y2})^2}{e_2} = \frac{0,5(r_{y2} - r_{y1})^2}{1 - r_{12}} \quad ,$$

(3.5.3-15)

womit quantitativ beurteilt werden kann, welchem der beiden unabhängigen Parameter die dominierende Wirkung auf das Infektionsgeschehen zukommt. Wie bei Abschnitt 3.5.2 gilt jedoch auch hier, daß eine solche Folgerung nur dann schlüssig ist, wenn die unabhängigen Variablen in gleichen Einheiten gemessen worden sind. Auch hier ist daher vor Beginn der Rechenoperation eine Standardisierung vorzunehmen, d.h. bereits die Berechnung der einzelnen Korrelationen muß mit den entsprechend transformierten Werten erfolgen, was wie bei dem in Abschnitt 3.5.2 behandelten Verfahren geschehen kann, das ja letztlich auf die gleiche Grundüberlegung zurückgeht. Hinsichtlich der weiteren Problematik bei der statistischen Analyse sei auf die schon mehrfach genannte Arbeit von ANALYTIS (1973) verwiesen, die noch immer als Musterbeispiel für die methodische Behandlung dieses Komplexes gelten kann.

Die Ausbreitung von Pflanzenkrankheiten von Feld zu Feld und von Region zu Region und darüber hinaus ist naturgemäß nur möglich, wenn ihre Erreger auf irgendeine Art und Weise über mehr oder weniger große
Entfernungen hinweg transportiert werden können. Daß dabei die unterschiedlichsten Transportmittel eine Rolle spielen, einschließlich derjenigen, die der Mensch für seinen eigenen Transport und für den Transport von Produkten benutzt, hat vor längerer Zeit ZADOKS (1967b) in
einer interessanten Zusammenstellung aufgeschlüsselt und an einer Reihe von Beispielen die oft fast abenteuerlich anmutenden Wege aufgezeigt, auf denen eine Krankheit in ein Gebiet gelangen kann, in dem
sie zuvor unbekannt war. Dabei ist es durchaus nicht so, daß die Erreger stets auch mit ihrer Wirtspflanze zusammen eingeschleppt werden,
vielmehr treten sie oft erst sehr viel später in Erscheinung. Ein ex-
tremes Beispiel hierfür ist der Blauschimmel des Tabaks. Die für Europa erstmalige Erwähnung des Tabaks findet sich im Logbuch von Christoph
Columbus unter dem Datum vom 6. November 1492, und relativ bald danach
wurde der Tabak in Europa eingeführt. Aber erst mehr als 400 Jahre später folgte die durch *Peronospora tabacina* verursachte Blauschimmelkrankheit. Andererseits gilt es heute als nicht unwahrscheinlich, daß
an der sehr viel rascheren interkontinentalen Verbreitung pathogener
Pilze in zunehmendem Maße auch der internationale Tourismus beteiligt
ist. Es ist jedoch unbestritten, daß zum überwiegenden Teil die atmosphärischen Transportprozesse, d.h. Wind und turbulenter Massenaustausch die eigentlichen Träger der Erregerverbreitung sind und damit
einen hohen Stellenwert für die Epidemiologie besitzen. Dieser Stellenwert wird darin deutlich, daß sich mindestens seit Mitte dieses Jahrhunderts eine mehr oder weniger speziell auf die Epidemiologie der
Pflanzenkrankheiten ausgerichtete Aerobiologie (HIRST, 1961) bzw. Mi-
krobiologie der Atmosphäre (GREGORY, 1961, 1973) herausgebildet und
etabliert hat.

Wesentlich ist natürlich zunächst die Frage, wie die Krankheitserreger bzw. ihre Verbreitungsorgane überhaupt in die Luft gelangen. Wenn die Sporen aktiv ausgeschleudert werden, wie dies bei einigen Pilzen der Fall ist, so löst sich diese Frage von selbst. Ist dies aber nicht der Fall, so kann z.B. auch ein Mechanismus wirksam werden, wie ihn u.a. HIRST und STEDMAN (1963) beschrieben haben, wonach die mechanische Wirkung des Aufpralls von Regentropfen die Sporen zunächst freisetzt, so daß sie dann durch den Wind weiterverbreitet werden können. Auch eine direkte, d.h. trockene Ablösung von Sporen durch den Wind ist möglich und steigt nach CARTER et al. (1970) logarithmisch mit der Windgeschwindigkeit ab etwa 2 m/s an, wobei kurze heftige Windstöße offenbar die Hauptrolle spielen. Dagegen haben FITT und BAINBRIDGE (1983) zeigen können, daß im Falle des Erregers der Halmbruchkrankheit des Getreides hauptsächlich die Spritzwirkung des Regens selbst für die Verbreitung innerhalb kurzer Distanzen verantwortlich zu machen ist. Doch ist auch in diesem speziellen Fall ein gewisser Einfluß des Windes nicht ganz auszuschließen. Zum einen können kleinste Tröpfchen mit den in ihnen enthaltenen Sporen durch Wind verbreitet werden (FITT und BAINBRIDGE, 1983), zum anderen ist auch der Windtransport von staubfeinen Pflanzenresten mit anhaftenden Sporen möglich (ROWE und POWELSON, 1973b), woraus sich beim Halmbruch abweichende Beobachtungen von SCHRÖDTER und FEHRMANN (1971) erklären lassen.

Für die Fernausbreitung von Krankheitserregern kommen natürlich vor allem der Wind und die Strömung in der Atmosphäre als Träger in Frage. Dieses Problem ist schon frühzeitig von einer Reihe von Autoren behandelt und mit zahlreichen Beispielen belegt worden, wie u.a. die Arbeiten von ZADOKS (1967b), HIRST und HURST (1967), HOGG et al. (1969) BOWDEN et al. (1971) und GREGORY (1973) zeigen. Danach kann z.B. entlang entsprechender Trajektorien der Getreiderost von Nordafrika über Südeuropa bis Großbritannien ebenso gelangen wie von Mexiko über die USA bis nach Kanada. Der Maisrost gelangte von Amerika bis nach Afrika und Asien, während beim Kaffeerost umgekehrt ein Windtransport über den Atlantischen Ozean hinweg von Afrika nach Südamerika festgestellt wurde. Diese Möglichkeit einer Windausbreitung über große Entfernungen haben auch CLOSE et al. (1978) an Beispielen des Transports von Krankheitserregern von Australien nach Neuseeland gezeigt, wobei sie nachweisen konnten, daß insbesondere die Sporen einiger Getreideroste sehr weit transportiert werden können ohne ihre Infektionsfähigkeit zu verlieren, da sie relativ resistent gegen Strahlungseinflüsse sind. Nach AYLOR et al. (1982) resultierten die 1979 und 1980 in Connecticut, USA, beobachteten ungewöhnlich starken Epidemien durch den Tabakblauschimmel offensichtlich von Sporen, die von Quellen in einigen hundert Kilometer Entfernung durch den Wind herangetragen wurden. Dies leiteten sie ab aus der Berechnung der Trajektorien von Luftkörpern und einer Berechnung der Änderung ihrer Sporenkonzentration zwischen den Quellen und dem Standort der neuen Wirtspflanzen. Ebenfalls mit Hilfe der Bestimmung von Trajektorien konnten DAVIS und MAIN (1984) in eingehenden Analysen nachweisen, daß das Auftreten des Tabakblauschimmels in North Carolina darauf zurückzuführen ist, daß Sporen von infizierten Feldern South Carolinas her durch den Wind bis hin zur Grenze zwischen North Carolina und Virginia transportiert werden.

Schon GREGORY (1945) entwickelte für die Sporenverbreitung durch die Luft unter den Bedingungen geringer atmosphärischer Turbulenz eine Gleichung, die noch VANDERPLANK (1975) verwendete, um die Ausbreitung von einer Punktquelle aus unter dem Einfluß verschieden starker Gradienten der Krankheitsentwicklung am Beispiel von *Phytophthora infestans* zu demonstrieren. Auf die überragende Bedeutung des turbulenten Massenaustauschs für die Verbreitung von Pflanzenkrankheiten und die Möglichkeiten der theoretischen Behandlung dieses Aspekts der Epidemiologie unter Benutzung der Theorie von ROMBAKIS (1947) machte schon SCHRÖDTER (1954) aufmerksam. Während GREGORY (1968) verschiedene mathematische Modelle für die Gradienten der Ausbreitung lieferte, versuchten ZADOKS et al. (1969) mittels Filmaufnahmen von kurzen Rauchstößen in verschiedenen Höhen als Modell für Sporenwolken den turbulenten Transport praktisch sichtbar zu machen. Eine ausführliche Behandlung der Theorie der Sporenverbreitung unter den verschiedensten epidemiologisch bedeutsamen Gesichtspunkten erfolgte bereits durch SCHRÖDTER (1960), während eine zusammenfassende Darstellung der Probleme des atmosphärischen Transports von pflanzlichen und tierischen Krankheitserregern in neuerer Zeit von PEDGLEY (1982) veröffentlicht worden ist.

Es ist unverkennbar, daß gerade die Ausbreitung von Krankheitserregern wie kaum eine andere Frage der Epidemiologie einer theoretischen Behandlung zugänglich ist. Denn sind die Sporen erst einmal in die Atmosphäre gelangt, so ist ihr weiterer Weg nur noch ein physikalisches Problem. Seine Grundzüge sollen in den folgenden Abschnitten dargelegt werden, wobei mit Rücksicht auf den physikalisch und mathematisch weniger vorgebildeten Leser auch auf ältere Darstellungen zurückgegriffen wird, die den Vorteil einer leichteren Verständlichkeit haben. Der Begriff "Sporen" wird hierbei als Sammelbegriff für die Verbreitungs-

organe der Erreger wie Sporen, Sporangien, Konidien etc. verwendet,
was im folgenden lediglich der Vereinfachung in der theoretischen Darstellung dienen soll.

4.1 EINFLUß VON WIND UND TURBULENZ AUF DEN SPORENFLUG

Allein durch den Wind, der ja nur die horizontale Komponente der Luftbewegung darstellt, könnte eine Spore niemals höher fliegen als ihre
Abflugstelle liegt, und einer Krankheitsausbreitung durch den Wind in
diesem strengeren Sinne wären sehr enge Grenzen gesetzt. Da aber die
Praxis zeigt, daß die Sporen auch Höhenunterschiede überwinden können,
müssen neben horizontalen auch vertikale Transportkräfte wirksam sein,
welche mitbestimmend sind für Flugbahn, Flughöhe, Flugweite und Flugdauer einer Spore bzw. einer Sporenwolke. In den folgenden Abschnitten
sollen diese Komponenten der Ausbreitung zunächst als zweidimensiona-
les Problem behandelt werden, d.h. die theoretischen Betrachtungen beziehen sich allein auf die Vorgänge in der x-z-Ebene, wobei x in Windrichtung zu sehen ist und z senkrecht dazu steht. Es wird also das Verhalten einer Sporenwolke im Schnitt, oder besser ausgedrückt das Verhalten des Schwerpunktes einer Sporenwolke betrachtet, so daß die Änderungen des Sporengehaltes je Volumeneinheit Luft für die theoretische
Behandlung des Sporenfluges zunächst außer Ansatz bleiben können, was
die Darstellung wesentlich erleichtert.

4.1.1 Transportkräfte und Flugbahn

Jeder Körper, und dies gilt natürlich auch für die kleinste Spore, unterliegt zunächst der Wirkung der Gravitation, die ihm eine abwärts
gerichtete Bewegung im freien Fall verleiht. In der Atmosphäre wird
dieser Effekt teilweise durch Auftrieb und innere Reibung kompensiert,
woraus die jedem Partikel eigene Fallgeschwindigkeit in ruhender Luft
resultiert. Diese hängt demnach vom Gewicht und der Größe des Partikels
ab, d.h. vom Gleichgewicht zwischen dem Eigengewicht des Partikels und
dem Reibungswiderstand, woraus sich eine konstante Sinkgeschwindigkeit
in ruhender Luft ergibt.

Für ein kugelförmiges Teilchen mit dem spezifischen Gewicht δ und dem Radius r in einem Gas der Viskosität η gilt dann für die Sinkgeschwindigkeit unter Berücksichtigung des Stokesschen Gesetzes

$$c_s = \frac{2\delta g}{9\eta} r^2 \quad , \qquad (4.1.1-1)$$

worin g die Gravitation ist. Nun sind aber die Sporen von Krankheitserregern nicht gerade kugelförmig, doch läßt sich ihre Form oft durch ein Rotationsellipsoid oder zumindest ohne großen Fehler durch ein ihrer tatsächlichen Form umschriebenes Rotationsellipsoid annähern. Zwischen der Sinkgeschwindigkeit c_e eines ellipsoiden Partikels und der Sinkgeschwindigkeit c_s eines kugelförmigen Partikels gleichen Volumens aber besteht die Beziehung

$$c_e = \frac{c_s}{\sqrt[3]{a/b}} \quad , \qquad (4.1.1-2)$$

worin a und b die Achsen des Ellipsoids sind. Mit Gleichung (4.1.1-1) und (4.1.1-2) ergibt sich dann

$$c_e = \frac{2\delta g}{9\eta\sqrt[3]{a/b}} r^2 \quad , \qquad (4.1.1-3)$$

und aus der vorausgesetzten Volumengleichheit

$$V_s = \frac{4}{3}\pi r^3 = \frac{4}{3}\pi a b^2 = V_e \qquad (4.1.1-4)$$

folgt

$$r = \sqrt[3]{ab^2} \quad , \qquad (4.1.1-5)$$

was in (4.1.1-3) eingesetzt für die Sinkgeschwindigkeit ellipsoider Partikel in ruhender Luft

$$c_e = \frac{2\delta g}{9\eta} \sqrt[3]{a} \; b \sqrt[3]{b^2} \qquad (4.1.1-6)$$

ergibt. Da die Größen δ, g und η im vorliegenden Falle als hinreichend konstant angesehen werden können, hängt die Sinkgeschwindigkeit der Sporen in ruhender Luft demzufolge nur noch von ihrer Größe ab, d.h. hier von der Länge der Achsen des ihnen zu umschreibenden Rotationsellipsoids. Diese Sinkgeschwindigkeit aber spielt, wie noch zu zeigen sein wird, neben dem Wind als der horizontal wirkenden Kraft, eine außerordentlich wichtige Rolle.

Die vertikal wirkenden Kräfte resultieren jedoch vor allem aus der Tatsache, daß jede Strömung in der Atmosphäre kaum jemals laminar, sondern fast immer turbulent ist, wobei hier außer acht bleiben kann, ob es sich um thermische oder dynamische Turbulenz handelt. Mit dem dadurch bedingten steten vertikalen Austausch größerer oder kleinerer Luftkörper erfolgt nämlich auch ein Austausch ihrer Eigenschaften, in diesem Falle also auch ein Austausch ihres Sporengehalts und damit ein vertikaler Sporentransport. Es ist ohne Zweifel das große Verdienst von W.SCHMIDT (1925) die theoretischen Grundlagen dieses Begriffes des turbulenten Massenaustauschs gelegt und mit dem Austauschkoeffizienten eine Größe eingeführt zu haben, welche den Zustand der ungeordneten Bewegungen in der Atmosphäre kennzeichnet und mit deren Hilfe der Fluß einer Masse mit bestimmten Eigenschaften ermittelt werden kann. Der besondere Vorzug des Schmidtschen Austauschkoeffizienten, - der meist zwischen 1 und 10 $gcm^{-1}s^{-1}$ liegt, aber in der bodennächsten Schicht auch wesentlich darunter und in der freien Atmosphäre erheblich darüber liegen kann -, besteht darin, daß er von der ausgetauschten Eigenschaft unabhängig ist.

In zweidimensionaler Betrachtungsweise muß eine lokale Änderung des Sporengehalts s mit der Zeit t gleich der Konvergenz des vertikalen Sporenstromes w sein, d.h. es ist

$$\frac{\partial s}{\partial t} = \frac{\partial w}{\partial z} \quad . \tag{4.1.1-7}$$

Dieser aber setzt sich zusammen aus dem austauschbedingten Strom

$$w_1 = - \frac{A}{\rho} \frac{\partial s}{\partial z} \tag{4.1.1-8}$$

mit dem Austauschkoeffizienten A und der Luftdichte ρ und aus dem aus der Sinkgeschwindigkeit c in ruhender Luft unter dem Einfluß der Gravitation sich ergebenden Strom

$$w_2 = - cs \quad , \tag{4.1.1-9}$$

so daß der Gesamtstrom gegeben ist durch

$$w = w_1 + w_2 = - \frac{A}{\rho} \frac{\partial s}{\partial z} - cs \quad . \tag{4.1.1-10}$$

Dies in Gleichung (4.1.1-7) eingesetzt ergibt dann eine vollständige Differentialgleichung der Form

$$\frac{\partial s}{\partial t} = \frac{A}{\rho} \frac{\partial^2 s}{\partial z^2} + c \frac{\partial s}{\partial z} \qquad (4.1.1-11)$$

als Grundlage für die nachfolgende Betrachtung der Sporenverbreitung in der x-z-Ebene.

Zur Beschreibung des Weges der Sporen unter dem Einfluß von Wind und Turbulenz kann man eine wahrscheinliche Flugbahn dadurch definieren, daß man nicht den sehr komplizierten Weg einer einzelnen Spore betrachtet, sondern den Weg des Schwerpunktes der Sporenwolke. Es sei also ein bestimmter Punkt in der Höhe z zur Zeit t dann ein Punkt dieser Flugbahn, wenn es gleich wahrscheinlich ist, daß sich eine Spore oberhalb wie unterhalb dieses Punktes befindet. Die wahrscheinliche Flugbahn ist also dadurch definiert, daß sich oberhalb wie unterhalb von ihr je 50% aller Sporen befinden und verbreitet werden. Unter dieser Prämisse läßt sich dann aus Gleichung (4.1.1-11) ableiten, daß die Höhe z eines Punktes dieser Bahn zur Zeit t gegeben ist durch

$$z = 0,4769\sqrt{4At/\rho} - ct \quad . \qquad (4.1.1-12)$$

Dies sei hier ohne Ableitung angegeben und wegen näherer Einzelheiten auf die ausführliche Darstellung z.B. von SCHRÖDTER (1960) verwiesen.

Führen wir nun noch die mittlere (horizontale) Windgeschwindigkeit U ein, mit der dieser Punkt im hier gewählten Koordinatensystem in der Zeit t den Weg $x = Ut$ zurücklegt, so ergibt sich

$$z - 0,4769\sqrt{4Ax/\rho U} - \frac{cx}{U} \qquad (4.1.1-13)$$

als die gesuchte Gleichung der wahrscheinlichen Flugbahn des Schwerpunktes einer Sporenwolke.

Die Frage nach der Gestalt dieser Flugbahn läßt sich analog zu den Ausführungen in Abschnitt 3.5.2 relativ leicht beantworten. Quadriert man Gleichung (4.1.1-13), so erhält man nach einiger Umformung eine Gleichung zweiten Grades, ·die in ihrer allgemeinen Form eine Parabel beschreibt, deren Determinante gegeben ist durch

$$D = \begin{vmatrix} a_{11} & a_{12} \\ a_{12} & a_{22} \end{vmatrix} = 0 \qquad (4.1.1-14)$$

Da nach Quadrierung und Umformung die Gleichung (4.1.1-13) zu

$$\frac{c^2}{U^2}\, x^2 + 2\,\frac{c}{U}\, xz + z^2 - (0,4769)^2\, \frac{4A}{\rho U}\, x = 0 \qquad (4.1.1-15)$$

wird, läßt sich (4.1.1-14) schreiben als

$$D = \begin{vmatrix} (\frac{c}{U})^2 & \frac{c}{U} \\ \frac{c}{U} & 1 \end{vmatrix} = 0 \qquad (4.1.1-16)$$

und damit die wahrscheinliche Flugbahn als eine Parabel kennzeichnen, wobei sich die Inklination ihrer Achse ergibt aus der Beziehung

$$\tan(2\alpha) = \frac{2\tan\alpha}{1 - \tan^2\alpha} = \frac{2a_{12}}{a_{11} - a_{22}} \qquad (4.1.1-17)$$

und somit gegeben ist durch

$$\tan\alpha = -\,\frac{c}{U} \quad , \qquad (4.1.1-18)$$

d.h. die wahrscheinliche Flugbahn der Sporen ist eine Parabel. Ihre Achse ist ein Vektor, dessen Richtung von der mittleren horizontalen Windgeschwindigkeit und der Sinkgeschwindigkeit der Sporen in ruhender Luft bestimmt wird. Als Beispiel möge die Abb. 12 dienen.

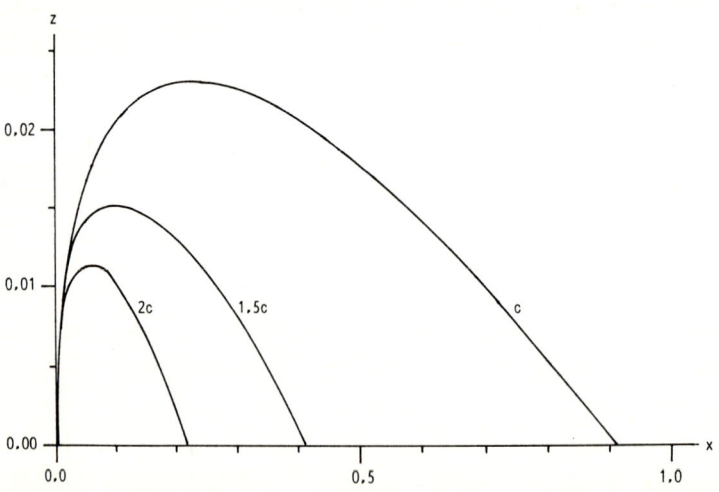

Abb. 12. Form der wahrscheinlichen Flugbahn von Sporen unterschiedlicher Sinkgeschwindigkeit c bei gleicher horizontaler Windgeschwindigkeit und gleichem turbulentem Massenaustausch

Hier sind drei Flugbahnen in der x-z-Ebene dargestellt, die sich ergeben, wenn bei konstantem Austausch und konstanter Windgeschwindigkeit
nur die von der Sporengröße abhängige Sinkgeschwindigkeit in ruhender
Luft verändert wird. Die erhebliche Bedeutung dieser Größe zeigt sich
u.a. darin, daß bei zweifacher Sinkgeschwindigkeit die Entfernung bis
zum Wiedererreichen des Punktes z = 0 nur noch ein Viertel beträgt.
Die von verschiedenen Autoren, insbesondere in der älteren Literatur,
vertretene Auffassung, die Sinkgeschwindigkeit könne wegen ihrer Ge-
ringfügigkeit gegenüber den durch die Turbulenz erzwungenen Vertikal-
bewegungen vernachlässigt werden, ist daher nicht haltbar. Vielmehr
ist diese Sinkgeschwindigkeit, die ja ständig wirksam ist, ein für die
Erregerausbreitung ganz entscheidender Faktor, wie sich auch nachfolgend noch zeigen wird.

4.1.2 Flughöhe

Die in Abb. 12 dargestellten Flugbahnen entsprechen natürlich so nicht
den wahren Verhältnissen, da die z-Achse gegenüber der x-Achse zwecks
besserer Anschaulichkeit stark überhöht ist. Tatsächlich verläuft die
Flugbahn relativ flach. Dies kann man auch aus Abb. 12 ablesen, wenn
man sich vor Augen führt, daß z.B. im Falle der einfachen Sinkgeschwindigkeit einer Flugweite von fast 100 m nur eine maximale Flughöhe von
wenig mehr als 2 m gegenübersteht.

Aus der Gleichung der wahrscheinlichen Flugbahn läßt sich natürlich
auch die wahrscheinliche maximale Flughöhe ableiten, die definitions-
gemäß die maximale Höhe des Schwerpunktes der Sporenwolke ist, was bedeutet, daß 50% aller Sporen auch höher fliegen können, 50% aber unterhalb dieser Höhe verbreitet werden. Für diesen höchsten Punkt muß
demnach dz/dt = 0 sein. Führen wir daher unter Rückgriff auf Gleichung
(4.1.1-12) diese Bedingung ein, so erhalten wir

$$\frac{dz}{dt} = 0,4769\sqrt{4A/\rho}\ \frac{1}{2\sqrt{t}} - c = 0 \quad , \qquad (4.1.2-1)$$

was nach t aufgelöst den Ausdruck

$$t = \frac{(0,4769)^2}{4}\ \frac{4A}{\rho c^2} \qquad (4.1.2-2)$$

ergibt. Setzt man dies in die Gleichung der Flugbahn ein, so erhält
man für diesen speziellen Punkt in der Höhe z den Wert

$$z_{max} = 0,4769 \frac{4A}{\rho} \frac{0,4769}{2} \frac{4A}{\rho c} - c \frac{(0,4769)^2}{4} \frac{4A}{\rho c} \qquad (4.1.2-3)$$

und damit

$$z_{max} = 0,2274 \frac{A}{\rho c} \qquad (4.1.2-4)$$

als Gleichung der wahrscheinlichen maximalen Flughöhe.

Diese Gleichung zeigt, daß die maximale Flughöhe direkt proportional dem Austauschkoeffizienten und umgekehrt proportional der Sinkgeschwindigkeit in ruhender Luft ist. Sie zeigt außerdem, daß mit der maximalen Flughöhe eine Komponente der Sporenverbreitung gegeben ist, die völlig unabhängig von der Windgeschwindigkeit ist und es schließlich auch nicht sein kann, da der Wind an sich ja keinen Beitrag zur Vertikalbewegung leistet.

Eine Übersicht über die wahrscheinlichen maximalen Flughöhen in Abhängigkeit vom Austauschkoeffizienten und von der Sinkgeschwindigkeit verschiedener Sporen unterschiedlicher Größe von sehr kleinen Sporen bis zu relativ großen Sporen gibt die Tabelle 2. Hierbei wurde hinsichtlich der Sporengrößen auf verschiedene Literaturangaben zurückgegriffen, woraus für die Achsen a:b der jeweils umschriebenen Rotationsellipsoide Größen von 5:3 µ für sehr kleine Sporen (z.B. von Actinomyceten) bis zu 28:18 µ für große Sporen (z.B. Konidien von *Phytophthora infestans*) ermittelt und zur Berechnung der Sinkgeschwindigkeit in ruhender Luft eingesetzt wurden.

Tabelle 2. Wahrscheinliche maximale Flughöhe (in m) in Abhängigkeit vom Austauschkoeffizienten und von der Sinkgeschwindigkeit der Sporen

Austauschkoeffizient g/cm·s	Sinkgeschwindigkeit in ruhender Luft in cm/s			
	0,035	0,138	0,975	1,300
1	54	14	2	1,5
10	541	137	19	15
20	1082	274	38	29
50	2705	685	95	73
100	5410	1370	190	145

Wie die Tabelle 2 zeigt, können insbesondere von kleinen und kleinsten Sporen ganz erhebliche Höhen erreicht werden. Auch wenn es sich hier um eine rein theoretische und an bestimmte Voraussetzungen gebundene Betrachtung handelt, so sind die Zahlenangaben doch durchaus realistisch, wie die in der Literatur zahlreich zu findenden Messungen mit Sporenfallen von Flugzeugen aus belegen. Erst in neuerer Zeit fanden z.B. ROGOZHIN und FILIPPOV (1983) bei derartigen Untersuchungen Sporangien von *Phytophthora infestans* bis in 800 m Höhe und zum Teil auch darüber, was mit den entsprechenden Angaben in Tabelle 2 durchaus in Einklang zu bringen ist, wenn man die hier zugrunde liegenden Definitionen für Flugbahn und Flughöhe berücksichtigt.

4.1.3 Flugweite

Die für die Epidemiologie der Pflanzenkrankheiten wohl wichtigste Frage ist die nach der Ausbreitungsentfernung, d.h. nach den Distanzen, welche die Erreger unter den jeweiligen atmosphärischen Bedingungen überwinden können. Bei der hier behandelten zweidimensionalen Betrachtungsweise des Sporenfluges ist dies die wahrscheinliche Flugweite und damit die Entfernung, die der Schwerpunkt einer Sporenwolke bis zum Wiedererreichen der Höhe z = 0 zurücklegen kann. Die Gleichung der wahrscheinlichen Flugweite erhält man aus der Gleichung der wahrscheinlichen Flugbahn, indem man die Gleichung (4.1.1-13) gleich Null setzt, also

$$0,4769\sqrt{4Ax/\rho U} - \frac{cx}{U} = 0 \qquad (4.1.3-1)$$

bildet. Da die Flugweite definiert ist durch die Entfernung eines Punktes mit den Koordinaten z = 0, x = X von einer Sporenquelle mit den Koordinaten z = 0, x = 0 , ist Gleichung (4.1.3-1) nach X aufzulösen, was zu

$$X = \frac{4AU}{\rho c^2} (0,4769)^2 \qquad (4.1.3-2)$$

führt und mit

$$X = 0,91 \frac{AU}{\rho c^2} \qquad (4.1.3-3)$$

die Gleichung der wahrscheinlichen Flugweite angibt.

Wie die Gleichung (4.1.3-3) zeigt, ist die Flugweite proportional dem

Austausch und der horizontalen Windgeschwindigkeit und umgekehrt proportional dem Quadrat der Sinkgeschwindigkeit, woraus wiederum die erhebliche Bedeutung der letzteren abzuleiten ist. Dies verdeutlichen auch die in nachstehender Tabelle 3 aufgeführten Beispiele.

Tabelle 3. Wahrscheinliche Sporenflugweite (km) in Abhängigkeit von Austauschkoeffizient, Sinkgeschwindigkeit und Windgeschwindigkeit

Austauschkoeffizient g/cm·s	Sinkgeschwindigkeit cm/s	Windgeschwindigkeit (m/s)				
		2	4	6	8	10
	0,138	800	1600	2400	3200	4000
10	0,975	16	32	48	64	80
	1,300	9	18	27	36	45
	0,138	1600	3200	4800	6400	8000
20	0,975	32	64	96	128	160
	1,300	18	36	54	72	90
	0,138	4000	8000	12000	16000	20000
50	0,975	80	160	240	320	400
	1,300	45	90	135	180	225

Auch hier stellt sich natürlich wieder die Frage, wie weit derartige Ergebnisse auf der Grundlage theoretischer Überlegungen als realistisch anzusehen sind. Bereits W.SCHMIDT (1925) hat im Rahmen der von ihm entwickelten Theorie des Massenaustauschs das Problem der Verbreitung von Pflanzensamen durch turbulente Luftströmungen behandelt. Er definierte jedoch als mittlere Ausbreitungsentfernung diejenige Grenze, bis zu welcher 99% aller gestreuten Samen die Erdoberfläche wieder erreicht haben. ROMBAKIS (1947) wies jedoch nach, daß eine so definierte mittlere Ausbreitung stark veränderlich ist gegenüber einem anderen ebenso willkürlich gewählten Prozentsatz. Die von ihm eingeführte und hier benutzte Definition der wahrscheinlichen Flugbahn als die Flugbahn des Schwerpunktes einer Sporenwolke in der x-z-Ebene vermeidet diesen Nachteil. Bezogen auf die Flugweite ist es also nach dieser Definition für den Punkt x = X (bei z = 0) gleich wahrscheinlich, daß eine Spore bis zu diesem Punkt oder darüber hinaus fliegt. Betrachten wir daher einen Punkt x = X + m , so wissen wir, daß mehr als die Hälfte aller Sporen bis zu dieser Entfernung die Pflanzenoberfläche wieder erreicht hat, während wir bei Betrachtung eines Punktes x = X - m davon ausgehen können, daß mehr als die Hälfte aller Sporen über diesen Punkt hinaus transportiert wird.

Betrachtet man nun die Angaben in Tabelle 3, so ist festzustellen, daß je nach Sporengröße, Turbulenz und Windgeschwindigkeit erheblich unterschiedliche Entfernungen zurückgelegt werden können, und zwar von einigen Kilometern bis zu einigen tausend Kilometern. Daß auch so große Distanzen durchaus realistisch sein können, zeigen schon die eingangs dieses Kapitels gemachten Ausführungen aufgrund verschiedener Literaturangaben (siehe z.B. CLOSE et al., 1978). Allerdings ist nicht immer ohne weiteres ein Vergleich zwischen Beobachtungsergebnissen und Theorie möglich, denn oft resultieren die einschlägigen Daten in der Literatur nicht aus tatsächlichen Beobachtungen des Sporenfluges, sondern stellen Schlußfolgerungen aus der Krankheitsausbreitung dar. Solche Daten unterschätzen zwangsläufig die Entfernungen, über welche die Sporen transportiert werden können, da sie nur angeben, wie weit die Erreger in einer Konzentration transportiert wurden, die bei Erhaltung ihrer Infektionsfähigkeit ausreicht, um neue Infektionen zu induzieren. Zum anderen fehlen vielen Berichten Angaben über die atmosphärischen Bedingungen hinsichtlich Turbulenz und Windgeschwindigkeit, so daß ein Vergleich zwischen Theorie und Praxis nicht möglich ist oder nur unter verschiedenen Annahmen erfolgen kann. Ein Beispiel hierfür ist der Sporenflug von *Phytophthora infestans*. Hier haben schon FISCHER und GÄUMANN (1929) darauf aufmerksam gemacht, daß diese Sporen durch den Wind sehr weit verbreitet werden können. Sieht man die Literatur daraufhin durch, so findet man Beobachtungen, die von 200 m ebenso sprechen wie von 200 km und mehr. Schon SCHRÖDTER (1954, 1960) zeigte jedoch, daß hierin keine Widersprüche liegen, da sich diese unterschiedlichen Angaben allein aus Unterschieden in den Wind- und Turbulenzverhältnissen erklären lassen, wie es schließlich auch aus Tabelle 3 hervorgeht.

4.1.4 Flugdauer

Epidemiologisch von erheblichem Interesse ist natürlich auch die Frage, wie lange die einmal von ihrer Quelle in die Atmosphäre entlassenen Sporen in der Luft bleiben, ehe sie die Erd- oder Pflanzenoberfläche wieder erreichen, denn davon hängt es ja unter Umständen ab, ob sie neue Infektionen und damit die Ausbreitung der betreffenden Krankheit selbst verursachen können. Diese Frage ist bisher nur selten behandelt worden, weil sie sich kaum durch Beobachtung und Experiment beantworten läßt. Schätzungen, wie sie in der älteren Literatur zu finden sind, die aus beobachteter Flughöhe und wahrscheinlicher Sinkgeschwindigkeit

auf die Dauer des Verweilens der Sporen in der Luft zu schließen suchten, also nur die Abwärtsbewegung unter dem Einfluß der Gravitation
berücksichtigten, unterschätzen wegen Vernachlässigung der Vertikal-
kräfte der Turbulenz diese Verweildauer ganz beträchtlich. So berechnete z.B. CHRISTENSEN (1942), daß eine Spore von *Ustilago zeae*, die eine Meile über Grund angetroffen wird, in nur 9 Tagen wieder die Erdober
fläche erreicht haben müßte, während schon unter der Annahme mittlerer
Turbulenzverhältnisse in Wirklichkeit ein Vielfaches dieser Dauer als
realistischer anzusetzen ist.

Theoretisch läßt sich die Frage nach der Flugdauer ebenso wie die nach
der Flugweite aus der Gleichung der wahrscheinlichen Flugbahn ableiten, d.h. aus Gleichung (4.1.1-12). Bezeichnet man die wahrscheinliche
Flugdauer mit τ, so muß die Bedingung gelten, daß im Punkt z = 0 und
x = X, wo also der Schwerpunkt der Sporenwolke die Erdoberfläche wieder
erreicht, t = τ sein muß. Entsprechend muß also gelten, daß

$$0,4769\sqrt{4A\tau/\rho} - c\tau = 0 \qquad\qquad (4.1.4-1)$$

sein muß. Aus

$$c^2\tau^2 = (0,4769)^2 \frac{4A\tau}{\rho} \qquad\qquad (4.1.4-2)$$

ergibt sich

$$\tau = (0,4769)^2 \frac{4A}{\rho c^2} \qquad\qquad (4.1.4-3)$$

und damit

$$\tau = 0,91 \frac{A}{\rho c^2} \qquad\qquad (4.1.4-4)$$

als wahrscheinliche Flugdauer, die entsprechend der Definition für den
Schwerpunkt der Sporenwolke gilt. Logischerweise kommt man zum gleichen Ergebnis, wenn man die Gleichung der wahrscheinlichen Flugweite,
d.h. Gleichung (4.1.3-3) durch die Windgeschwindigkeit U dividiert, da
ja die Flugdauer sich entsprechend obiger Definition aus X/U = τ ergeben muß. Damit ist wiederum wie im Falle der Flughöhe eine epidemiologisch wichtige Komponente der Krankheitsausbreitung charakterisiert,
die vom Wind als horizontaler Luftbewegung unabhängig ist. Einige nach
Gleichung (4.1.4-4) berechnete Werte der Flugdauer sind in nachstehender Tabelle 4 aufgeführt.

Tabelle 4. Wahrscheinliche Flugdauer von Sporen verschiedener Größe in Abhängigkeit von Sinkgeschwindigkeit und turbulentem Massenaustausch

Austauschkoeffizient g/cm·s	Sinkgeschwindigkeit in ruhender Luft in cm/s 0,035	0,138	0,975	1,300
10	72 Tage	4,6 Tage	2,2 Std.	1,2 Std.
20	144 Tage	9,2 Tage	4,4 Std.	2,5 Std.
50	360 Tage	23,0 Tage	11,0 Std.	6,2 Std.

Nach diesen Berechnungen können kleine und kleinste Sporen eine sehr lange Verweildauer in der Atmosphäre haben, die bei entsprechend starker Turbulenz sogar bis zu einem Jahr betragen kann.

Stellt man die Angaben in Tabelle 4 denen der Tabelle 3 gegenüber, so stellt man fest, daß bei entsprechenden atmosphärischen Verhältnissen selbst relativ große Sporen wie z.B. die Konidien von *Phytophthora infestans* in nur wenigen Stunden mehr als 200 km zurücklegen können. Dies aber bedeutet, daß auch bei einem Sporentransport über recht weite Entfernungen hinweg damit gerechnet werden muß, daß solche Sporen die Pflanzenoberfläche durchaus noch in keim- bzw. infektionsfähigem Zustand erreichen können. Dies zeigt aber andererseits, daß die Frage der Krankheitsausbreitung eng mit dem Problem der Erhaltung der Infektionsfähigkeit verknüpft ist. Es erscheint daher sinnvoll, auch diesen Aspekt in die theoretischen Betrachtungen einzubeziehen, was im nachfolgenden Abschnitt geschehen soll.

4.1.5 *Windausbreitung und Infektionsfähigkeit*

Die vorstehenden Abschnitte haben gezeigt, daß sich je nach den Wind- und Turbulenzverhältnissen und je nach der Größe der Sporen bzw. ihrer Sinkgeschwindigkeit in ruhender Luft von der Theorie her nicht nur Ausbreitungsentfernungen bis zu einigen tausend Kilometern, sondern auch Flugzeiten von Stunden und Wochen bis zu Monaten ergeben können. Solche Ergebnisse lassen es verständlich erscheinen, daß gewisse Bedenken gegen den epidemiologischen Wert solcher Berechnungen erhoben werden könnten, was insbesondere wohl für die Flugdauer gilt. Die theoretisch berechneten Daten sind ja nur dann interessant, wenn über diese Entfernungen hin und während dieser Flugzeiten die Erreger bzw. ihre Verbreitungsorgane, also allgemein die Sporen während des Transports auch lebensfähig bleiben, an ihrem Zielort keimen und zu neuen Infektionen

führen können. Die in den vorstehenden Abschnitten gewählten Definitionen mit einer Wahrscheinlichkeitsgrenze von 50% können dies jedoch
nicht berücksichtigen. Die Fragestellung muß daher insofern verändert
werden, als sie sich auf denjenigen Teil des Gesamtsporenstromes rich-
ten muß, der innerhalb einer epidemiologisch interessanten und durch
die Überlebensfähigkeit bestimmten Zeit zur Pflanzenoberfläche zurück-
gekehrt ist. Mit Sicherheit ist dies kein Problem der Windgeschwindigkeit, da im vorigen Abschnitt gezeigt wurde, daß die Flugdauer von der
horizontalen Luftbewegung unabhängig ist. Wohl aber ist es ein Problem
der Sporengröße bzw. Sinkgeschwindigkeit und der atmosphärischen Turbulenz. Wie von SCHRÖDTER (1964) gezeigt wurde, läßt sich auch diese
Fragestellung entsprechend den zuvor angestellten Überlegungen theoretisch behandeln, wie nachfolgend dargestellt sei, wobei wiederum von
der zweidimensionalen Betrachtungsweise ausgegangen wird.

Es sei eine Sporenquelle im Punkt x = 0, z = 0 gegeben, die im Zeitpunkt t = 0 eine Anzahl N Sporen in den Halbraum z > 0 ausstreut.
Ausgehend von Gleichung (4.1.1-11) ist dann, - was hier ohne Ableitung
angegeben sei -, die Anzahl n der Sporen, die sich nach einer bestimmten Zeit t oberhalb einer bestimmten Höhe z befindet, gegeben durch

$$n = \frac{2N}{\sqrt{4\pi a t}} \, e^{-\frac{c^2 t}{4a}} \int_z^\infty e^{-\frac{z^2}{4at} - \frac{cz}{2a}} \, dz \; , \qquad (4.1.5-1)$$

wobei hier das bereits bekannte Glied $A/\rho = a$ (in $cm^2 s^{-1}$) gesetzt ist
und den turbulenten Diffusionskoeffizienten darstellt.

Zur Vereinfachung sei nun

$$\frac{c^2 t}{4a} = T, \qquad \frac{cz}{2a} = Z \quad \text{und} \quad \frac{Z}{2\sqrt{T}} = \alpha \qquad (4.1.5-2)$$

gesetzt, so daß sich aus (4.1.5-1) für das Verhältnis der zur Zeit t
oberhalb von z befindlichen Sporen zur Gesamtsporenzahl

$$\frac{n}{N} = \frac{2}{\sqrt{\pi}} \, e^{-T} \int_\alpha^\infty e^{-\frac{Z^2}{4T} - Z} \, d\alpha \qquad (4.1.5-3)$$

ergibt. Das Integral in dieser Gleichung läßt sich bestimmen zu

$$\int_\alpha^\infty e^{-\frac{Z^2}{4T} - Z} \, d\alpha = \frac{1}{2} \sqrt{\pi} \, e^T \{1 - \Phi(\frac{Z}{2\sqrt{T}} + \sqrt{T})\} \; , \qquad (4.1.5-4)$$

worin $\Phi(u)$ das Gaußsche Fehlerintegral bedeutet. Aus (4.1.5-3) und

(4.1.5-4) folgt dann

$$\frac{n}{N} = 1 - \Phi(\frac{Z}{2\sqrt{T}} + \sqrt{T}) \qquad (4.1.5-5)$$

für das Verhältnis der Sporen oberhalb von z zur Gesamtzahl der ausgestreuten Sporen. Da im vorliegenden Fall nur der Prozentsatz der Sporen von Interesse ist, der nach einer gewissen Zeit t die Pflanzenoberfläche wieder erreicht, ist z = 0 zu setzen und damit auch Z = 0 ,
so daß sich für diese spezielle Fragestellung

$$\frac{n}{N} = 1 - \Phi(\sqrt{T}) \qquad (4.1.5-6)$$

oder

$$\frac{n}{N} = 1 - \Phi(\sqrt{c^2 t/4a}) \qquad (4.1.5-7)$$

ergibt, wobei der jeweils entsprechende Wert für $\Phi(u)$ den bekannten statistischen Tafeln dieser Funktion zu entnehmen ist.

Aus Gleichung (4.1.5-6) bzw. (4.1.5-7) läßt sich nun bestimmen, welcher
Prozentsatz an Sporen nach einer vorgegebenen Zeit die Pflanzenoberfläche wieder erreicht hat. Da sich die Betrachtungen nicht auf eine
einzelne Spore beziehen, sondern auf die Gesamtheit der von der Quelle
in einer Sporenwolke entlassenen Sporen, ist nun aber nicht die Zeit
von Interesse, während der eine einzelne Spore keim- bzw. infektionsfähig bleibt. Vielmehr ist es sinnvoller, eine Vitalitätszeit t_v ein-
zuführen, die dadurch definiert ist, daß sie diejenige Zeitspanne angibt, nach welcher noch ein epidemiologisch bedeutsamer, d.h. für Neuinfektionen ausreichender Prozentsatz an Sporen den Transport durch die
Atmosphäre in infektionstüchtigem Zustand übersteht. Ersetzen wir in
Gleichung (4.1.5-7) den Zeitfaktor t durch t_v, so erhalten wir diesen
gesuchten Sporenanteil, der damit nicht nur von dieser Vitalitätszeit,
sondern auch von der Sporengröße bzw. Sinkgeschwindigkeit in ruhender
Luft und vom Grad der Turbulenz, nicht aber von der Windgeschwindigkeit abhängig ist. Als quantitatives Beispiel sei in Tabelle 5 für einen konstanten turbulenten Diffusionskoeffizienten von a = $10^4 cm^2 s^{-1}$
das Verhältnis n/N nach Gleichung (4.1.5-7) in Prozent in Abhängigkeit
von Vitalitätszeit und Sinkgeschwindigkeit dargestellt.

Wie die Tabelle 5 zeigt, erreichen von den kleinen Sporen selbst bei
Annahme einer Vitalitätszeit von 12 Stunden nur 16% die Pflanzenober-

Tabelle 5. *Anzahl der Sporen in %, welche die Pflanzenoberfläche in*
infektionsfähigem Zustand erreichen, in Abhängigkeit von Vitalitäts-
zeit und Sinkgeschwindigkeit bei turbulenter Diffusion von $10^4 cm^2/s$

Sinkgeschwindigkeit cm/s	Vitalitätszeit in Stunden					
	2	4	6	8	10	12
0,138	7	10	12	14	15	16
0,975	43	58	68	75	81	85
1,300	56	73	82	88	92	94

fläche in dieser Zeit, während es bei mittelgroßen Sporen 85% und bei
großen Sporen schon fast alle sind, was sich im übrigen auch dahinge-
hend deuten läßt, daß bei kleinen Sporen eine wesentlich höhere Vitalitätszeit erforderlich ist, wenn sie mit gleichem infektionstüchtigen
Prozentsatz die Pflanzenoberfläche wieder erreichen wollen. Nimmt man
eine sehr kurze Vitalitätszeit von nur 2 Stunden an, so sind in dieser
Zeit bei den mittleren und großen Sporen rund 50% wieder auf der Pflanzenoberfläche in keim- und infektionsfähigem Zustand gelandet und haben sich, wie der Vergleich mit der Tabelle 3 zeigt, während des Fluges
auch bei einem nur mäßigen Wind von 4 m/s über eine Strecke von rund
20 bis 30 km in Windrichtung verbreitet.

Theoretische Überlegungen dieser Art sind nun keineswegs realitätsfern,
da mit der Einführung der oben definierten Vitalitätszeit indirekt der
für die tatsächliche Ausbreitung entscheidende Einfluß derjenigen atmosphärischen Bedingungen ins Spiel gebracht wird, welche die Keimfähigkeit und Infektionstüchtigkeit der Sporen reduzieren können. Dies
sind insbesondere Strahlung, Temperatur und Feuchtigkeit, die während
des Transportprozesses auf die Sporen einwirken. Wie schon an anderer
Stelle erwähnt, wirkt sich z.B. nach PAVLOVA und SANIN (1982) die direkte Sonnenstrahlung auf die Keim- und Infektionsfähigkeit der Uredosporen des Weizenbraunrostes deutlich aus insofern, als sie bei zehn-
stündiger Einwirkung diese bereits um .18% und nach 30 Stunden sogar um
rund 80% vermindert. Sporenflugzeiten von 30 Stunden sind aber nach
Tabelle 4 keineswegs an besondere atmosphärische Bedingungen hinsichtlich der Turbulenz gebunden und daher sicher nicht als ungewöhnlich zu
bezeichnen.

Bei sehr kleinen Sporen ist wegen der von ihnen erreichbaren großen
Flughöhen (vergl. Tabelle 2) an eine Inaktivierung durch tiefe Temperaturen zu denken. Schon AOKI et al. (1960) haben jedoch gezeigt, daß
die Konidien zahlreicher pathogener Pilze sehr niedrige Temperaturen

über recht lange Zeit hinweg unbeschadet überstehen können. Wie eben-
falls bereits an anderer Stelle erwähnt, werden nach BENSON (1982) die
Chlamydosporen von *Phytophthora cinnamomi* bei -6°C nach 2 Tagen, bei
-2°C aber erst nach fast 30 Tagen inaktiviert.

Was die Feuchtigkeit angeht, so muß z.B. zwischen den echten und falschen Mehltauarten unterschieden werden (siehe Abschnitt 3.2.1), da
vor allem letztere sehr empfindlich auf einen Rückgang der relativen
Luftfeuchtigkeit reagieren. So ist, um nur ein Beispiel zu nennen, nach
KRAUS (1981) die Lebensdauer der Sporangien von *Pseudoperonospora humuli* sehr stark von der relativen Luftfeuchtigkeit abhängig und vermindert sich proportional zur Dauer eines größeren Sättigungsdefizits
der Luft.

Es ist klar, daß all dieses u.U. zu einer sehr geringen Vitalitätszeit
obiger Definition führen und damit die Ausbreitungsmöglichkeiten stark
begrenzen kann, insbesondere dann, wenn ein höherer Prozentsatz lebens-
fähiger Sporen für Neuinfektionen erforderlich ist (vergl. Tabelle 5).
Andererseits aber kann nach BENSON (1982) in speziellen Fällen sogar
eine Inaktivierung des Infektionspotentials um 99% die epidemische Entwicklung kaum beeinflussen, da schon 1% des Originalinokulums ausreichen kann, um die Krankheit wieder hundertprozentig auszulösen. Theoretische Überlegungen vorstehender Art haben daher durchaus auch einen
realen und epidemiologisch wichtigen Hintergrund.

4.2 EINFLUß DER TRANSPORTPROZESSE AUF DIE INOKULUMDICHTE

Die in den vorstehenden Abschnitten behandelten theoretischen Überlegungen zum Sporenflug unter dem Einfluß von Wind und Turbulenz vermitteln zwar einen Eindruck von der epidemiologischen Bedeutung atmosphärischer Transportprozesse, maßgebend für die Krankheitsausbreitung ist
jedoch nicht allein die Tatsache, daß einzelne Sporen sehr hoch, sehr
lange und sehr weit fliegen können. Vielmehr kommt es vor allem darauf
an, daß am Ort der Landung die Sporenkonzentration, d.h. die Sporendichte pro Volumeneinheit Luft noch hoch genug ist, um neue Infektionen als Basis epidemischer Entwicklungen zu induzieren. Eine hohe Konzentration von Sporen in und über den Pflanzenbeständen ist vielfach
überhaupt erst die Voraussetzung für den Ausbruch einer Epidemie, wie
dies z.B. POLLEY und KING (1973) oder auch SMITH und DAVIES (1973) im

Falle des Mehltaubefalls der Gerste deutlich gemacht haben. Dabei wird die Notwendigkeit einer Kenntnis der Inokulumkonzentration als Grundlage für die Abschätzung des Risikos einer epidemischen Krankheitsentwicklung betont.

Mit der Entwicklung registrierender Sporenfallen seit den frühen 50er Jahren haben sich die Möglichkeiten für die Erlangung solcher Kenntnisse stetig verbessert und sind die Voraussetzungen für langzeitliche kontinuierliche Messungen des Sporengehalts der Luft, wie sie z.B. von GROSSE-BRAUCKMANN und STIX (1968) im Rahmen eines speziellen Vorhabens durchgeführt wurden, überhaupt erst geschaffen worden. Zahlreiche derartige Sporenfangversuche zeigen deutlich, daß als Folge der turbulenten Diffusion die Sporenkonzentration pro Volumeneinheit Luft sowohl in vertikaler als auch in horizontaler Richtung relativ rasch abnimmt. So haben z.B. ROGOZHIN und FILIPPOV (1983) vom Flugzeug aus mit Hilfe von Sporenfallen die vertikale Änderung des Vorkommens von *Phytophthora*-Sporen in der Luft untersucht. Sie fanden dabei in 50 m Höhe über infizierten Kartoffelfeldern rund 30-70, in 50-800 m Höhe etwa 20 und über 800 m Höhe nur noch 5 Sporangien pro Kubikmeter Luft. In ihren experimentellen Untersuchungen über das durch Windstöße induzierte Ablösen von Sporen von der Pflanzenoberfläche zeigten McCARTNEY et al. (1983) u.a. auch die rasche Änderung der Sporenkonzentration mit zunehmender horizontaler Entfernung von der Sporenquelle.

Die theoretische Behandlung dieses Problems ist nicht neu, da sie sich naturgemäß von der Behandlung der Frage der Ausbreitung von Rauch und Staub kaum unterscheidet, so daß im allgemeinen auch heute noch die umfassenden Darstellungen von SUTTON (1953) herangezogen werden können. Zwar wurde von SAKAGAMI (1962) eine leicht abgeänderte Form dieser Theorie auf der Basis von Sporenfängen in acht verschiedenen Höhen von 10 cm bis 5 m über Grund entwickelt, doch sei dies hier nur am Rande erwähnt. Auch die Frage der Änderung der Inokulumdichte beim Transport von einem infizierten Feld zu einem benachbarten nichtinfizierten Feld und die Wirkung von Windschutzpflanzungen auf die Sporenverbreitung läßt sich theoretisch so behandeln, wie es schon FORTAK (1957) für den Staubtransport über staubaktiver Oberfläche gezeigt hat. Die bereits erwähnte ausführliche Darstellung dieser Problematik durch SCHRÖDTER (1960) basiert im wesentlichen auf diesen Überlegungen, auf die im folgenden hinsichtlich der Frage der transportbedingten Änderungen der Inokulumkonzentration eingegangen sei, wobei jedoch auf eine umfassende und detaillierte Behandlung der Theorie und ihrer Ableitungen verzichtet werden soll und auf die hierzu erschienene einschlägige Literatur verwiesen sei.

4.2.1 Vertikale Dichteänderung

Im Gegensatz zu dem in den vorigen Abschnitten behandelten Problem des Sporenfluges, wo nur der vertikale Massenaustausch betrachtet wurde, muß bei der Frage nach der Konzentrationsänderung auch der horizontale Austausch berücksichtigt werden. Das Problem liegt also in der Lösung der Differentialgleichung für die turbulente Diffusion, die gegeben ist durch

$$\frac{ds}{dt} = \frac{\partial}{\partial x}(a_x\frac{\partial s}{\partial x}) + \frac{\partial}{\partial y}(a_y\frac{\partial s}{\partial y}) + \frac{\partial}{\partial z}(a_z\frac{\partial s}{\partial z}) \quad , \qquad (4.2.1-1)$$

wobei die Sinkgeschwindigkeit der Partikel in ruhender Luft zunächst unberücksichtigt bleiben kann, da nur kurze Distanzen betrachtet werden. In dieser Gleichung bedeutet s die Sporenkonzentration zur Zeit t in den Richtungen x, y und z, während a_x, a_y und a_z die Komponenten der turbulenten Diffusion in diesen Richtungen darstellen. Die Gleichung entspricht der früher behandelten Gleichung (4.1.1-11) für den Fall c = 0, d.h. Gleichung (4.1.1-11) ist ein Spezialfall von (4.2.1-1) bei Konstanz der vertikalen Komponente der Diffusion, d.h. $a_z = A/\rho = $ const. Legen wir das Koordinatensystem so, daß die x-Achse in Windrichtung zeigt, und nehmen wir an, daß der Wind stetig und nur von der Höhe abhängig ist, so daß für die Komponenten der Windgeschwindigkeit in Richtung der Achsen u = u(z), v = w = 0 gilt, und nehmen wir ferner eine kontinuierlich ausstreuende punktförmige Sporenquelle an, so vereinfacht sich Gleichung (4.2.1-1) zu

$$u(z)\frac{\partial s}{\partial x} = \frac{\partial}{\partial y}(a_y\frac{\partial s}{\partial y}) + \frac{\partial}{\partial z}(a_z\frac{\partial s}{\partial z}) \quad , \qquad (4.2.1-2)$$

deren Lösung sich nach SUTTON (1953) darstellen läßt durch

$$s(x,y,z) = \frac{2Q}{\pi C_y C_z u x^{2-n}} \exp -\{x^{n-2}(\frac{y^2}{C_y^2} + \frac{z^2}{C_z^2})\} \quad . \qquad (4.2.1-3)$$

Darin ist Q die Stärke der Sporenquelle, d.h. die Menge der in einer Zeiteinheit kontinuierlich ausgestreuten Sporen, während C_y und C_z die Koeffizienten der Diffusion darstellen und n ein Faktor ist, der im allgemeinen mit 0,25 angegeben wird. Mit Hilfe dieser Gleichung läßt sich die Konzentrationsänderung mit der Höhe bestimmen. Liegt die Sporenquelle im Punkt x = y = z = 0 und sind Q, u, C_y und C_z konstant, so ergibt sich in der Position y = 0, d.h. in Betrachtung der x-z-Ebene nicht nur die vertikale Konzentrationsänderung an sich, sondern auch ihre Abhängigkeit von der Entfernung x von der Sporenquelle, wie dies in Abb. 13 als Beispiel für die einfache und die doppelte Entfernung dargestellt ist.

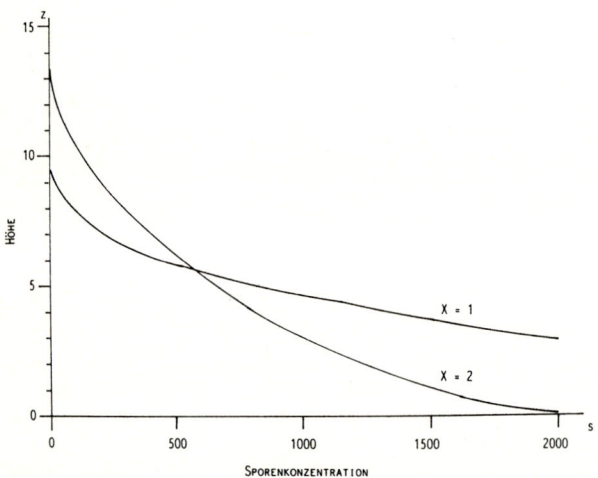

Abb. 13. Abhängigkeit der Sporenkonzentration von der Höhe in zwei unterschiedlichen Entfernungen x = 1 und x = 2 von der kontinuierlich austreuenden Sporenquelle

Die Abb. 13 zeigt die zu erwartende logarithmische Form der Konzentrationsabnahme mit der Höhe. Beim Vergleich der beiden Kurven zeigt sich außerdem, daß bei zunehmender Entfernung von der Sporenquelle die Abnahme der Konzentration mit der Höhe langsamer erfolgt, während gleichzeitig die Sporenkonzentration am Boden stark zurückgeht. Im übrigen entspricht diese Form der vertikalen Konzentrationsänderung weitgehend dem Bild, das sich auch experimentell aus Sporenfängen ergibt, wie es schon von SCHRÖDTER (1960) an einer Reihe praktischer Beispiele gezeigt werden konnte.

4.2.2   Horizontale Dichteänderung

Epidemiologisch interessanter als der vertikale Gradient der Inokulumdichte ist natürlich die horizontale Änderung der Sporenkonzentration in Windrichtung. Auch sie läßt sich aus Gleichung (4.2.1-3) ermitteln.

Allgemein hat eine Partikelwolke, die kontinuierlich von einer in bestimmter Höhe über der Erdoberfläche liegenden Quelle ausgeht, die Form eines horizontal liegenden Kegels, dessen Spitze in der Quelle liegt und dessen Basis in Windrichtung zeigt. Ein Schnitt durch diesen Kegel hat die Form einer Ellipse, da die turbulente Diffusion in horizontaler Richtung größer ist als in vertikaler. Meist wird für die Komponenten der turbulenten Diffusion, welche in diesem Fall die Größe der Ellipsenachsen bestimmen, ein Verhältnis von $C_y : C_z = 2{:}1$ angenommen, doch wurde von einigen Autoren aus umfangreichen Sporenfängen auch ein Verhältnis von 1,55:1 errechnet. Da in der Regel die Sporenquelle in Bodennähe, d.h. an der Pflanzenoberfläche liegt, also im Punkt $x = y = z = 0$, ist es sinnvoll, mit Hilfe von Gleichung (4.2.1-3) die Konzentrationsänderung in Windrichtung entlang der x-Achse für den Fall $y = z = 0$ zu betrachten unter Konstanthaltung der Quellenintensität Q und der mittleren Windgeschwindigkeit u. In Abb. 14 sei ein einfaches Beispiel hierfür gegeben.

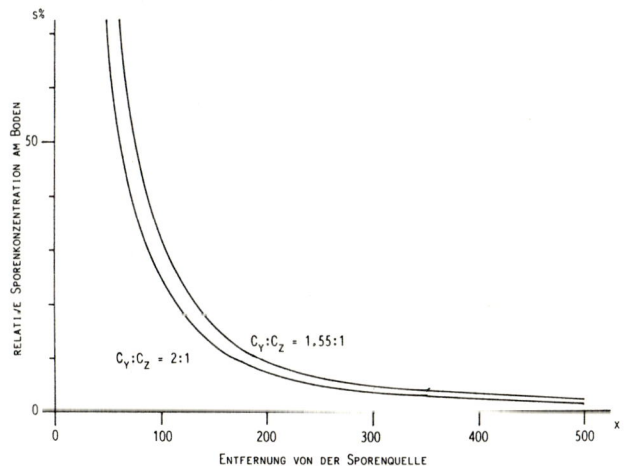

Abb. 14. Abhängigkeit der Sporenkonzentration am Boden von der Entfernung von der Sporenquelle in Windrichtung bei unterschiedlichem Verhältnis zwischen horizontaler und vertikaler turbulenter Diffusion

Wie die Abb. 14 zunächst zeigt, nimmt die Sporenkonzentration mit zunehmender Entfernung von der Sporenquelle sehr rasch ab. Hieraus wohl erklärt sich der in der Literatur oft zu findende Widerspruch in den Angaben über die Ausbreitung ein und desselben Erregers, weil nicht immer klar zum Ausdruck kommt, ob unter dem Begriff der Ausbreitung der Sporenflug an sich gemeint ist, oder die Änderung der Sporenkonzentration, wobei hinzukommt, daß wegen der raschen Abnahme der letzteren die Chance, Sporen mit den üblichen Fallen aufzufangen, nur sehr gering ist. Die Abb. 14 zeigt ferner, daß die teilweise unterschiedlichen Angaben über das Verhältnis von horizontaler zu vertikaler Diffusion sich offensichtlich nicht allzu gravierend auswirken. Im übrigen ergibt sich, wie SCHRÖDTER (1960) an einigen praktischen Beispielen zeigen konnte, meist eine recht gute Übereinstimmung zwischen Theorie und Praxis. Die aus der Theorie der turbulenten Diffusion abgeleitete Gleichung (4.2.1-3) ist also offenbar geeignet, die horizontale Änderung der Sporendichte in hinreichend exakter Weise zu beschreiben. Danach folgt die Konzentrationsänderung in Windrichtung einem logarithmischen Gesetz und ist direkt proportional der Intensität der Sporenquelle und umgekehrt proportional der turbulenten Diffusion in horizontaler und vertikaler Richtung. Die Abnahme mit der Entfernung von der Sporenquelle erfolgt dabei nicht mit x^2, wie vielfach angenommen wird, sondern mit x^{2-n}, also einem etwas kleineren Exponenten.

Mit der vorstehend gemachten Annahme einer punktförmigen und kontinuierlich wirksamen Sporenquelle und der Vernachlässigung der von der Sporengröße abhängigen Sinkgeschwindigkeit in ruhender Luft ist das Bild allerdings unvollständig. Epidemiologisch wichtiger ist die Frage, was geschieht, wenn der Wind z.B. über ein vom Getreiderost befallenes Feld hinwegstreicht, dort Sporen ablöst und sie über ein nichtbefallenes Areal transportiert. Dieses Problem läßt sich wie die schon von FORTAK (1957) entwickelte Theorie der Staubtransporte über staubaktiver Erdoberfläche behandeln, wobei im vorliegenden Fall noch eine Vereinfachung dadurch eintritt, daß beim Transport der Sporen eines bestimmten Erregers unterschiedliche Größen und Sinkgeschwindigkeiten der Partikel nicht berücksichtigt werden müssen.

Führt man entsprechend den Ausführungen in Abschnitt 4.1.5 für die Entfernungs-, Höhen- und Zeitkoordinaten Normvariablen der Form

$$X = \frac{c^2 x}{4aU} \; ; \qquad Z = \frac{cz}{2a} \; ; \qquad T = \frac{c^2 t}{4a} \tag{4.2.2-1}$$

ein, worin c die Sinkgeschwindigkeit in ruhender Luft, a den turbulenten Diffusionskoeffizienten, x die Entfernung, z die Höhe und t die Zeit bedeutet, so vereinfacht sich die Differentialgleichung des vertikalen Massenaustauschs für die Sporenmenge pro Volumeneinheit zu

$$a\frac{\partial^2 s}{\partial z^2} = \frac{\partial s}{\partial t} + U\frac{\partial s}{\partial x} - c\frac{\partial s}{\partial z} \quad , \tag{4.2.2-2}$$

auf deren Basis die Beantwortung der Frage möglich ist, wie sich die

Sporenkonzentration am Boden über einem infizierten Feld und einem anschließenden nicht infizierten Feld ändert, wobei mit dem Begriff Boden die Höhe z der Sporenquelle gemeint ist.

Ist die Breite des sporenaktiven Feldes gleich d, so ergibt sich für
den Fall x < d, also für die Sporenanreicherung vom Luv zum Lee dieses Feldes eine Lösung der allgemeinen Form

$$s = \frac{K}{c} \, \psi(X,Z) \qquad\qquad (4.2.2-3)$$

und für den Fall x ≥ d, also für die Konzentrationsabnahme vom Luv zum
Lee des vorher sporenfreien Feldes eine Lösung der allgemeinen Form

$$s = \frac{K}{c} \, \{\psi(X,Z) - \psi(X-D,Z)\} \, , \qquad\qquad (4.2.2-4)$$

woraus sich für Z = 0 die Konzentrationsänderung am Boden ableiten
läßt. Dabei ist die Größe K ein Maß für die Intensität der Sporenaufnahme, und die aus der statistischen Theorie der turbulenten Diffusion
abzuleitenden Funktionen ψ entsprechen denen in Abschnitt 4.1.5 schon
dargestellten. Unter Benutzung der Normvariablen X und D ist in der
Abb. 15 die prinzipielle Form dieser Lösung dargestellt.

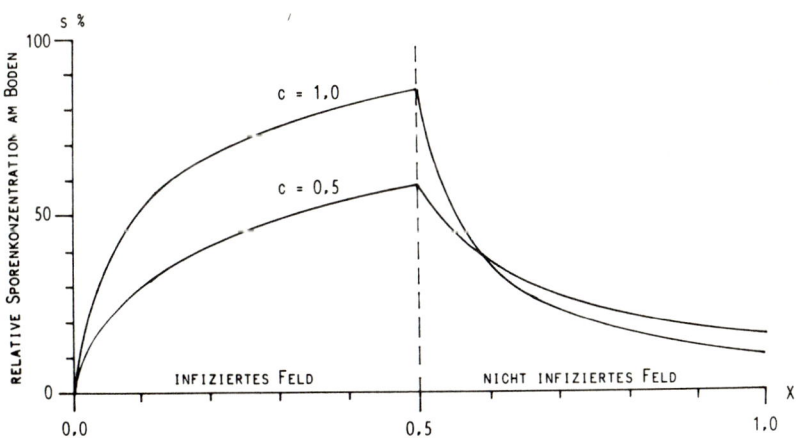

Abb. 15. Änderung der Sporenkonzentration in Windrichtung über einem infizierten sporenaktiven Feld und
einem anschließenden nicht infizierten, ursprünglich sporenfreien Feld bei Annahme zweier verschiedener
Sporengrößen bzw. Sinkgeschwindigkeiten in ruhender Luft

Für individuelle Bedingungen von Wind und Turbulenz sind die Normvariablen X und D in die realen Entfernungskoordinaten umzurechnen. Zusätzlich aber zeigt die Abb. 15 die Wirkung der Sporengröße durch die

Veränderung der Sinkgeschwindigkeit c bei unveränderten übrigen Faktoren. Bei kleineren und damit leichteren Sporen wird das die Sporenanreicherung der Luft begrenzende Sedimentationsgleichgewicht zeitlich später erreicht, so daß die relative Konzentration am leeseitigen Ende des sporenaktiven Feldes geringer ist als im Falle größerer Sporen, während sie über dem ursprünglich sporenfreien Feld dann aber mit zunehmender Entfernung langsamer abnimmt als bei den größeren Sporen. Dies aber bedeutet, daß in einer gewissen Entfernung vom sporenaktiven Feld die Konzentration kleiner Sporen höher und damit die Infektionsgefahr größer wird als im Falle großer Sporen. Die von der Sporengröße abhängige Sinkgeschwindigkeit in ruhender Luft zeigt sich also auch in diesem Zusammenhang als ein epidemiologisch wichtiges Element bei der Ausbreitung von Pflanzenkrankheiten.

4.2.3 *Inokulumdichte und Windschutz*

Auf der gleichen Basis wie zuvor läßt sich auch die Frage nach der Wirkung von Windschutzpflanzungen auf die Ausbreitung von Krankheitserregern beantworten. Nimmt man an, daß die Sporenaufnahme bis zum Sedimentationsgleichgewicht bereits vor einem Windschutzstreifen der Breite b stattgefunden hat, daß die Intensität der Sporenaufnahme mit der Größe K_1 und die Filterwirkung des Windschutzes mit der Größe K_2 charakterisiert werden kann, so ergibt sich mit den im vorigen Abschnitt eingeführten Normvariablen für die Sporendichte am Boden innerhalb der Windschutzpflanzung in allgemeiner Form die Gleichung

$$s = \frac{1}{c} \left\{ (K_1 + K_2) \, \psi(X) - K_2 \right\} \qquad (4.2.3-1)$$

und für die Sporendichte hinter dem Windschutz, d.h. im Lee der Windschutzpflanzung und damit über dem vor Sporenübertragungen zu schützenden Areal in entsprechend allgemeiner Form die Gleichung

$$s = \frac{1}{c} \left\{ (K_1 + K_2) \, \psi(X) - K_2 \, \psi(X - B) \right\} \quad . \qquad (4.2.3-2)$$

Die prinzipielle Form der Konzentrationsänderung in diesem Falle ist in Abb. 16 unter der Annahme eines bestimmten Filtereffekts und konstanter übriger Faktoren dargestellt, wobei die x-Achse durch die Normvariablen X und B gebildet wird, also nicht nach den realen Entfernungskoordinaten geteilt ist.

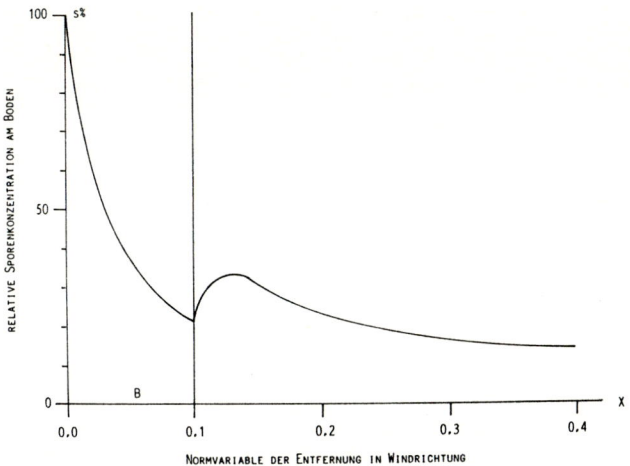

Abb. 16. Wirkung einer Windschutzhecke der Breite B (als Normvariable) auf die Sporenkonzentration am Boden innerhalb und im Lee dieser Windschutzpflanzung unter der Annahme eines gegebenen Filtereffekts

Zunächst ist festzustellen, daß die Sporendichte innerhalb der Wind-schutzpflanzung sehr rasch abnimmt, d.h. sehr viel rascher als über freiem Feld. Interessant aber ist, daß unmittelbar hinter dem Wind-schutz zunächst ein nochmaliger Anstieg der Sporendichte erfolgt, ehe die allgemein zu erwartende Abnahme der Konzentration einsetzt. Dieser aus der Theorie sich ergebende Effekt ist schon frühzeitig auch in der Praxis des Feldversuchs beobachtet worden (SCHRÖDTER, 1952d, 1952e; ILLNER, 1957) und hat auf die Problematik der Verwendung von Windschutz-pflanzungen zur Verhinderung der Krankheitsausbreitung aufmerksam ge-macht.

Natürlich kann man aus Gleichung (4.2.3-2), wenn man sie gleich Null setzt, theoretisch ableiten, bei welcher Breite B eine solche Wind-schutzpflanzung mit einem gegebenen Filtereffekt K_2 zu einer totalen Ausfilterung der herangetragenen Sporen führen würde. Da aber die Norm-variable der Breite gegeben ist durch $B = c^2 b/4aU$, muß man erkennen, daß es in der Realität einen solchen idealen Windschutz nicht geben kann, da seine Wirkung nicht nur von seinem Filtereffekt, sondern auch von den atmosphärischen Bedingungen hinsichtlich Turbulenz und Windge-schwindigkeit abhängig ist, so daß das Windschutzproblem unter epide-miologischen Aspekten insgesamt von recht komplexer Natur ist und da-her keine einfachen Lösungen bietet.

5 EPIDEMIEPROGNOSEN AUF DER GRUNDLAGE BIOMETEOROLOGISCHER BEZIEHUNGEN

Bei der zunehmenden Industrialisierung der Landwirtschaft und dem nich
zuletzt durch die Kostensteigerung auf dem Energie- und Rohstoffsektor
bedingten Zwang zur Rationalisierung des landwirtschaftlichen Produk-
tionsprozesses spielen Pflanzenschutzmaßnahmen zweifellos eine entscheidende Rolle. Wichtigstes Kriterium für einen gezielten, ökonomisc
wie ökologisch vertretbaren und damit minimalen Einsatz von Pflanzenschutzmitteln ist die wirtschaftliche Schadensschwelle, d.h. diejenige
Dichte an Schaderregern, bei der die Schäden die Kosten einer Bekämpfung zu überschreiten beginnen und daher Bekämpfungsmaßnahmen überhaup
erst sinnvoll werden. Diese Schadensschwelle ist aber nicht nur von
vorgegebenen Bedingungen wie Standort, Sorte, pflanzenbaulicher Intensität, Erzeugerpreis, Behandlungskosten etc. abhängig, sondern auch vo
biometeorologischen Faktoren in ihrer Wirkung auf das epidemische Geschehen, so daß der Epidemieprognose unter Berücksichtigung dieser Fak
toren eine besondere Bedeutung zukommt. Gerade die starke Abhängigkeit
zahlreicher Pflanzenkrankheiten bzw. ihrer Erreger von der Witterung
hat von jeher zu dem Versuch angeregt, die Kenntnisse über diese Abhän
gigkeit dazu zu benutzen, Verfahren der Epidemieprognose zu erarbeiten

Betrachtet man die historische Entwicklung auf diesem der angewandten
Epidemiologie zuzurechnenden Gebiet (siehe Abschnitt 1.3), so lassen
sich die bisher erarbeiteten Prognosemethoden nach verschiedenen Gesichtspunkten klassifizieren. Viele Verfahren versuchen, durch laufende Beobachtung des Witterungsverlaufs oder Messung bestimmter und als
maßgeblich erkannter meteorologischer Faktoren das Auftreten einer
Krankheit vorauszusagen bzw. den Zeitpunkt zu ermitteln, zu dem mit
dem Erscheinen der entsprechenden Symptome zu rechnen ist. Eine andere
Gruppe ist darauf ausgerichtet, das Eintreten von Bedingungen zu prognostizieren, die zu Infektionen führen können, bzw. nicht nur den Zeit
punkt des möglichen Beginns einer Epidemie, sondern auch die wahrscheinliche Stärke des zu erwartenden Befalls vorauszusagen. Alle diese Systeme lassen sich wiederum auch nach der ihnen zugrunde liegenden

Methodik unterscheiden, d.h. nach den Methoden, mit Hilfe derer sie
entwickelt worden sind, wobei in der Literatur für diese Methoden Be-
zeichnungen wie empirisch oder deduktiv, fundamental, induktiv oder lo-
gisch zu finden sind. Unter dem hier zu behandelnden Aspekt erscheint
es sinnvoller, eine Untergliederung in drei Gruppen vorzunehmen, und
zwar nach rein empirischen Prognoseregeln, mathematisch-statistischen
Vorhersagemethoden und mehr analytisch ausgerichteten Verfahren, zumal
dies in gewissem Sinne auch der historischen Entwicklung dieses Teils
epidemiologischer Forschung entspricht.

Zu den empirischen Verfahren sind in erster Linie alle diejenigen zu
zählen, die ausschließlich auf der Verwendung meteorologischer Daten
basieren und aus dem Vergleich zwischen Beobachtungen des Krankheitsauftretens und der in dieser Zeit gegebenen Wettersituation heraus spezielle meteorologische Bedingungen formulieren, die erfüllt sein müssen,
bevor eine Krankheitsentwicklung möglich sein soll. Insbesondere gehören hierzu auch alle diejenigen Verfahren, bei denen versucht wird, eine Epidemie mit der Großwetterlage in Beziehung zu setzen. Hierbei wird
von der Annahme ausgegangen, daß die für das Entstehen einer Epidemie
maßgebliche Konstellation der verschiedenen meteorologischen Einflußgrößen meist an eine bestimmte Wettersituation gebunden ist bzw. bei
bestimmten Großwetterlagen häufiger ist als bei anderen. Dahinter steht
vor allem der Gedanke an die daraus resultierende Möglichkeit, sich
für taktische Entscheidungen bei der Bekämpfung von Epidemien auf kurz-
oder mittelfristige Wettervorhersagen stützen zu können. Die vielfach
daran geknüpfte Hoffnung, mit einer Verbesserung dieser Wettervorhersagen auch zu einer Verbesserung der Epidemieprognosen zu kommen, hat
sich jedoch nicht erfüllt.

Aus der Erkenntnis heraus, daß eine Epidemie kein plötzlich von außen
hereinbrechendes Ereignis ist, sondern das Ergebnis einer mehr oder
weniger langen Entwicklung der Krankheitserreger unter dem Einfluß des
zeitlichen Ablaufs aller möglichen Parameterkonstellationen, wurde und
wird mit Hilfe statistischer Verfahren versucht, aus der Kenntnis des
Einflusses meteorologischer Faktoren auf den Zyklus der Erregerentwicklung Prognoseverfahren zu erarbeiten, die in gewissem Umfange bereits
vereinfachte Modellvorstellungen über das komplexe System Erreger-Wirt-
Umwelt in sich einschließen. Die zum Teil recht guten Erfolge dieser
Verfahren im praktischen Einsatz liegen allerdings wohl in erster Linie
darin begründet, daß sie sich auf Pflanzenkrankheiten beziehen, die
sich durch ein niedriges Initial-Inokulum und eine hohe Vermehrungsrate

des Erregers mit starker Abhängigkeit von der Witterung auszeichnen,
so daß die in dieser Kategorie der Prognoseverfahren noch überwiegende
Berücksichtigung meteorologischer Parameter genügend Informationen zu
liefern vermag. Der Fortschritt dieser Methoden gegenüber den rein empirischen Verfahren liegt aber zweifellos darin, daß sie nicht nur eine bestimmte Wettersituation berücksichtigen, sondern zum Teil bereits
versuchen, die Dynamik des biometeorologischen Geschehens in Beziehung
zur epidemischen Entwicklung in komplexerer Weise darzustellen. Ein
gewisser Mangel ist es jedoch, daß sie die Vielfalt der Beziehungen
zwischen Wirt, Erreger und Umwelt nur in einem relativ einfachen und
mehr oder weniger statischen Modellansatz zu berücksichtigen vermögen.

Mit analytischen dynamischen Modellen und Simulatoren schließlich ist
eine dritte Kategorie von Methoden gegeben, die sich vor allem dadurch
auszeichnet, daß erregerspezifische, wirtsspezifische und meteorologische Randbedingungen gleichgewichtig nebeneinanderstehen und die Interaktionen als Vorgänge in einem umfassenden System verstanden werden,
das seinerseits wieder aus einer Reihe miteinander verketteter Teil-
systeme besteht, mit denen Struktur und Funktion dieses Systems zu erfassen, zu analysieren und in einem geeigneten Modell abzubilden sind.
Der entscheidende Fortschritt liegt hier vor allem darin, daß damit
Grundlagen geschaffen sind für die Entwicklung einer komparativen Epidemiologie (PALTI und KRANZ, 1980), die allein geeignet erscheint, das
heute noch bestehende Mißverhältnis zwischen der Fülle der Pflanzenkrankheiten einerseits und der bisher vergleichsweise nur geringen Anzahl von Prognosemethoden andererseits aufzulösen durch Reduzierung
der scheinbar grenzenlosen Vielfalt von Epidemien auf eine überschau-
bare Zahl von Grundtypen und Basissystemen, aus denen sich brauchbare
taktische und strategische Konzepte für die Bekämpfung der Pflanzenkrankheiten ableiten lassen.

Die genannten drei Kategorien von Methoden der Epidemieprognose, wie
sie in den nachfolgenden Abschnitten an einigen Beispielen näher behandelt werden sollen, lassen sich in Wirklichkeit natürlich nicht scharf
gegeneinander abgrenzen. Zwischen ihnen bestehen durchaus fließende
Übergänge, und auch komplexere Prognosesysteme basieren zur Zeit noch
keineswegs allein auf eindeutigen deterministischen Zusammenhängen,
sondern enthalten stochastische Beziehungen ebenso wie Elemente empirisch gewonnener Erfahrungen, auch wenn deren Anteil mit fortschrei-
tender Vertiefung der Erkenntnisse immer geringer wird. Wenn nun nachstehend diese Untergliederung beibehalten wird, so dient dies nur der

besseren Übersicht und der nochmaligen Verdeutlichung des allgemeinen
Trends in der Entwicklung von Methoden der Epidemieprognose, auf den
im übrigen ja schon in Abschnitt 1.3 mit der dort zitierten Literatur
in zusammenfassender Darstellung eingegangen wurde.

5.1 EMPIRISCHE VERFAHREN

In einer umfassenden und mit zahlreichen Literaturhinweisen belegten
kritischen Betrachtung des Problems der Epidemieprognose haben bereits
KRAUSE und MASSIE (1975) festgestellt, daß für kaum eine andere Pflanzenkrankheit so viele empirische Prognoseregeln entwickelt worden sind
wie für die durch *Phytophthora infestans* verursachte Kraut- und Knollenfäule der Kartoffel. Der Grund hierfür liegt sicherlich darin, daß
es zum einen bisher nicht gelungen ist, dieser Krankheit durch Züchtung
hochresistenter Sorten Herr zu werden, daß aber zum anderen gerade diese Krankheit außerordentlich rasch epidemisch werden kann und in kür-
zester Zeit einen vollständigen Zusammenbruch der Bestände herbeiführ-
ren kann, was in früherer Zeit oft katastrophale Folgen nach sich gezogen hat (siehe Abschnitt 1.1). Wenn daher bei den hier zu behandelnden empirischen Verfahren vor allem auf die Prognose dieser Krankheit
eingegangen wird, so deshalb, weil sich gerade an ihrem Beispiel die
Problematik empirisch gewonnener Regeln, aber auch die weitere methodische Entwicklung besonders gut verdeutlichen läßt.

Kernstück der meisten empirischen Prognoseregeln ist der Versuch, mit
Hilfe der Wettersituation, d.h. mit ganz bestimmten Konstellationen
meteorologischer Parameter eine kritische Periode zu definieren, die
eine erhöhte Infektionsgefahr kennzeichnet und erfahrungsgemäß mehr
oder weniger häufig zum nachfolgenden Ausbruch einer Epidemie führt.
Es wird also von der Annahme ausgegangen, daß das Inokulumpotential
stets so hoch ist, daß während jeder solcher kritischen Perioden eine
besonders starke Vermehrung des Erregers möglich ist. Dabei wird allerdings nicht in Betracht gezogen, daß auch bei relativ ungünstigen Umweltbedingungen ein Fortschreiten der Krankheit möglich ist, d.h. daß
auch außerhalb der meteorologischen Grenzwerte dieser Prognoseregeln
eine schleichende Ausbreitung (cryptic phase) des Erregers stattfinden kann (ULLRICH, 1962), so daß oft die Frage offen bleiben muß, nach
wie vielen kritischen Perioden denn nun eigentlich eine Prognose gestellt werden sollte.

Eine der ersten Prognoseregeln im europäischen Raum für die zeitgerechte Bekämpfung der Kartoffelkrautfäule wurde von VAN EVERDINGEN (1926)
aufgestellt. Später wurde vielfach die daran angelehnte Temperatur-
Feuchte-Regel von BEAUMONT (1947) verwendet. Diese definiert als kritisch eine Periode von mindestens 48 Stunden, in denen die Temperatur
nicht unter 10°C sinkt und die relative Luftfeuchtigkeit 75% nicht un-
terschreitet, wobei eine Unterbrechung von insgesamt nicht mehr als
2 Stunden innerhalb einer solchen Periode toleriert werden kann (LARGE,
1953). Diese Regel wurde später von SMITH (1956) für den Gebrauch in
Großbritannien abgewandelt, indem auf relative Luftfeuchtigkeiten über
90% abgestellt wurde. Danach wird als kritisch eine Periode von mindestens zwei aufeinanderfolgenden Tagen mit einem Temperaturminimum
über 10°C angesehen, wenn an jedem dieser beiden Tage die relative Luft
feuchtigkeit mindestens für 11 Stunden übe. 90% liegt, wobei als Tag im
Sinne dieser kritischen Periode die Zeit von 13 Uhr bis 13 Uhr des Fol-
getages definiert ist.

Für niederländische Verhältnisse wurde die Beaumont-Regel durch POST
und RICHEL (1951) ebenfalls abgewandelt und später in eine Form gebracht, die der Beobachtungs- und Meldepraxis der Stationen des meteorologischen Dienstes angepaßt war. Daraus ergaben sich als kritische
Periode für das Auftreten der Kartoffelkrautfäule folgende Kriterien:
1. Mindestens 6 von 7 aufeinanderfolgende 3-stündliche synoptische Beobachtungen der Temperatur und des Taupunktes müssen eine Taupunktdifferenz von weniger als 4°C aufweisen, was in der Regel einer relativen Luftfeuchtigkeit von mehr als 75% entspricht.
2. Dieser 18stündigen Periode müssen zusätzlich 5 aufeinanderfolgende
   3-stündliche Beobachtungstermine mit einer Taupunktdifferenz von
   weniger als 3°C folgen, was einer relativen Luftfeuchtigkeit über
   80% entspricht.
3. Von den beiden Nächten, welche die Beobachtungsperiode zu 1. und 2.
   umfaßt, muß die zweite Nacht ein Temperaturminimum über 8°C haben.
Sind die genannten Kriterien während der Hauptvegetationszeit der Kartoffeln erfüllt, so wird in den folgenden Tagen mit der Möglichkeit
eines epidemischen Auftretens der Krautfäule gerechnet und der Praxis
ein entsprechender Warnhinweis gegeben.

Bereits diese Beispiele zeigen, daß empirische Regeln dieser Form nur
sehr eng begrenzte regionale Gültigkeit haben können und entweder überhaupt nicht oder nur in stark abgewandelten Formen auf Nachbargebiete
übertragbar sind. Dies wird noch deutlicher, wenn man die Entwicklung

von Krautfäule-Prognoseregeln in den USA betrachtet. So wurde z.B. von
HYRE (1954, 1955) für den Nordosten der USA ein System entwickelt, das
auf täglichen Werten von Niederschlag, Temperaturmaximum und Temperaturminimum basiert und das Erstauftreten der Krautfäule in 7-14 Tagen
nach 10 aufeinanderfolgenden kritischen Tagen voraussagt. Dabei ist
ein kritischer Tag erreicht, wenn die Mitteltemperatur der vorausgegangenen 5-Tage-Periode unter 25,5°C liegt und die Niederschlagssumme
der letzten 10-Tage-Periode mindestens 30 mm beträgt. Tage, an denen
das Temperaturminimum unter 7,2°C fällt, werden als ungünstig angesehen. Da sich dieses System von Tag zu Tag übergreifend immer auf die
Mittel- bzw. Summenwerte der letzten 5 bzw. 10 Tage bezieht, wird es
wegen der bei seiner praktischen Anwendung benutzten graphischen Darstellung als "moving graph system" bezeichnet. Gegenüber den zuvor genannten Prognoseregeln fällt auf, daß hier weniger auf das Überschreiten eines Temperaturminimums abgehoben wird, sondern mehr auf das Unterschreiten eines Temperaturmaximums. Das liegt natürlich einfach daran, daß im mitteleuropäischen Klima die Entwicklungsmöglichkeiten des
Erregers eher davon abhängen, daß eine untere Temperaturgrenze von ca.
8-10°C überschritten wird, während im fraglichen Gebiet der USA unter
den dortigen klimatischen Bedingungen das Unterschreiten einer oberen
Temperaturgrenze von 25-26°C wichtiger ist. Auch die Wahl des Niederschlages anstelle der relativen Luftfeuchtigkeit grenzt die Anwendbarkeit des Hyre-Verfahrens ein, denn im mittleren Westen der USA erwies
es sich z.B. wegen dieses Niederschlagskriteriums als nicht brauchbar
und mußte daher in abgewandelter Form auf die relative Luftfeuchtigkeit umgestellt werden.

Es ist hier nicht der Ort, die zahlreichen seither nicht nur zur Krautfäuleprognose, sondern auch zur Vorhersage anderer Pflanzenkrankheiten
entwickelten empirischen Verfahren aufzuzählen. Sie sind ja letztlich
alle von ähnlichem Zuschnitt und wohl jede hat zu ihrer Zeit und in
ihrer Region ihre Berechtigung und ihren mehr oder weniger großen Erfolg oder auch Mißerfolg gehabt. Es ist jedoch erstaunlich, daß bei
allem in den letzten Jahrzehnten erzielten Fortschritt auf diesem Gebiet bis in die jüngste Zeit hinein derartige Regeln noch immer in Gebrauch sind. Als Beispiele seien genannt die Prognoseregel von POLLEY
und KING (1973) und das Temperatursummenverfahren von STEPHAN (1983),
beide bezogen auf den Gerstenmehltau, oder der von FØRSUND (1983) gegebene Bericht über den Krautfäulewarndienst in Norwegen. Sicherlich
ist dies wohl in erster Linie auf die für die Praxis außerordentlich
einfache Handhabung derartiger Regeln zurückzuführen. Andererseits hat

aber gerade das so häufige Versagen solcher Regeln und vor allem ihre
Nichtübertragbarkeit den Anlaß gegeben, durch Berücksichtigung der zunehmenden Kenntnisse vom Zyklus der Erregerentwicklung unter dem Einfluß der Umweltbedingungen nach methodischen Verbesserungen zu suchen,
auch wenn das Vorgehen dabei zunächst noch weitgehend empirisch blieb.
Ein typisches Beispiel ist das von WALLIN (1962) entwickelte Kraut-
fäule-Prognosesystem, auf das hier näher eingegangen werden soll.

Das Wallin-System geht zunächst insofern von der bereits oben genannten Beaumont-Regel aus, als es versucht, auf der Basis der Beziehungen
zwischen Temperatur und relativer Luftfeuchtigkeit einerseits und der
epidemischen Entwicklung der Krankheit andererseits den Beginn einer
Epidemie vorauszusagen. Grundlage sind hier aber nicht die meteorologischen Parameter an sich, sondern Bewertungen der möglichen Befallsstärke in Stufen von 0 bis 4, die zur Dauer von relativen Luftfeuchtig
keiten über 90% in Stunden und zur Mitteltemperatur während dieser Dau
er in Beziehung gesetzt werden. In nachstehender Tabelle 6 sei diese
Beziehung dargestellt.

Tabelle 6. *Beziehung zwischen Befallsstärke, Anzahl der Stunden mit relativer Luftfeuchtigkeit über 90% und mittlerer Temperatur während dieser Stunden nach dem Wallin-System zur Prognose der Kartoffelkrautfäule*

Mitteltemperatur der Stunden mit relativer Feuchtigkeit über 90% ^{o}C	Befallsstärkeziffern, zugeordnet zur Zahl von Stunden mit relativer Feuchtigkeit über 90%				
	0	*1*	*2*	*3*	*4*
7,2 - 11,6	≤15	*16-18*	*19-21*	*22-24*	≥25
11,7 - 15,0	≤12	*13-15*	*16-18*	*19-21*	≥22
15,1 - 26,6	≤ 9	*10-12*	*13-15*	*16-18*	≥19

Die aus Messungen der Temperatur und Feuchtigkeit entsprechend der in
Tabelle 6 angegebenen Zuordnung ermittelten Befallsziffern werden nun
vom Aufgang der Kartoffeln an fortlaufend addiert. Mit ersten Befalls-
symptomen ist in der Regel nicht vor dem Erreichen einer Ziffernsumme
von 18 zu rechnen. Im allgemeinen tritt die Krankheit erst auf, wenn
eine Summe von 18 bis 23 erreicht ist, womit dann eine Negativprognose
nach Art der von ULLRICH und SCHRÖDTER (1966) formulierten möglich ist
d.h. die Prognose des Zeitpunktes, bis zu welchem schon aus rein meteorologischen Gründen eine Epidemie nicht sehr wahrscheinlich ist. Das
System stützt sich also im Gegensatz zu anderen nicht auf die Formu-
lierung einer kritischen Periode, sondern versucht, mit Hilfe dieser

Bewertungsziffern die Erregerentwicklung bzw. den Epidemieverlauf aus der Abhängigkeit von Temperatur und Feuchtigkeit zu rekonstruieren. Wenn auch dieses System, wie ein Vergleich mit den eingehenden Studien von THURSTON et al. (1958) gezeigt hat, den tatsächlichen Verlauf einer Epidemie nur sehr unvollkommen wiedergeben kann, so ist es doch besser als andere empirische Prognoseregeln geeignet, den Epidemiebeginn bzw. die epidemiefreie Zeit vorauszubestimmen. Bemerkenswert ist im übrigen noch, wie aus Tabelle 6 abzulesen ist, daß hier bereits etwas wie das später von ROTEM (1978) beschriebene Kompensationsphänomen berücksichtigt wird insofern, als gleiche Befallsziffern aus unterschiedlichen Kombinationen der beiden meteorologischen Parameter resultieren können, d.h. es können z.B. niedrigere Temperaturen durch längere Feuchtedauer bzw. kürzere Feuchtedauer durch höhere Temperaturen in ihrer durch die Wertziffer ausgedrückten Wirkung auf den Krankheitsverlauf kompensiert werden. Das Bemühen, über die reine Empirie hinaus zu einer stärkeren Berücksichtigung der komplexen Vorgänge beim Ablauf einer Epidemie zu kommen, wird hier jedenfalls bereits deutlich und leitet damit über zu den Verfahren, die mit Hilfe der mathematischen Statistik nach eindeutiger interpretierbaren Lösungen suchen.

5.2   MATHEMATISCH-STATISTISCHE LÖSUNGEN

Von den verschiedenen Techniken zur statistischen Analyse des Zusammenhangs zwischen biometeorologischen Faktoren und Krankheitsgeschehen als Grundlage für die Entwicklung von Prognosesystemen hat sich in der Epidemiologie vor allem die multiple Regressionsanalyse durchgesetzt, wie sie u.a. von SCHRÖDTER und ULLRICH (1965, 1966, 1967) eingeführt wurde. Obwohl dieses Verfahren schon seit den zwanziger Jahren dieses Jahrhunderts in der Entomologie vielfach Verwendung gefunden hat, wurde es in der Pflanzenpathologie erst häufiger benutzt, nachdem VANDERPLANK (1963) mit seinen theoretischen Überlegungen zur Epidemiologie die Notwendigkeit einer mehr quantitativen Betrachtungsweise deutlich gemacht und auf den Wert statistischer Verfahren wie Korrelation und Regression für epidemiologische Studien hingewiesen hatte. Seither sind statistische Methoden vielfach eingesetzt worden, um nicht nur die epidemische Entwicklung in ihren verschiedenen Phasen in Abhängigkeit von der Zeit und von den Umweltfaktoren zu deuten, sondern auch um eine solche Entwicklung vorauszusagen. Als typische Beispiele hierfür seien nur die Arbeiten von BURLEIGH et al. (1969), MASSIE (1973) und ANALYTIS (1973)

genannt. Eine ausgezeichnete und umfassende Übersicht über die Stellung
der multiplen Regressionsanalyse in der Epidemiologie der Pflanzenkrankheiten, auf die hier besonders hingewiesen sei, ist schon von BUTT
und ROYLE (1974) veröffentlicht worden.

Es ist natürlich nicht zu verkennen, daß in der Anwendung statistischer
Verfahren bei der Entwicklung von Prognosesystemen einige Schwierigkeiten zu überwinden sind, die sowohl aus dem verfügbaren bzw. benutzten
Datenmaterial als auch aus der Methodik selbst herrühren. So können
z.B., wie schon früher in anderem Zusammenhang erwähnt, Versuche, Mo-
natsmittelwerte der meteorologischen Parameter oder deren Abweichungen
vom langjährigen Durchschnitt als unabhängige Variablen in lineare
Mehrfachregressionsgleichungen einzubringen, wie dies u.a. TYLDESLEY
und THOMPSON (1980) bei der Entwicklung eines Prognoseverfahrens für
Septoria nodorum getan haben, nur bedingt Erfolg haben, da die Eingangs
daten der unabhängigen Variablen zu grob und überdies kalendermäßig gebunden sind. Problematisch ist natürlich auch, daß ein statistisch ge-
fundener Zusammenhang zunächst ja nur für das Datenmaterial Gültigkeit
hat, aus dem er ermittelt wurde, so daß er nicht ohne weiteres extrapoliert werden kann, wie es für eine allgemeingültige Epidemieprognose
zu fordern wäre. So erhielt z.B. PEDRO (1983) bei der Untersuchung des
Einflusses meteorologischer Faktoren auf den durch *Hemileia vastatrix*
verursachten Kaffeerost mit Hilfe schrittweiser Regression zwar als
Ergebnis, daß Niederschlag und Temperatur die entscheidenden Variablen
sind, doch ergaben sich in vier Versuchsjahren vier verschiedene Regressionsgleichungen für eine 15tägige Vorhersageperiode. Die Gleichungen zeigen zwar jede für sich hochsignifikante Werte der multiplen Bestimmtheit, lassen aber offen, wie auf diesem Wege eine brauchbare
Prognose erstellt werden kann.

Bei den Bemühungen um eine Quantifizierung der Beziehungen zwischen
meteorologischen Parametern und Krankheitsbefall mittels Regressionsgleichungen als Basis eines Prognosesystems ist zudem nicht immer von
vornherein klar, ob ein linearer oder ein nichtlinearer Ansatz gewählt
werden muß. Am Beispiel der Varianten ihres Prognosemodells SEPTPROG
zur Bekämpfung der Spelzenbräune des Weizens haben ENGLERT et al. (1983)
dieses Problem dadurch zu lösen versucht, daß sie für Teilstichproben
ihres hinreichend großen Ausgangsmaterials an Beobachtungen und Messungen durch die Wahl verschiedener Transformationsstufen in schrittwei-
sen Regressionen das offensichtlich günstigste Transformationsverfah-
ren ermittelten. So wählten sie z.B. die Transformationen x, x^2, x^3,

$\sqrt{x}$ und log x und kamen für ihre beiden unabhängigen Variablen Temperatur und Feuchtigkeit zu unterschiedlichen Transformationen, d.h. sie fanden als günstigsten Ansatz für die Luftfeuchtigkeit die logarithmische Funktion log x und für die Temperatur die kubische Funktion x^3, mit denen dann die Prognosegleichung aufgestellt wurde.

Eine andere Möglichkeit liegt darin, nicht mit den Einflußgrößen unmittelbar zu arbeiten wie im vorgenannten Fall, sondern als unabhängige Variablen Funktionen einzusetzen, welche die Wirkung eines Parameters beschreiben, also z.B. an die Stelle der Temperatur Funktionen für die Temperaturabhängigkeit der Sporenkeimung und des Pilzwachstums in verschiedenen Zeitabschnitten zu setzen, wie dies z.B. von DIRKS und ROMIG (1970) getan wurde (siehe hierzu auch Abschnitt 3.5.1). Eine Reihe von Arbeiten wie u.a. die von EVERSMEYER und BURLEIGH (1970), BURLEIGH et al. (1972) und EVERSMEYER et al. (1973) beweisen, daß sich auf diese Weise recht erfolgreiche Prognosesysteme erarbeiten lassen. Daß die multiple Regressionsanalyse darüber hinaus den Schritt erlaubt zu stochastischen Modellen und Simulatoren, zeigte schon MASSIE (1973) mit der Entwicklung von statistisch erarbeiteten Prognosegleichungen für verschiedene Phasen der Krankheitsentwicklung und mit der Einführung von Wahrscheinlichkeitsverteilungen, so daß der daraus resultierende Simulator durch wiederholte Simulationen mit identischen Eingangsdaten nicht nur die mittlere Krankheitsentwicklung angibt, sondern auch zu zeigen vermag, welche Variabilität bei dieser Entwicklung in welchen Grenzen möglich ist. Nach SALL (1980) liegt ja die Bedeutung stochastischer Modelle gerade darin, daß sie durch ihre Wahrscheinlichkeitsaussage die Berücksichtigung auch noch unbekannter Einflüsse gestatten und daher mit verhältnismäßig wenigen unabhängigen Variablen auskommen, was die praktische Anwendung erleichtert, doch wird hiervon später noch zu sprechen sein. Im folgenden sollen zunächst die Voraussetzungen für die Anwendung statistischer Verfahren besprochen und dann an einigen praktischen Beispielen die Entwicklung entsprechend abgeleiteter Prognosesysteme etwas ausführlicher dargestellt werden.

5.2.1 Grundlagen und Voraussetzungen

Die Lösung des Problems der Epidemieprognose mit Hilfe statistischer Ansätze, wie z.B. der multiplen Regressionsanalyse, setzt bekanntlich Linearität in den Beziehungen voraus. Wie bereits an anderer Stelle erwähnt, ist der zeitliche Ablauf einer Epidemie keineswegs linear. Vielmehr dokumentiert er sich in einer S-förmigen Kurve, die so nicht geeignet ist, den Zusammenhang zwischen Befallsverlauf und biometeorologischen Variablen zu untersuchen. Die Berechnung von Korrelationen erfordert als multiplikativer Vergleich, daß die zu vergleichenden Werte auf ihren Mittelwert bezogen werden. Wegen der sigmoiden Form des Befallsverlaufs kann dies aber nicht das arithmetische Mittel der Befallsänderungen sein, d.h. bei einer nichtlinearen Befallskurve sind zwangsläufig gleichen Faktorwirkungen nicht gleiche Befallsänderungen äquivalent. Hieraus ergibt sich die Forderung nach einer Linearisierung der Befallskurve mittels einer geeigneten Transformationsgleichung als Voraussetzung für die Äquivalenz der Werte der abhängigen und unabhängigen Variablen. Auf die Notwendigkeit der Herbeiführung dieser Äquivalenz haben schon SCHRÖDTER und HOFFMANN (1961) hingewiesen. Beispiele, welche diese Notwendigkeit und die bei ihrer Nichtbeachtung möglichen Fehlinterpretationen verdeutlichen, finden sich u.a. bei SCHRÖDTER (1965), ULLRICH (1970) und ANALYTIS (1973). Die grundlegende Aufgabe besteht also zunächst darin, eine Funktion zu finden, welche die Grundbewegung des Befallsverlaufs mit hinreichender Genauigkeit abbildet und aus der eine zur Linearisierung geeignete Transformationsgleichung abgeleitet werden kann.

Wie bereits in Abschnitt 3.1.3 ausgeführt, bietet sich im einfachsten Falle das Gaußsche Integral mit der typischen S-Form seiner Summenprozentlinie als eine solche Funktion an, wobei eine Linearisierung durch die bekannte Probittransformation erfolgt. Auch wenn sich die Verwendung dieser Funktion und das Arbeiten mit Probits in gewissen Grenzen als durchaus brauchbar erwiesen hat, um die Abhängigkeit des beobachteten Befallsverlaufs von der einen oder anderen Einflußgröße zu ermitteln, so ist die Anpassung jedoch vielfach zu grob und der Anpassungsbereich zu eng, denn natürlich kann diese Funktion nicht als typisch für den Verlauf einer Epidemie angesehen werden. Dies ist ja schon deshalb nicht möglich, weil es, wie von KRANZ (1968) eindrucksvoll gezeigt wurde, eine Vielzahl von unterschiedlichen Verlaufsformen gibt. Zudem entsprechen die Kurven der Befallszuwachsraten selten der Form einer Gaußschen Normalverteilung, da sie meist mehr oder weniger asymmetrisch sind. Meist sind daher bekannte Wachstumsfunktionen wie z.B. das Mitscherlichsche Wachstumsgesetz, die Bertalanffy-Formel, die Gompertz-Funktion und andere besser geeignet (ANALYTIS, 1973; JOWETT et al., 1974). Welche dieser Funktionen im Einzelfall zu wählen ist, ergibt sich aus der statistischen Prüfung der Güte ihrer Anpassung an das zugrunde liegende Beobachtungsmaterial, wofür sich der bekannte χ^2-Test anbietet. Danach ist die zur Linearisierung notwendige Transformationsgleichung zu bestimmen, wie im nachfolgenden Beispiel erläutert sei.

Die gegebenen Punkte y der Befallskurve sollen so transformiert werden, daß sie eine lineare Funktion der Zeit sind. Es wird also eine Funktion gesucht, welche die Bedingung

$$Y = f(y) = a + kt \qquad\qquad (5.2.1-1)$$

erfüllen soll, wobei Y den transformierten Wert und t die Zeit bedeutet. Es sei angenommen, daß sich die Bertalanffy-Formel

$$y = y_{max}(1 - be^{-kt})^n \; , \qquad\qquad (5.2.1-2)$$

worin y_{max} den asymptotischen Maximalwert darstellt, für $n = 2$ dem Ausgangsmaterial am besten anpassen läßt. Diese Gleichung läßt sich umformen zu

$$be^{-kt} = 1 - \sqrt{y/y_{max}} \qquad\qquad (5.2.1-3)$$

und durch Logarithmieren erhält man dann mit

$$\ln\left\{\frac{1}{1 - \sqrt{y/y_{max}}}\right\} = \ln\frac{1}{b} + kt \qquad\qquad (5.2.1-4)$$

eine Form, die der in (5.2.1-1) gestellten Bedingung entspricht. Damit also lautet die gesuchte Transformationsgleichung

$$Y = \ln\left\{\frac{1}{1 - \sqrt{y/y_{max}}}\right\} \; , \qquad\qquad (5.2.1-5)$$

aus der sich, wenn y_{max} bekannt ist oder hinreichend genau geschätzt werden kann, neue Werte Y bilden lassen, die eine lineare Funktion der Zeit sind.

Häufige Verwendung findet auch die Logistische Funktion

$$y = \frac{y_{max}}{1 + be^{-kt}} \; , \qquad\qquad (5.2.1-6)$$

für die sich durch entsprechende Umformungen analog zur obigen Ableitung die Transformationsgleichung

$$Y = \ln\{\frac{y/y_{max}}{1 - y/y_{max}}\} \qquad (5.2.1-7)$$

ergibt. Ihre Beliebtheit resultiert sicherlich auch daraus, daß sie von VANDERPLANK (1963) zur Definition der von ihm eingeführten apparenten Infektionsrate r benutzt wurde. Setzt man in diese Gleichung für y_{max} den Wert 1 ein, so wird sie zu

$$Y = \ln(\frac{y}{1 - y}) . \qquad (5.2.1-8)$$

Die Definition der apparenten Infektionsrate r ist nun gegeben durch

$$\frac{dy}{dt} = ry(1 - y) , \qquad (5.2.1-9)$$

worin y den Anteil des bereits befallenen Pflanzengewebes und $(1 - y)$ den Anteil der noch befallsfähigen Gewebefläche angibt. Die apparente Infektionsrate r als Ausdruck der Befallsänderung zwischen den Zeiten t_1 und t_2 ist dann gegeben durch

$$r = \frac{1}{t_2 - t_1} \{\ln(\frac{y_2}{1 - y_2}) - \ln(\frac{y_1}{1 - y_1})\} . \qquad (5.2.1-10)$$

Wie KRANZ (1968) betonte, liegt der entscheidende Wert dieser apparenten Infektionsrate darin, daß r unter den quantitativen Merkmalen einer Befallskurve besonders empfindlich auf Umwelteinflüsse reagiert. Nach VANDERPLANK (1960) ist r Ausdruck für den Einfluß nicht nur von biometeorologischen Variablen wie Temperatur, Feuchtigkeit, Niederschlag, Wind usw. auf die Multiplikation des Erregers, sondern spiegelt auch den Einfluß anderer Faktoren wie z.B. die Anfälligkeit oder Resistenz der Wirtspflanze etc. wider. VANDERPLANK (1975) macht jedoch ausdrücklich darauf aufmerksam, daß aus Gleichung (5.2.1-9) nicht geschlossen werden kann, daß eine Epidemie prinzipiell nach einer logistischen Funktion abläuft. Andererseits aber hat sich, worauf es im vorliegenden Fall ja zunächst ankommt, eine Transformation nach der Gleichung (5.2.1-8) in vielen Fällen durchaus bewährt. Dies gilt insbesondere in ihrer durch Koordinatentransformation abgewandelten Form

$$Y = 5 + \frac{1}{2}\ln (\frac{y}{100 - y}) \qquad (5.2.1-11)$$

mit y in Prozent, weil sich hierdurch innerhalb des bei einer praktischen Anwendung in Betracht kommenden Bereichs negative Werte für die Infektionsrate vermeiden lassen.

Die eingangs betonte Notwendigkeit der Äquivalenz ist natürlich nicht
allein durch die Transformation der Werte der abhängigen Variablen zu
erreichen, sondern erfordert in der Regel wegen der meist nichtlinearen Beziehungen auch entsprechende Transformationen bei den unabhängigen Variablen, hier also bei den biometeorologischen Parametern. Wie
dies geschehen kann, ist bereits in Abschnitt 3.5 ausführlich behandelt worden, so daß an dieser Stelle auf eine Wiederholung verzichtet
werden kann. Zu diesem Komplex sei aber nochmals auf die von ANALYTIS
(1973) gegebene außerordentlich instruktive und eingehende Darstellung
zur Methodik hingewiesen, mit der ein zusammenhängendes Konzept der
statistischen und mathematischen Analyse epidemiologischer Feldversu-
che vorliegt, das noch immer als beispielhaft angesehen werden muß.

5.2.2 *Beispiele statistisch begründeter Prognosemethoden*

In den nachfolgenden Abschnitten sollen an zwei typischen Beispielen
einige Möglichkeiten etwas ausführlicher dargestellt werden, wie auf
der Grundlage von Feldversuchen und Beobachtungen in Verbindung mit
meteorologischen Messungen unter Einsatz statistischer Methoden Prognosesysteme entwickelt werden können. Das erste Beispiel bezieht sich
auf das von SCHRÖDTER und ULLRICH (1965, 1966, 1967) entwickelte Verfahren zur Vorhersage des Auftretens der Kartoffelkrautfäule, das als
sogenannte Negativprognose (ULLRICH und SCHRÖDTER, 1966) in die Praxis
des Pflanzenschutzwarndienstes verschiedener Länder Eingang gefunden
hat. Das zweite Beispiel behandelt ein mathematisch-statistisches Modell zur zeitgerechten Bekämpfung des Getreidehalmbruchs (SIEBRASSE,
1982; SIEBRASSE und FEHRMANN, 1986). Diese beiden Beispiele wurden bewußt deshalb ausgewählt, weil sie sich zwar in der prinzipiellen Methodik ähneln, jedoch sowohl in der Zusammensetzung der unabhängigen
Variablen als auch in der Zielgröße unterscheiden, was auf dem ver-
schiedenartigen Charakter dieser beiden Pflanzenkrankheiten und ihrer
Erreger beruht. Im Falle der Kartoffelkrautfäule richtet sich die Prognose auf den Zeitpunkt, zu welchem das epidemische Auftreten der Krankheit zu erwarten ist, und das Verfahren basiert ausschließlich auf den
biometeorologischen Parametern in ihren Beziehungen zur Erreger- bzw.
Krankheitsentwicklung. Im Falle des Getreidehalmbruchs dagegen steht
die Prognose der Befallsstärke bzw. der Infektionswahrscheinlichkeit
im Vordergrund, die zwar auch in deutlicher Weise von biometeorologischen Faktoren abhängig ist, aber in nicht unbeträchtlichem Maße noch

von anderen Standortfaktoren mitbestimmt wird, die daher in diesem Fall
nicht vernachlässigt werden dürfen. Beiden Verfahren gemeinsam ist, daß
sie sich zu ihrer Erarbeitung auf Erhebungen an Feldversuchen stützen,
die an verschiedenen Standorten unterschiedlicher klimatischer Bedingungen durchgeführt wurden.

5.2.2.1 Negativ-Prognose für den Epidemiebeginn der Kartoffelkrautfäule

Grundlage für die Ausarbeitung dieses Verfahrens bildeten fortlaufende
Bonitierungen des Krautfäulebefalls und seiner Entwicklung an Testpar-
zellen verschiedener Standorte. Diese Bonitierungen erfolgten nach einer mehrstufigen Skala von 0 = kein Befall bis 5 = Staude total zer-
stört. Es wurde vorausgesetzt, daß der Epidemieverlauf mit hinreichender Genauigkeit einer logistischen Funktion folgt, zu deren Linearisierung die vorstehend genannte Gleichung (5.2.1-11) angewendet werden
kann. Zur Erfüllung dieser Voraussetzung wurde die Boniturskala so
transformiert und in Prozent befallene Fläche umgerechnet, daß sie in
Logits ausgedrückt exakt eine Gerade ergibt (SCHRÖDTER und ULLRICH,
1965). Da als Zielgröße die Terminprognose gesetzt war, muß zunächst
der Begriff des Epidemiebeginns definiert werden. Bedenkt man, daß bereits einige wenige Läsionen für die Infektion eines Quadratkilometers
Kartoffelanbaufläche ausreichen, dann hat bereits eine millionenfache
Vermehrung des Erregers stattgefunden, ehe der Bestand einen Befall
von z.B. 0,1% aufweist (VANDERPLANK, 1960). Eine Epidemie ist also eigentlich schon in vollem Gange, obwohl sie zu dieser Zeit noch ohne
wirtschaftliche Bedeutung ist. Es muß daher durch Definition festge-
legt werden, welches Stadium der epidemischen Entwicklung als Epidemiebeginn gelten soll, z.B. 0,1% oder 1% Befall. Für die Prognose kommt
es dann auf diejenige Zeitspanne an, die der Erreger benötigt, um sich
von der Initialquelle aus so zu vermehren, daß der als Epidemiebeginn
definierte Prozentsatz erreicht ist. Innerhalb dieser Zeitspanne aber
haben sich die Umweltbedingungen von einem Anfangszustand zur Zeit der
Initialherdbildung zu einem Endzustand zur Zeit des definierten Epidemiebeginns hin fortlaufend verändert und natürlich in allen ihren vor-
kommenden Konstellationen den Grad der Anreicherung je Zeiteinheit beeinflußt, d.h. die Geschwindigkeit der epidemischen Entwicklung mitbestimmt. Dieser Sachverhalt läßt sich nun in folgende Modellvorstellung
bringen:

Die in einem gegebenen Zeitraum möglichen Konstellationen der Umweltparameter, d.h. alle ihre möglichen Zustände bilden einen Zustandsraum,
in welchem sie sich als einen Vektor darstellen lassen, dessen Komponenten Funktionen der Zeit sind. Für i Umweltparameter läßt sich dieser Zustandsraum mathematisch deuten als ein verallgemeinertes Recht-
eck in einem (i+1)-dimensionalen euklidischen Raum, dessen Punkte alle
möglichen Konstellationen darstellen, mit denen der Zustand der Umwelt
in jedem Zeitpunkt eindeutig zu beschreiben ist. Der zeitliche Verlauf
der an einem gegebenen Ort aufeinanderfolgenden Parameterkonstellationen muß dann als eine bestimmte Raumkurve erscheinen. Da nun bestimmte
Konstellationen für die Erregerentwicklung bzw. die Infektionszunahme
günstig, andere ungünstig und wieder andere auch bedeutungslos sein
können, kommt jedem Punkt dieses Zustandsraumes ein bestimmtes Gewicht
hinsichtlich seiner epidemiologischen Bedeutung zu. Ist der Parameter-
vektor gegeben durch

$$p = \{t, \ p_1(t), \ p_2(t), \ \ldots \ , \ p_i(t)\} \qquad (5.2.2.1\text{-}1)$$

mit t als der Zeit und p_1 bis p_i als seine zeitabhängigen Komponenten,
so muß sich die davon abhängige Befallsvermehrung charakterisieren lassen können durch eine spezielle Bewertungsfunktion f(p) für die durch
den Vektor p dargestellten Zustände, die über den Zustandsraum erklärt
und integrierbar ist und entlang der durch die zeitliche Abfolge bedingten Raumkurve zu integrieren ist. Damit ergibt sich für die Befallsentwicklung von der Bildung der Initialquelle bis zum definierten
Start der Epidemie unter dem Einfluß der Umweltparameter der allgemeine
Ansatz

$$Y_e = \int_{t_a}^{t_e} f(p)dt + u \ , \qquad u : N(0, s^2) \qquad (5.2.2.1\text{-}2)$$

worin Y_e die in Logiteinheiten ausgedrückte und als Epidemiebeginn definierte Befallsintensität ist, t_e den zugehörigen Zeitpunkt angibt,
t_a der Zeitpunkt der Bildung der Initialquelle ist und u eine Fehler-
größe bedeutet, die als zufällige, normal verteilte Veränderliche mit
dem Mittelwert Null und der Streuung s^2 aufgefaßt wird.

Nach der vorgegebenen Zielsetzung ist nun aber nicht Y_e gesucht, das
ja durch Definition fest vorgegeben ist, sondern t_e. Das Prognosepro-
blem mündet also in die Aufgabe, von einem Zeitpunkt t_a aus über einen
durch Messung der hier allein berücksichtigten biometeorologischen Faktoren bestimmten Teil der Raumkurve des Parametervektors hinaus die

Integration der Bewertungsfunktion f(p) entlang eines sinnvoll extra-
polierten Teils dieser Raumkurve fortzusetzen bis zu einem t_e, für welches Y_e schließlich den in der Definition festgelegten Wert annimmt.
Dieses t_e ist dann der vorhergesagte Beginn einer Epidemie.

Da nicht von vornherein feststeht, welche Gestalt die gesuchte Bewertungsfunktion f(p) haben müßte, wird von einer Modellvorstellung ausgegangen, für die bestimmte Voraussetzungen als gegeben angesehen werden. Zunächst wird vorausgesetzt, daß der Befall im Pflanzenbestand
normal verteilt ist und als Funktion der Zeit nicht abnehmend sein
kann, daß also die Änderungsgrößen nicht negativ sein können. Es wird
ferner vorausgesetzt, daß zu jeder Zeit die Wahrscheinlichkeit dafür,
daß sich der Erreger in einem bestimmten Entwicklungsstadium befindet,
für alle Entwicklungsstadien gleich groß ist. Die Funktion f(p) wird
unter diesen Voraussetzungen nach einem im Zustandsraum erklärten System linear unabhängiger integrierbarer Basisfunktionen entwickelt mit
dem Ansatz

$$f(p) = \sum_{j=1}^{j=v} c_j f_j(p) \ , \qquad (5.2.2.1-3)$$

wobei mit $y_1 = f_1(p)$, $y_2 = f_2(p)$, ... , $y_v = f_v(p)$ diejenigen Funktionen als Basisfunktionen eingeführt werden, welche den Einfluß des biometeorologischen Vektors p auf die Entwicklungsstadien y_1 bis y_v so beschreiben, als wenn der Befallsverlauf zunächst nur jeweils von der
Wirkung dieses Vektors auf ein einziges Stadium abhängig wäre. Wegen
der Voraussetzung gleicher Wahrscheinlichkeit für alle Stadien und der
Annahme, daß diese über den Pflanzenbestand zufällig verteilt sind,
werden sie als unabhängig voneinander betrachtet und der Gesamtbefalls-
zustand gedacht als linear zusammengesetzt aus diesen Einzelanteilen.
Als Schätzung für f(p) läßt sich dann eine multiple Regressionsgleichung von der Form

$$Y = c_1 y(K) + c_2 y(S) + c_3 y(M) + c_4 y(D) + c_5 y(U) \qquad (5.2.2.1-4)$$

mit der Nebenbedingung $c_1 + c_2 + c_3 + c_4 + c_5 = 1$ ansetzen. Darin bedeutet Y die pro Zeiteinheit aufgrund der Konstellation der biometeorologischen Parameter zustandekommende Befallsänderung. Sie wird zu-
sammengesetzt gedacht aus einem als Basisfunktion formulierten Anteil
y(K), der aus der Wirkung dieser Parameter auf die Sporenkeimung und
die Infektion resultiert, aus einem Anteil y(S), der die Wirkung auf
Sporangienbildung und Sporulation kennzeichnet, und aus einem Anteil

y(M), der den Einfluß auf das Myzelwachstum charakterisiert. Hinzu
kommt der Anteil einer Basisfunktion y(D), die den Einfluß der Dauer
hoher Luftfeuchtigkeit bzw. Benetzung auf die Gesamtentwicklung beschreibt, und der Anteil einer Basisfunktion y(U), in der sich der
hemmende Einfluß zwischenzeitlicher Trockenperioden dokumentiert.

Da nun aber das Beobachtungsmaterial nur den Befallsverlauf als Ganzes
lieferte und nichts über die einzelnen Entwicklungsstadien aussagte,
wurde versucht, aus der Art der Beziehung der einzelnen meteorologischen Parameter zum Befallsverlauf aufgrund bekannter Erkenntnisse
über die Wirkung dieser Parameter auf einzelne Entwicklungsstadien des
Erregers die Ergebnisse zu interpretieren und entsprechend zuzuordnen.
Die Bearbeitung erfolgte nach den in Abschnitt 3.5.1 beschriebenen Regressionsansätzen mit den Klassenhäufigkeiten der unabhängigen Variablen. Die dabei berechneten partiellen Regressionskoeffizienten wurden
zur besseren Darstellung so behandelt, als seien sie Werte deterministischer Funktionen. Im einzelnen ergaben sich folgende Beziehungen.

Zwischen der Befallsänderung in der Zeiteinheit und der Häufigkeit des
Vorkommens von Feuchtperioden (Benetzungsperioden) unterschiedlicher
Dauer je Zeiteinheit ergab sich in deterministischer Darstellung die
Funktion

$$y(D) = \sum_{k=1}^{k=d} h_k F_1(D_k) + \sum_{k=d}^{k=m} h_k F_2(D_k) \ . \qquad (5.2.2.1-5)$$

Hierin bedeutet h_k die Häufigkeit des Vorkommens von Feuchtperioden
mit k Stunden Dauer in den Klassen 1 bis d und d bis m. Die partiellen
Regressionskoeffizienten zu den Häufigkeiten in diesen Klassen bilden
als Funktionswerte aufgefaßt zwei Optimumkurven, die sich mit F_1 und
F_2 als Polynome dritten Grades darstellen lassen mit der gemeinsamen
Klasse k = d , für welche die Funktionswerte $F_1(D_d) = F_2(D_d) = 0$ sind.
Das Optimum von F_1 liegt bei Feuchtperioden von 4 Stunden Dauer, das
von F_2 bei solchen von 10 Stunden Dauer und läßt die Interpretation
zu, daß sich in F_1 die Bedingungen für Sporenkeimung und Infektion und
in F_2 diejenigen für Sporangienbildung und Sporulation widerspiegeln.

Hinsichtlich der Frage des Temperatureinflusses schien es damit aber
sinnvoll, nur diejenigen Temperaturen in die zu Regressionsansätzen
benutzten Häufigkeiten einzubeziehen, die zu den als optimal erkannten
Feuchtperioden gehören, d.h. die Analysen für den Temperatureinfluß
zweifach durchzuführen, und zwar einmal für die 4-stündige und einmal

für die 10-stündige Feuchtperiode. Dies ergab, sinngemäß zu Gleichung (5.2.2.1-5), die Beziehungen

$$y(T_{KD}) = \sum_{k=1}^{k=u} h_k' F_1'(T_k) + \sum_{k=u}^{k=v} h_k' F_2'(T_k) \qquad (5.2.2.1-6)$$

und

$$y(T_{SD}) = \sum_{k=1}^{k=u} h_k'' F_1''(T_k) + \sum_{k=u}^{k=v} h_k'' F_2''(T_k) \quad , \qquad (5.2.2.1-7)$$

worin $y(T_{KD})$ mit den Funktionen F_1' und F_2' als Ausdruck der Temperatur-abhängigkeit von Sporenkeimung und Infektion und $y(T_{SD})$ mit den Funktionen F_1'' und F_2'' als Ausdruck der Temperaturabhängigkeit von Sporangi-enbildung und Sporulation unter gleichzeitiger Berücksichtigung ihrer Beziehungen zur Dauer von Feuchtperioden interpretiert werden konnten. Die genannten Funktionen ließen sich auch hier wieder als Polynome dritten Grades darstellen.

Eine weitere Beziehung zur Temperatur auch unabhängig von Feuchtigkeit und Benetzungszeit ließ sich in der linearen Form

$$y(T_M) = a_o + a_1 h_T \qquad (5.2.2.1-8)$$

mit h_T gleich Häufigkeit h von Temperaturen in der Klasse T = 15-20°C als Einfluß auf das Myzelwachstum interpretieren. Schließlich ergab sich in der ebenfalls linearen Form

$$y(U) = b_o + b_1 h_F \qquad (5.2.2.1-9)$$

mit h_F gleich Häufigkeit h von relativen Luftfeuchten unter F = 70% eine Beziehung, welche als hemmender Einfluß von Trockenperioden auf die Krankheitsentwicklung gedeutet werden konnte.

Die Gleichungen (5.2.2.1-6) bis (5.2.2.1-9) bilden nun ein überschau-bares System von Basisfunktionen, aus dem die gesuchte Bewertungsfunk-tion entsprechend (5.2.2.1-4) als multiple Regressionsgleichung zu-sammengesetzt werden kann, nämlich als

$$f(p) = Y = c_1 y(K_D) + c_2 y(S_D) + c_3 y(M) + c_4 y(U) \qquad (5.2.2.1-10)$$

mit der Nebenbedingung $c_1 + c_2 + c_3 + c_4 = 1$, wobei die in (5.2.2.1-4)

noch enthaltene Größe y(D) durch die obigen Gleichungen (5.2.2.1-6)
und (5.2.2.1-7) bereits in $y(K_D)$ und $y(S_D)$ enthalten ist.

Da das vorstehende Gleichungssystem aus der statistischen Analyse von
Beobachtungen und Messungen nach festgestelltem Epidemiebeginn gewonnen wurde, ist die Frage, ob es sich als Schätzung der Bewertungsfunktion eignet, nur zu beantworten mit der Prüfung, ob es auf die Zeit
vor Epidemiebeginn anwendbar ist. Die Fehlervariable u in Gleichung
(5.2.2.1-2) bedingt bei der Integration mit einem definierten Y_e und
einem festliegenden t_a auch unabhängig von f(p) eine Variabilität von
t_e, da die obigen Basisfunktionen zwar in der Darstellung wie deter-
ministische Funktionen behandelt wurden, in Wirklichkeit jedoch nur
stochastische Beziehungen wiedergeben. Da umgekehrt in den vorliegenden Feldversuchen t_e durch Beobachtung exakt bestimmt ist, ergibt der
Vergleich von Beobachtung und Berechnung eine Variabilität von Y_e. Ob
daher die Schätzung von f(p) durch Gleichung (5.2.2.1-10) für eine
praktisch brauchbare Näherungslösung des Prognoseproblems ausreicht,
muß sich daran zeigen, ob die Variabilität von Y_e in hinreichend engen
Grenzen bleibt.

Als Zeitpunkt t_a des Erscheinens der Initialquelle kann der Zeitpunkt
des Aufgangs der Kartoffeln festgesetzt werden, und es kann angenommen
werden, daß zu dieser Zeit die Funktion f(p) den Wert Null hat. Der Beginn t_e der Epidemie ist durch Beobachtung der ersten Befallssymptome
bestimmt, was erfahrungsgemäß einem objektiven Befall von 0,1% bis 1%
entspricht. Dies aber bedeutet, daß die nach (5.2.2.1-10) berechneten
Werte Y von t_a an aufsummiert zum beobachteten Zeitpunkt t_e einen Sum-
menwert Y_e ergeben müßten, der etwa zwischen $150 \cdot 10^{-2}$ und $270 \cdot 10^{-2}$ Logit, mit Sicherheit aber über $150 \cdot 10^{-2}$ Logit = 0,1% Befall liegen muß.
Einige Ergebnisse entsprechender Tests an verschiedenen Standorten
sind in Abb. 17 dargestellt.

So wie die Beispiele in Abb. 17 haben alle diesbezüglichen Tests gezeigt, daß die ersten Befallsanzeichen erst dann beobachtet werden,
wenn die aus der Bewertungsfunktion f(p) berechnete Summenlinie den
als Epidemiebeginn definierten Wert von 0,1% Befall = $150 \cdot 10^{-2}$ Logit
überschritten hat. Damit kann der Zeitraum bestimmt werden, bis zu
welchem schon aus rein biometeorologischen Gründen nicht mit einem epidemischen Auftreten der Krautfäule zu rechnen ist. Dies kann durchaus
auch in Form einer echten Prognose geschehen. Extrapoliert man nämlich

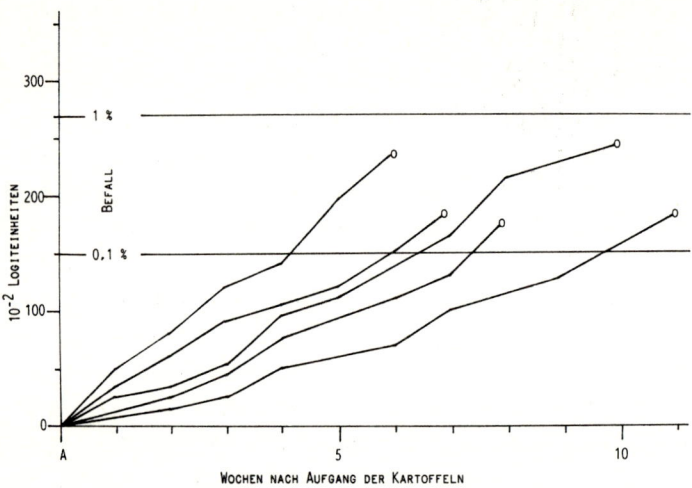

<u>Abb. 17.</u> Nach der Bewertungsfunktion f(p) berechnete Summenkurven der Phytophthora-Entwicklung von der Bildung der Initialquelle (A) bis zum beobachteten Beginn der Epidemie (o) an verschiedenen Standorten

die Summenlinie unter Ansatz der für besonders günstige Bedingungen sich ergebenden Steigung, so läßt sich zu jeder Zeit angeben, wann frühestens der Zeitpunkt erreicht ist, bis zu dem eine Epidemie nicht zu erwarten ist, und diese Aussage wird natürlich mit der Annäherung an die kritische Grenze immer exakter. Hieraus resultiert im übrigen der inzwischen allgemein eingeführte Begriff "Negativ-Prognose", weil nicht der Eintritt eines Ereignisses, sondern sein Ausbleiben prognostiziert wird.

Das Verfahren zeigt eine gewisse Ähnlichkeit mit dem in Abschnitt 5.1 (Tabelle 6) dargestellten Prognosesystem von WALLIN (1962), obwohl beide unabhängig voneinander entwickelt wurden. Der entscheidende Unterschied liegt jedoch darin, daß gegenüber dem Wallin-System hier empirische Bewertungen durch statistisch gesicherte Beziehungen über eine sehr differenzierte Modellvorstellung ersetzt werden. Mehrjährige praktische Erfahrungen mit dieser Prognosemethode (FREITAG, 1974) und neuere zur Überprüfung ihrer Treffsicherheit durchgeführte Exaktversuche (SCHIFF und SCHRÖDTER, 1984) beweisen, daß ein Vorhersageverfahren auf statistischer Grundlage eine durchaus brauchbare Entscheidungshilfe für den zeitgerechten und ökonomisch wie ökologisch sinnvollen Einsatz von Pflanzenschutzmitteln bieten kann.

5.2.2.2 Prognose der Infektionswahrscheinlichkeit beim Getreidehalmbruch

Auf die erheblichen Schwierigkeiten, die im Falle des Getreidehalmbruchs einer nur auf biometeorologischen Beziehungen basierenden Epidemieprognose entgegenstehen, hat schon DIERCKS (1966) aufmerksam gemacht. Diese liegen vor allem darin, daß eine Infektion der Wirtspflanzen schon lange Zeit vor dem Erscheinen der ersten Symptome erfolgt ist, daß also als Grundlage für eine zeitgerechte Bekämpfung nicht der sichtbare Epidemiebeginn als Prognoseziel angesetzt werden kann. Vielmehr ist es notwendig, das mögliche Ausmaß der späteren Schäden schon zu einer Zeit abzuschätzen, zu der sich die Entwicklung der Erkrankung noch jeder unmittelbaren Beobachtung entzieht. Hinzu kommt, daß bestimmte standörtliche und pflanzenbauliche Gegebenheiten wie z.B. Bodenzustand, Vorfrucht, Saatzeit, Bestockungsgrad usw. eine gewisse Rolle spielen.

Ausgehend von der Tatsache, daß dennoch die Witterung einen entscheidenden Einfluß auf die Halmbruchkrankheit hat, entwickelten SCHRÖDTER und FEHRMANN (1971) auf der Grundlage von Freilandexperimenten mit Testpflanzen ein Verfahren zur Abschätzung der witterungsbedingten Infektionswahrscheinlichkeit bei Winterweizen vor Erscheinen der ersten Krankheitssymptome, das einen gewissen Anhaltspunkt für Entscheidungen für oder gegen einen Fungizideinsatz bieten kann (RESCHKE und RIETH, 1978; RADTKE et al., 1980), obwohl es Standortfaktoren wie die oben genannten nicht berücksichtigt. Aufbauend auf diesem Verfahren erarbeiteten RAPILLY et al. (1979) für die Getreideanbaugebiete in Frankreich ein erweitertes Vorhersagemodell, das zusätzlich die Geschwindigkeit des Vordringens des Pilzes in der Pflanze durch die Blattscheiden in Abhängigkeit von der Temperatur unter Berücksichtigung des sortentypischen Resistenzverhaltens beinhaltet. Den Versuch, ein ähnliches Verfahren wie bei SCHRÖDTER und FEHRMANN (1971) auch für den Halmbruch an Wintergerste zu entwickeln, haben FEHRMANN und WEIHOFEN (1982) unternommen, dabei aber schon darauf hingewiesen, daß die alleinige Berücksichtigung meteorologischer Faktoren die praktische Brauchbarkeit eines solchen Verfahrens auf Regionen mit relativ homogenen Anbau- und Bodenverhältnissen begrenzt und damit wesentlich einschränkt.

Das von SIEBRASSE (1982) erarbeitete Modell eines Halmbruchwarnsystems für Winterweizen (siehe auch SIEBRASSE und FEHRMANN, 1986) überwindet diesen Mangel durch die Einbeziehung einer Reihe standörtlicher und

pflanzenbaulicher Faktoren, die das spätere Befallsniveau mehr oder
weniger stark beeinflussen. Grundlage hierfür bildeten umfangreiche
und detaillierte Erhebungen an mehr als 400 über das Gebiet der Bundesrepublik Deutschland verteilten Testflächen, mit denen zahlreiche Angaben über Standortfaktoren, pflanzenbauliche Maßnahmen und Bestandsentwicklung gewonnen wurden. Von jeder der Versuchsflächen wurde zudem der Befallswert zur Zeit der Milch- bzw. Teigreife ermittelt, der
die Zielgröße bildete. Mit Hilfe schrittweiser multipler Regressions-
analysen wurden aus der Vielzahl der an allen Standorten erfaßten Variablen diejenigen ermittelt, die einen signifikanten Beitrag zur Erklärung der Varianz dieser Zielgröße lieferten. Dabei wurde bei den
linear meßbaren Variablen zunächst geprüft, ob ihr Einfluß auf den Befall hinreichend linear ist oder ob eine Transformation zur Linearisierung vorgenommen werden muß, was sich dann allerdings nur im Falle
der Variablen "Humusgehalt des Bodens" als notwendig erwies. Um auch
die linear nicht meßbaren Variablen entsprechend prüfen und gegebenenfalls in eine gemeinsame Regressionsformel einbeziehen zu können, wurde für jeden ihrer Werte eine Markierungsvariable eingeführt, d.h. jede Merkmalsausprägung einer nicht linear meßbaren Variablen, - wie z.B.
die Fruchtfolge -, wurde als eigene Variable mit den Werten 0 = Merkmal
nicht vorhanden und 1 = Merkmal vorhanden in die Rechnung aufgenommen.
Die schrittweise multiple Regressionsanalyse (siehe hierzu Abschnitt
3.5.1 und Abb. 10) ergab nun, daß sich der Befallswert im Stadium der
Milch-/Teigreife auf der Grundlage von 8 der rund 20 standörtlichen
und pflanzenbaulichen Faktoren schätzen läßt nach einer Regressionsgleichung der allgemeinen Gestalt

$$BW = a_o + a_1 P + a_2 HN + a_3 HU + a_4 N + B + F + S + D . \qquad (5.2.2.2-1)$$

Darin bedeutet BW den Befallswert, P den pH-Wert des Bodens, HN die
Höhe des Versuchsfeldes über NN, HU den Humusgehalt (in transformier-
ter Form) und N die Höhe der N-Düngung in kg/ha. Die Größe B kennzeichnet den Einfluß des Bestockungsgrades zu Beginn des Frühjahrs mit drei
zahlenmäßig unterschiedlichen Werten, die den Entwicklungsstufen "mehr
als 6 Blätter je Pflanze", "4-6 Blätter je Pflanze" und "weniger als
4 Blätter je Pflanze" zugeordnet sind. Die Größe F charakterisiert
ebenfalls durch drei Zahlenwerte den Einfluß der Fruchtfolge, S in
gleicher Weise den Einfluß der Saattiefe und D den Einfluß des Saat-
termins.

Eliminiert man den im konstanten Glied a_o enthaltenen Einflußanteil
der Markierungsvariablen "Versuchsjahr", der ja den Einfluß der Jahres-
witterung in sich einschließt, so werden mit dieser Regressionsformel
rund 21% der Varianz des Befallswertes durch diese 8 Standortfaktoren
erklärt. Dieser relativ hohe Prozentsatz zeigt, daß im vorliegenden
Beispiel bei der Erarbeitung einer Prognosemethode der Einfluß solcher
Größen keinesfalls außer acht gelassen werden kann. Es ist aber auch
nicht zu verkennen, daß sich allein aus den Beziehungen des Befallswertes zu den standörtlichen und pflanzenbaulichen Parametern keine praktisch brauchbare Prognose zum Zwecke einer Entscheidung für oder gegen
Bekämpfungsmaßnahmen ableiten läßt und daher der Einfluß biometeorologischer Parameter eingearbeitet werden muß.

Die Bestimmung der optimalen Witterungsbedingungen für eine Infektion
des Winterweizens wurde experimentell an 23 Standorten durchgeführt und
erfolgte in enger Anlehnung an die von SCHRÖDTER und FEHRMANN (1971)
verwendete Fangpflanzenmethode. Dabei wurden Serien von Töpfen mit 100
Pflanzen jeweils für eine Woche den natürlichen Infektionsbedingungen
in den Pflanzenbeständen ausgesetzt und anschließend auf die Zahl der
infizierten Pflanzen bonitiert. Damit war der Zeitraum exakt bestimmt,
innerhalb dessen die Infektionen erfolgt sein mußten, und die meteorologischen Bedingungen dieses Zeitraumes wurden zum Prozentsatz infizierter Testpflanzen in Beziehung gesetzt. Wie auch bei SCHRÖDTER und
FEHRMANN (1971) erfolgte dies nach Regressionsansätzen unter Benutzung
der Klassenhäufigkeiten von Stundenwerten der Temperatur und Feuchtigkeit entsprechend den in Abschnitt 3.5.1 behandelten Verfahren. Dabei
wurde jedoch nicht der gemessene Prozentsatz kranker Pflanzen als Ausdruck der gemessenen Infektionswahrscheinlichkeit als abhängige Variable eingesetzt, sondern die Abweichung dieser Werte von dem für den
jeweiligen Versuch geltenden Mittelwert der Vegetationsperiode. Dies
war notwendig, um die aus der Abhängigkeit des Befallsniveaus von den
standörtlichen und pflanzenbaulichen Faktoren resultierende Varianz-
ursache auszuschalten. Außerdem wurden die meteorologischen Messungen,
von Ausnahmen abgesehen, nicht in 2 m Höhe, sondern in Bodennähe im
Bestand durchgeführt, um das angestrebte Verfahren zur Programmierung
eines unmittelbar im Feld einzusetzenden mikroprozessorgesteuerten
Warngeräts geeignet zu machen, worauf in einem späteren Abschnitt noch
eingegangen wird.

Aus den Ergebnissen aller Testwochen ließ sich in weitgehender Übereinstimmung zu den bisher bekannten Ergebnissen ermitteln, daß die optimale Temperatur für eine Infektion etwa zwischen 4°C und 8°C liegt,

signifikante Korrelationen zur Feuchtigkeit oberhalb von 80% während dieser Temperaturbedingungen bestehen und eine Beziehung zur Anzahl und Dauer von Perioden mit optimalen Temperatur- und Feuchtigkeitsbedingungen während der Expositionswoche und der Vorwoche festzustellen ist. Damit ließ sich eine multiple Regressionsgleichung zur Schätzung des Prozentsatzes infizierter Testpflanzen aufstellen, also eine Schätzfunktion für die Abweichung der witterungsbedingten Infektionswahrscheinlichkeit vom Mittelwert der Vegetationsperiode, mit der sich 33% der Varianz der verwendeten 261 Wochenwerte erklären ließen.

Um nun zu einer vollständigen Schätzfunktion für die Infektionswahrscheinlichkeit zu kommen, wurde der aus den standörtlichen und pflanzenbaulichen Parametern nach Gleichung (5.2.2.2-1) berechnete Befallswert zur Bestimmung des mittleren Befallsniveaus herangezogen. Dieser geschätzte Befallswert BW wurde dann mit dem Schätzwert ΔWI für die Abweichung der witterungsbedingten Infektionswahrscheinlichkeit vom Mittelwert in einer gemeinsamen Regressionsformel verbunden, woraus sich für die Infektionswahrscheinlichkeit WI die Gleichung

$$WI = K\left\{40 + \frac{\max(40,BW) - 40}{2} + \Delta WI\right\}\left\{1 + \frac{\max(40,BW) - 40}{20}\right\} \qquad (5.2.2.2-2)$$

ergibt. Hierin ist K ein Korrekturfaktor, der vom Herbst bis zum Frühjahr von 0,6 auf 1,0 zunimmt und sich als notwendig erwies, um den allmählichen Aufbau des Infektionspotentials in dieser Zeitspanne zu berücksichtigen. Da hier ein rein anwendungsbezogenes Verfahren erarbeitet werden sollte, werden rechnerisch mögliche Befallswerte unter 40 durch den Term max(40,BW) wie Befallswert 40 behandelt, um eine nicht auszuschließende Unterschätzung des prognostizierten Befallsniveaus mit der daraus sich ergebenden Gefahr von Ertragsverlusten auf jeden Fall zu vermeiden. Dieser Befallswert 40, der sich als Durchschnitt aller Versuche aller Jahre und aller Standorte ergab, bildet also gewissermaßen den Schwellenwert, dessen Überschreiten als Maß für die Erhöhung der Infektionswahrscheinlichkeit über ein ökonomisch tragbares Niveau dient. Vergleiche zwischen beobachtetem Prozentsatz befallener Pflanzen und der nach Gleichung (5.2.2.2-2) berechneten Infektionswahrscheinlichkeit ergaben für verschiedene Standorte eine recht befriedigende Übereinstimmung des Kurvenverlaufs, insbesondere hinsichtlich des Niveaus und der zeitlichen Lage der Infektionsmaxima.

Die Angabe einer Infektionswahrscheinlichkeit allein reicht im Falle der Halmbruchkrankheit allerdings jedoch noch nicht aus, um über die

Bekämpfungswürdigkeit zu entscheiden, da der Erreger eine relativ lange
Zeit benötigt, um von den äußeren Blattscheiden aus bis zum Halm vor-
zudringen und diesen zu infizieren. Damit aber haben auch die meteorologischen Bedingungen in der Zeit nach der Infektion der Weizenpflanzen noch Einfluß auf das spätere Ausmaß der Schädigung. Wie eingangs
bereits erwähnt, haben schon RAPILLY et al. (1979) festgestellt, daß
die Geschwindigkeit des Wachstums des Pilzes durch die Blattscheiden
der Halmbasis und durch das Halmgewebe von der Temperatur abhängig ist.
Für diesen in ihrem Modell als dritte Phase bezeichneten Vorgang setz-
ten sie eine lineare Funktion der Form

$$D = 1,17 + 0,87 \cdot T \qquad\qquad (5.2.2.2-3)$$

an. Darin bedeutet D die tägliche Entwicklungseinheit und T die Tagesmitteltemperatur. Diese Linearität gilt nach ihren Angaben jedoch nur
für Tagesmitteltemperaturen zwischen $0^{\circ}C$ und $20^{\circ}C$, da bei höheren Temperaturen das Wachstum des Pilzes in der Pflanze mehr und mehr verlang-
samt und über $25^{\circ}C$ schließlich gestoppt wird. Die Summierung der täglichen Entwicklungseinheiten D charakterisiert dann das Vordringen des
Pilzes durch die den Halm umgebenden Blattscheiden. Für das hier beschriebene Beispiel zeigte sich jedoch nach SIEBRASSE (1982), daß die
von RAPILLY et al. (1979) gefundene Gesetzmäßigkeit nicht einfach übernommen werden konnte. In Klimakammerversuchen mit verschiedenen Tempe-
raturstufen ergab sich zwar, daß die Wachstumsgeschwindigkeit im In-
tervall von $7^{\circ}C$ bis $20^{\circ}C$ annähernd linear ansteigt, doch gilt dies nur
in der Anfangsphase des Befalls, d.h. von der Infektion bis zum Erreichen der dritten Blattscheide. Außerdem wird das Pilzwachstum offensichtlich auch durch das Pflanzenwachstum beeinflußt. Aufgrund dieser
Erkenntnisse wurde daher eine Modifikation eingeführt in der Weise,
daß aus den Entwicklungseinheiten nach Gleichung (5.2.2.2-3) über eine
Regressionsformel die Anzahl der befallenen Blattscheiden in Abhängigkeit von der Temperatur bestimmt werden kann, und zwar nach der Gleichung

$$BS = -19,29 + 3,50 \cdot \log(\Sigma D) , \qquad\qquad (5.2.2.2-4)$$

worin BS die Anzahl der befallenen Blattscheiden und ΣD die Summe der
nach Gleichung (5.2.2.2-3) berechneten Entwicklungseinheiten ist.

Für den praktischen Einsatz dieses Modells als Entscheidungshilfe für
oder gegen eine Fungizidapplikation wird nun davon ausgegangen, daß

alle Infektionen, die bis zum Schossen des Getreides den Halm erreichen, in der Folgezeit bis zur Ernte ertragsmindernde Schäden hervor-
rufen können. Es wird daher zunächst aus den gegebenen standörtlichen
Faktoren jedes Feldes und den fortlaufend gemessenen Witterungsparame-
tern der Verlauf der Infektionswahrscheinlichkeit nach obiger Gleichung
(5.2.2.2-2) bestimmt. Erfahrungsgemäß zeigen sich dabei mehrere deutlich ausgeprägte Befallsperioden. Für jede dieser Befallsperioden wird
dann mit Hilfe von Gleichung (5.2.2.2-4) das Vordringen des Pilzes in
der Pflanze aufgrund der Temperaturmessungen verfolgt und berechnet,
wie groß der Anteil durchwachsener Blattscheiden bis zum Beginn des
Schossens oder bis spätestens zum 2-Knoten-Stadium ist. Liegt dieser
Wert unter 2,5, dann ist ein ertragsmindernder späterer Befall nicht
wahrscheinlich und auf eine Fungizidapplikation kann verzichtet werden.
Liegt der Wert im Stadium des Schossens über 2,5 oder im 2-Knoten-
Stadium über 3,5, so ist eine Applikation zu empfehlen. Wie eine Überprüfung an 41 zur Kontrolle durchgeführten Feldversuchen in den Jahren
1979 bis 1985 ergeben hat (SIEBRASSE und FEHRMANN, 1986), ist das Verfahren offensichtlich recht zuverlässig.

An diesem gegenüber der zuvor behandelten Negativ-Prognose völlig an-
ders gearteten Beispiel wird zwar wiederum deutlich, daß auf der Basis
statistischer Methoden praktisch brauchbare Prognoseverfahren von relativ hoher Treffsicherheit entwickelt werden können. Das Beispiel aber
zeigt auch, daß dies je nach der Zielsetzung und nach der Art des Wir-
kungsgefüges zwischen Wirt, Parasit und Umwelt unter Umständen erst
dann möglich ist, wenn neben biometeorologischen Faktoren auch andere
Parameter berücksichtigt werden. Im übrigen lassen beide Beispiele erkennen, daß die Erarbeitung geeigneter Modellvorstellungen eine wesentliche Voraussetzung für die richtige Wahl der statistischen Ansätze
ist. Im folgenden soll daher nun die konsequente Weiterentwicklung
solcher Vorstellungen zu numerischen dynamischen Modellsystemen und
Simulatoren behandelt werden.

5.3 ANALYTISCHE VERFAHREN

Unter analytischen Verfahren zur Epidemieprognose sollen im wesentlichen solche verstanden werden, deren Grundlage aus einer differenzierten Analyse des Systems Erreger-Wirt-Umwelt und seiner Abbildung in einem dynamischen Modell resultiert, welches den gesamten Ablauf eines

epidemiologischen Prozesses erfaßt und in der Regel mit Algorithmen realisiert ist, die sich in ihrer Grundstruktur auf Systeme von Differentialgleichungen zurückführen lassen. Die Bedeutung einer derartigen Basis liegt darin, daß für solche Modelle nicht die mathematische Anpassungsfähigkeit entscheidend ist, die ja, wie zuvor gezeigt, auch durch statistische Formeln mit nicht deutbaren Konstanten erreicht werden kann, sondern daß eine Lösung mit physikalisch und physiologisch zu interpretierenden und durch direkte Bestimmung nachprüfbaren Parametern angestrebt wird.

Prinzipiell lassen sich mathematische Modelle als analytische Modelle, statistische Modelle und Simulationsmodelle klassifizieren, die jedoch nicht als streng voneinander getrennte Formen zu betrachten sind, sondern innerhalb eines Modellsystems durchaus nebeneinander bestehen können. Rein analytische Modelle sind zwar von Bedeutung im Hinblick auf theoretische Überlegungen, sie sind aber wegen ihrer Komplexität kaum als Grundlage für die Entwicklung anwendungsorientierter Verfahren geeignet. Rein statistische Modelle können wegen ihres empirischen Charakters die ablaufenden Prozesse mit Hilfe von Regressionsgleichungen zwar beschreiben, aber nicht erklären, da ihnen nicht die kausalen Beziehungen zugrunde liegen. Sie sind daher nur selten über längere Zeit stabil und können zu Fehlbeurteilungen führen, zu deren Erklärung das Modell selbst nicht herangezogen werden kann. Ihre Eignung für die Praxis des Pflanzenschutzes ist jedoch, auch wenn sie relativ enge Grenzen aufweist, nicht zu unterschätzen. Simulationsmodelle schließlich sind dynamische Modelle, die in der Regel von deterministischen Ansätzen ausgehen, aber auch mit stochastischen Beziehungen auf der Basis von Wahrscheinlichkeitsverteilungen arbeiten. Sie berücksichtigen die zeitlichen Veränderungen der Kenngrößen für das prozeßhafte Geschehen im System und ermöglichen es, das zeitliche Verhalten eines Systems zu simulieren unter der Voraussetzung, daß geeignete Systemgrößen definiert sind, deren zeitliche Änderungen als Funktion bestimmter Zustands- und Steuervariablen beschrieben werden können.

Bei der großen Anzahl der in einem biologischen System an sich zu berücksichtigenden Variablen ist es nicht sinnvoll, ein Modell aufstellen zu wollen, in welchem das Verhalten dieses Systems aufgrund einer genauen Kenntnis aller sich in ihm abspielenden biologischen und physikalischen Prozesse erklärt werden könnte. Mit der Modellbildung wird schließlich das Ziel verfolgt, ein real so komplexes System wie im vorliegenden Fall das System Wirt-Erreger-Umwelt, das untersucht werden

soll, in ein einfacheres System abzubilden, das untersucht werden kann,
worauf sich ja schließlich die Möglichkeit gründet, komplizierte Systeme zu handhaben und ihr Verhalten vorauszusagen. Es ist daher unter Umständen angebracht, das Modell nur dem jeweiligen Zweck entsprechend zu
entwerfen, um die Anzahl der zu berücksichtigenden Variablen von vornherein zu begrenzen. Eine andere Möglichkeit bietet sich durch einen
hierarchischen Aufbau des Modells an, indem zunächst ein bestimmter im
System auftretender Prozeß auf einer elementaren Stufe untersucht und
zu einem Modell verarbeitet wird, das wiederum als Baustein eines er-
klärenden Modells auf einer höheren Stufe dienen kann. Das Systemmodell
wird also aufgebaut aus Sub-Modellen und Sub-Sub-Modellen als Einheiten auf einem niedrigeren Organisationsniveau als das Modell selbst.
Die wesentlichsten Schritte zur Erarbeitung von Sub-Modellen, welche
z.B. den gesamten Lebenszyklus eines Krankheitserregers beschreiben
können, hat u.a. ANALYTIS (1980) ausführlich dargestellt, wobei insbesondere auf die Spezifikation der Variablen, die Form der Gleichungen
und die Schätzung der Parameter eingegangen wird. Die in Abschnitt 3.1.
behandelte analytische Darstellung der Temperaturrelation ist schließlich ein Beispiel für die Erarbeitung eines Sub-Modells.

Sub-Modelle sollten so aufgebaut sein, daß sie weitgehend unabhängig
voneinander auf der Grundlage geeigneter Experimente validiert werden
können und die reelle Bedeutung jedes Teilprozesses für das Verhalten
des Systems widerspiegeln. Aus der Verknüpfung der Submodelle ergibt
sich dann ein erster Modellentwurf, der zu verifizieren ist, d.h. an
dem geprüft werden muß, ob das hierzu entworfene Rechenprogramm bei
wechselnden Input-Daten so wie erwartet arbeitet, ob also nicht bei
bestimmten Eingaben unrealistische Werte (z.B. eine negative Anzahl er-
krankter Pflanzen) möglich sind, die eine Korrektur oder einen Modell-
umbau notwendig machen. Danach erst kann das Modell validiert werden,
d.h. daraufhin getestet werden, ob sein Output mit hinreichender Genauigkeit dem real beobachteten Ergebnis entspricht. Am Beispiel eines
Simulationsmodells für die Epidemiologie eines Getreiderostes haben
TENG et al. (1980) die verschiedenen Wege dargestellt, auf denen ein
Modell validiert werden kann. Ausführlicher auf das Problem der Modell-
zuverlässigkeit geht TENG (1981) in einem speziellen Beitrag ein, wobei er nicht nur die Methoden der Zuverlässigkeitsbestimmung darstellt,
sondern auch die bei ihrer Anwendung möglichen Fehler diskutiert. Auf
der Basis einer Sensitivitätsanalyse wäre dann schließlich noch zu prüfen, wie weit eine Vereinfachung des Modells möglich ist, da es häufig
erst dann als praxisgerechtes Prognoseverfahren dienen kann.

Die aus dynamischen Simulationsmodellen heraus entwickelten Prognoseverfahren erfüllen durchaus nicht immer die Erwartungen der landwirtschaftlichen Praxis. Dies gilt vor allem dann, wenn sie in erster Linie darauf abgestellt sind, aus der Erregerentwicklung in Abhängigkeit
von der Zeit und von biometeorologischen und einigen anderen Einflußgrößen den Beginn einer Epidemie oder die Schwere einer Erkrankung vorauszusagen, da dabei allzuoft der Pflanzenbestand als Teilsystem im
Gesamtsystem Wirt-Erreger-Umwelt vernachlässigt oder nur als black box
betrachtet wird. Zwar wird in einigen Modellen durch Berücksichtigung
z.B. des Blattflächenindex eine gewisse Verbindung zwischen Erreger
und Wirtspflanzenbestand hergestellt, aber andere Beziehungen wie z.B.
zwischen Erreger und Stoffwechsel der Pflanzen im Verlauf der Bestandsentwicklung bleiben ebenso außer acht wie die im Zuge des vegetativen
Wachstums sich verändernde Bestandsstruktur, die ja ihrerseits wieder
Rückwirkungen auf das Mikroklima als die unmittelbare physikalische
Umwelt des Erregers hat. So gibt es z.B. beim Winterweizen eine mit
der Bestandsentwicklung zunehmende Resistenz gegen den Gelbrost ebenso
wie eine Altersresistenz der einzelnen Blätter, wobei aber letztere
durch zusätzliche Stickstoffdüngung gebrochen werden kann (RIJSDIJK,
(1980). Die Veränderung der Bestandsstruktur im Laufe der phänologischen Entwicklung wiederum beeinflußt unter Umständen die Sporenaus-
breitung im Bestand ganz erheblich, so daß z.B. der Bestandshöhe eine
epidemiologisch durchaus nicht unwichtige Rolle zukommen kann, wie es
RIJSDIJK (1980) deutlich gemacht hat. Dies aber führt zur Notwendigkeit der Entwicklung von integrierenden Modellen oder Kombinationsmodellen, d.h. von solchen, die erklärende Modelle für die Entwicklung
eines Pflanzenbestandes mit Modellen für die Krankheitsentwicklung
verknüpfen (RABBINCE und VEREYKEN, 1980).

Prognoseverfahren, die auf umfassenden Systemanalysen basieren, können
natürlich nicht mehr als biometeorologisch begründete Verfahren im
Sinne dieses Kapitels betrachtet werden. Zwar charakterisieren biome-
teorologische Variablen die verschiedenen Einflüsse des Teilsystems
Umwelt, doch sind sie nicht in jedem Fall als dominierend anzusehen.
Es würde daher dem Rahmen einer Darstellung der biometeorologischen
Grundlagen nicht entsprechen, auf Systemanalyse und Modellierung in der
Epidemiologie ausführlicher einzugehen. Hierfür sei auf die von GILLI-
GAN (1985) herausgegebene umfassende Darstellung dieses Problems ver-
wiesen. Die folgenden Abschnitte beschränken sich daher bewußt auf ei-
ne allgemeiner gehaltene Übersicht unter besonderer Berücksichtigung
der biometeorologischen Aspekte.

5.3.1 Dynamische Modelle und Simulatoren

Eines der ersten dynamischen numerischen Modelle in der Pflanzenpathologie wurde von WAGGONER und HORSFALL (1969) mit dem für einen Computer geschriebenen und die Epidemiologie von *Alternaria solani* betreffenden Simulator EPIDEM entwickelt und gab den wohl entscheidenden An-
stoß dazu, auch bei der Lösung des Problems der Epidemieprognose neue
Wege zu versuchen. In das Modell gehen im 3-Stunden-Takt Temperatur,
relative Luftfeuchtigkeit, Windgeschwindigkeit, Sonnenscheindauer und
Benetzung ein. Es simuliert also in dreistündigen Zeitabständen den
Ablauf der verschiedenen Stadien der Erregerentwicklung entsprechend
den vielfach recht unterschiedlichen Einflüssen des Wetters auf diese
Stadien von der Bildung der Konidiophoren über Sporulation, Sporenverbreitung durch Wind oder Regen, Landung der Sporen auf der Wirtspflanze, Sporenkeimung, Infektion, Inkubationszeit bis hin zur Ausdehnung
der Läsionen. Damit ist das Modell wesentlich komplexer als manche der
bis dahin aus der Entomologie bekannten Modelle, bei denen meist nur
die Temperatur als hauptsächliche Steuervariable angesehen und der Einfluß anderer Faktoren nicht quantifiziert wurde, obwohl bekannt war,
daß auch sie eine gewisse Rolle im System spielen. Zum Aufbau von EPI-
DEM wurden zwar zahlreiche aus der Literatur bereits bekannte relevante Beziehungen zwischen meteorologischen Faktoren und einzelnen Pro-
zessen der epidemischen Entwicklung herangezogen, doch wurde gleichzeitig deutlich, daß es noch einige wichtige Komponenten gab, die bis dahin noch nicht zu quantifizieren waren, wie z.B. die Geschwindigkeit,
mit der eine gekeimte Spore das Pflanzengewebe zu durchdringen vermag,
oder der Effekt des Abwaschens der Sporen durch Regen, so daß das Simulationsmodell direkt entsprechende Untersuchungen in dieser Richtung
anregte.

Der Charakter von EPIDEM als erklärendes Modell wird an zwei von WAGGO-
NER und HORSFALL (1969) selbst angeführten Beispielen deutlich. Zum
einen zeigte es, daß die in der Literatur zu findenden unterschiedlichen Angaben über diese an Tomaten und Kartoffeln auftretende Krankheit hinsichtlich der für sie günstigen Wetterbedingungen, nämlich
trockenes Wetter ebenso wie feuchtes Wetter, sich aus den unterschiedlichen Optima einzelner Entwicklungsstadien erklären lassen. Zum anderen ließ es z.B. erkennen, daß die bis dahin bei den Farmern bestehenden Bedenken gegen einen Beregnungseinsatz am Tage unbegründet waren.
Mit Sensitivitätsanalysen machten die Autoren im übrigen deutlich, daß
die Intensität der Konidiophorenbildung entscheidend ist für das End-
ergebnis der Simulation.

WAGGONER et al. (1972) entwickelten später das Modell EPIMAY für den Pilz *Helminthosporium maydis*, einen Erreger, der 1970 in den USA zu gravierenden Ertragsverlusten bei Mais geführt hatte. Dieses Modell ist weitgehend identisch mit dem Simulator EPIDEM und arbeitet ebenfalls mit einem 3-Stunden-Takt. Die Ähnlichkeit von beiden Simulatoren ergibt sich aus den vielen Ähnlichkeiten in der Lebensgeschichte der beiden Erreger. Bei beiden erwies es sich als schwierig, den Modelloutput direkt mit Feldbeobachtungen zu vergleichen. Der Grund hierfür liegt darin, daß detaillierte Beobachtungen insbesondere zum Epidemiebeginn, die als Input für das Modell notwendig sind, nicht verfügbar waren. Trotzdem wurde EPIMAY von SHANER et al. (1972) in verschiedenen Gebieten als Prognoseverfahren benutzt und schien an vier von sechs Standorten den Epidemieverlauf exakt zu simulieren. Hier allerdings setzt die zum Teil recht massive Kritik von VANDERPLANK (1975) an beiden Modellen ein, der nachweisen konnte, daß die von SHANER et al. (1972) erzielte Übereinstimmung zwischen Beobachtung und Simulation auf einem numerischen Fehler in der Berechnung beruht. Seine wesentliche Kritik richtet sich aber vor allem gegen eine Reihe prinzipieller und mathematischer Unzulänglichkeiten der Modelle, womit in erster Linie aber wohl davor gewarnt werden sollte, die an die Simulationstechnik gestellten Erwartungen schon zu Beginn der Entwicklung zu hoch zu schrauben.

Die Notwendigkeit einer solchen Kritik zeigte sich im Zusammenhang mit dem von SHRUM (1975) entwickelten Modell EPIDEMIC zur Simulation des durch *Puccinia striiformis* verursachten Weizenrostes. Dieses Modell ist hierarchisch aufgebaut in den drei Ebenen Zelle, Organismus, Population und soll mit seiner außerordentlich großen Zahl von Faktoren einen flexiblen und praktisch für alle Pflanzenkrankheiten allgemein gültigen Simulator darstellen, eine Auffassung, die von anderen Modellbauern bisher jedoch nicht geteilt wird. Es besteht nämlich bei einer Aufnahme so zahlreicher Details in ein einziges Modell ja die Gefahr, eher einen Zahlenwirrwar als eine korrekte Simulation zu erhalten, so daß das Modell den erhobenen Anspruch der vielfältigen Verwendbarkeit wie z.B. Prognose, Abschätzung des Resistenzverhaltens, Wirkung des Fungizideinsatzes etc. schon darum nicht erfüllen kann, weil es nicht zu validieren ist. Die Validierung eines Modells ist aber die Voraussetzung seiner Anwendbarkeit sowohl in der Taktik als auch in der Strategie des Pflanzenschutzes.

Bei aller Kritik kann nicht übersehen werden, daß die von WAGGONER und HORSFALL (1969) und WAGGONER et al. (1972) erarbeiteten Simulatoren beispielgebend und richtungweisend waren für die Entwicklung zahlreicher anderer Modelle. Ein typisches Beispiel hierfür ist der Simulator EPIVEN, den KRANZ et al. (1973) aus dem Modell EPIDEM heraus aufbauten durch Vergleich der Entwicklungszyklen von *Alternaria solani* und *Venturia inaequalis* und entsprechender Modifizierung des Modells EPIDEM, wobei sie sich allerdings auf differenziertere Analysen und experimentell besser gesicherte Grundlagen stützen konnten (ANALYTIS, 1973). Letzteres gilt auch für das von AUST et al. (1983) erarbeitete Simulationsmodell EPIGRAM für den Gerstenmehltau, das auf den sehr detaillierten Untersuchungen von AUST (1981) über den Verlauf von Mehltauepidemien aufgebaut ist. Die Besonderheit dieses Simulators liegt darin, daß aktuelle Sporenfänge an Fangpflanzen als Eingangsgrößen verwendet werden, so daß es nicht notwendig ist, Sporulation, Sporenverbreitung und Sporenlandung zu simulieren. Daher sind in dem Modell von der Infektionskette des Erregers nur Infektion, Inkubation und Koloniewachstum enthalten, und von den meteorologischen Faktoren werden nur Temperatur und Niederschlag verwendet. Die Entwicklung der Wirtspflanze wird, getrennt nach den einzelnen Blattetagen, ebenfalls im Feld erfaßt und dem Modell eingegeben. Die Validierung des Modells an Hand von vierjährigen Beobachtungen zeigt in den Befallskurven befriedigenden Gleichlauf zwischen Realität und Simulation, so daß trotz einiger Probleme in Bezug auf die zum Modellaufbau notwendigen Submodell (HAU et al., 1983) seine praktische Anwendbarkeit durchaus gegeben ist

Die meisten Modelle sind einander recht ähnlich. Dies ergibt sich einfach aus der Ähnlichkeit der biologischen Prozesse in Populationen von Schädlingen und Krankheiten, ist aber um so mehr Anlaß, Modelle speziell für Vorhersagezwecke zu entwickeln. Die verschiedenen Wege hierzu zeigen sich in neueren Arbeiten wie z.B. bei MAURIN (1983), MOLOT et al. (1983) oder GERBIER und LOBREGAT (1981). Ein interessantes Beispiel in diesem Zusammenhang ist das von STEPHAN und GUTSCHE (1980) entwickelte algorithmische Simulationsmodell SIMPHYT für die Epidemiologie der Kraut- und Knollenfäule der Kartoffel, das die Grundlage für ein umfangreiches Modellsystem geliefert hat, mit dem sowohl das Erstauftreten der Krautfäule als auch der Epidemieverlauf erfaßt werden können, von dem aber auch unter Berücksichtigung von Witterung, Sortenresistenz und Wirksamkeit der Fungizide regional differenzierte Behandlungsempfehlungen abgeleitet werden können (KLUGE und GUTSCHE, 1983; GUTSCHE und KLUGE, 1983).

Der grundlegende Modellentwurf SIMPHYT wurde auf der Basis von Fang-
pflanzen-, Testparzellen- und Phytokammerexperimenten entwickelt. Er
stützt sich auf alle bisher ausreichend zu quantifizierenden und zu
algorithmierenden epidemiologisch relevanten Prozesse, ausgehend von
der schon von ZADOKS (1971) entwickelten Konzeption der Systemanalyse
in der Epidemiologie. Ansatzpunkt ist eine Modellvorstellung, wonach
der Kartoffelbestand aus einer endlichen Zahl von Infektionsplätzen
(ein Infektionsplatz etwa entsprechend einer Blattfieder) zusammengesetzt gedacht wird mit dem Postulat, daß alle Infektionsplätze gleich
groß sind und die gleiche Chance haben infiziert zu werden, wobei zu
irgendeinem Zeitpunkt jeder Platz nur in einem der krankheitsbezogenen
Zustände frei, latent, präinfektiös, infektiös oder abgestorben sein
kann. Der durch den Entwicklungszyklus verursachte Fluß der Infektionsplätze durch diese Zustände spiegelt dann den dynamischen Prozeß der
Epidemieentwicklung wider. Dieser an sich stetige Prozeß wird im Modell
in einem 3-Stunden-Takt vollzogen, d.h. eine Zustandsänderung der Infektionsplätze erfolgt im Modell nur bei Taktwechsel. Mittels verschiedener Operatoren, die den Übergang von einem Zustand zum anderen ab-
bilden und die funktionale Verknüpfung der Phasen in der Erreger- bzw.
Krankheitsentwicklung mit den biometeorologischen Variablen enthalten,
wird der gesamte Fluß der Infektionsplätze durch die einzelnen Zustände errechnet und in der Outputvariablen sichtbar gemacht, die als befallene Blattmasse in Prozent ausgedrückt ist. Das auf dieser Grundlage nach weiteren Verbesserungen und Ergänzungen entwickelte Modellsystem zur Prognose hat sich nach KLUGE und LÜCKE (1984) im praktischen
Einsatz offensichtlich gut bewährt.

Im Zusammenhang mit der Entwicklung anwendungsorientierter Prognosemodelle kann sich in besonderen Fällen das Problem auch so darstellen,
daß weder die Erregerentwicklung noch deren Abhängigkeit von meteorologischen Faktoren modelliert werden muß, sondern der wirksame biometeorologische Faktor selbst, wie es sich z.B. im Falle von *Sclerotinia
sclerotiorum* an Sonnenblumen als notwendig erwiesen hat (CHOISNEL und
PAYEN, 1981; LAMARQUE, 1983). Hier ist nämlich der Befall praktisch
fast nur davon abhängig, ob während einer bestimmten Zeitspanne die
Blütenstände der Sonnenblumen mit tropfbar flüssigem Wasser benetzt
sind. Das ist eine Einflußgröße, die in der Praxis ja kaum meßbar ist.
PAYEN (1983) hat daher den Versuch unternommen, mit Hilfe eines geeigneten operationalen Modells die Dauer der Benetzung der Blütenstände
aus meteorologischen Parametern zu schätzen. Die Energiebilanz des
Pflanzenbestandes, die Wasserbilanz des Bodens und des Blütenstandes

und zahlreiche andere Faktoren wie z.B. die Interzeptionsspeicherkapazität des Blütenstandes gehen in dieses rein physikalische Modell ein. Dank seiner guten Übereinstimmung mit realen Beobachtungen eröffnete es die Möglichkeit, in einer Simulationsstudie auf der Basis von 30jährigen meteorologischen Beobachtungen in den französischen Hauptanbaugebieten der Sonnenblume die aus den klimatischen Gegebenheiten sich herauskristallisierenden Risikogebiete abzugrenzen.

Der andere Grenzfall, d.h. in der Modellierung einer Epidemie unter dem Aspekt der Prognose mit wenigen oder gar nur einem meteorologischen Parameter auszukommen, ist ebenfalls denkbar und wurde oben bei der Erwähnung des Simulators EPIGRAM bereits angedeutet. Gerade der Gerstenmehltau bietet hierfür ein gutes Beispiel, weil dessen Erreger sehr flexibel auf Umwelteinflüsse reagieren kann, weshalb auch Prognosen für diese Krankheit, soweit sie allein oder in erster Linie auf biometeorologischen Parametern basieren, bisher nur wenig Erfolg aufzuweisen hatten. Dieses Problem der flexiblen Reaktion auf Umwelteinflüsse läßt sich lösen, wenn man als Eingangsgröße für einen entsprechenden Simulator, wie dies beim Modell EPIGRAM geschieht, Konidienfänge mittels Fangpflanzen benutzt. In experimentellen Untersuchungen konnte nämlich AUST (1981) bestimmen, wie viele Konidien bzw. Appressorien pro Blatt für eine Infektion erforderlich sind, wobei sich zeigte, daß diese Anzahl sowohl von der Temperatur abhängig ist als auch mit der Altersresistenz der Gerste sich verändert. Dies nun läßt sich in eine mathematische Funktion bringen von der Form

$$Y = 1 + \left\{ \frac{3,2}{2,3(1 + e^{4,5-LN})} \right\} \{e^{0,154 \cdot T} - 1\} \qquad (5.3.1-1)$$

mit Y als der für eine Infektion erforderlichen Zahl der Appressorien, LN als Nummer des Blattes, gezählt vom Primärblatt bis zum Fahnenblatt, und T als Temperatur. Daraus ergibt sich die in Tabelle 7 dargestellte Matrix.

Mit Hilfe der Matrix nach Tabelle 7 bzw. der Gleichung (5.3.1-1) berechnet der Simulator auf der Grundlage der an den Fangpflanzen beobachteten Appressorien die wahrscheinliche Zahl neuer Infektionen pro Blatt. Dabei ist der Einfluß des Mikroklimas und der Altersresistenz der Gerste in dieser Matrix enthalten, d.h. die Informationen über die Wirkung der meteorologischen Faktoren auf den Erreger gehen nicht unmittelbar in den Simulator ein.

Tabelle 7. *Matrix der Abhängigkeit der für eine Infektion pro Blatt erforderlichen Anzahl von Appressorien des Gerstenmehltaus von der Temperatur und der Altersresistenz entsprechend Gleichung (5.3.1-1)*

Temperatur °C	erforderliche Anzahl der Appressorien bei Blatt Nr.							
	Primär-1 Blatt	2	3	4	5	6	7	Fahnen-8 Blatt
11	2,1	2,2	2,5	3,1	3,7	4,3	4,6	4,7
15	3,1	4,1	4,6	5,7	6,9	7,9	8,5	8,7
20	8,3	8,8	10,0	12,2	14,5	17,1	18,3	18,8
21	9,7	10,3	11,7	14,2	17,4	20,0	21,3	21,9

Wie SCHRÖDTER und AUST (1978) mit einem Vorläufer zum oben genannten Simulator EPIGRAM vorgetragen haben, läßt sich über diese Matrix ein Prognoseverfahren ableiten, das trotz der Abhängigkeit der Erregerentwicklung von einem Komplex meteorologischer Faktoren allein mit der Temperatur arbeitet, was an Hand des in Abb. 18 dargestellten vereinfachten Strukturmodells für den Entwicklungszyklus des Gerstenmehltaus erläutert sei.

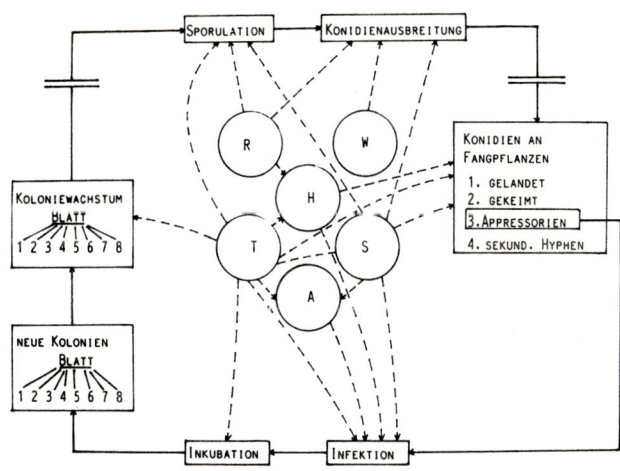

Abb. 18. Vereinfachtes Strukturmodell der Interaktionen im Entwicklungszyklus des Gerstenmehltaus (Erysiphe graminis) als Grundlage eines zur Epidemieprognose geeigneten Simulators (T = Temperatur, R = Niederschlag, H = relative Luftfeuchtigkeit, W = Wind, S = Strahlung und A = Altersresistenz)

Natürlich beeinflussen alle genannten Faktoren die Infektiosität der Konidien und den Infektionsprozeß, aber das ist ja in der beobachteten Zahl der Appressorien, die für eine Infektion erforderlich ist, schon enthalten. Die Umwelteinflüsse und der Einfluß der Altersresistenz gehen auf diese Weise indirekt in den Simulator ein. Die außerdem noch

notwendige Information über die Zahl der Blätter pro Halm wird ebenfalls durch Beobachtung ermittelt. Mit jedem Lauf des Simulators pro
Tag wird also die Zahl der neu gebildeten Kolonien aller Blätter je
Halm berechnet. Die vorhandenen und die täglich neu hinzukommenden Kolonien wachsen nun nach der Funktion

$$y = -0,0028 + 0,025 \cdot T^2 \; , \qquad\qquad (5.3.1-2)$$

die experimentell ermittelt und in den Simulator aufgenommen wurde, so
daß sich schließlich die wahrscheinliche Entwicklung der Befallsstärke
ergibt.

Dies läßt sich zu einem Verfahren verwenden, mit dem die wahrscheinliche Befallsstärkezunahme für eine Woche vorausgesagt werden kann. Da
die kürzeste Inkubationszeit beim Mehltau 7 Tage beträgt, kann davon
ausgegangen werden, daß die während des Vorhersagezeitraumes eventuell
noch auf den Blättern abgesetzten Konidien nichts mehr zur Befallsstärke am Ende dieses Zeitraumes beitragen. Dann aber läßt sich von
der beobachteten Befallsstärke ausgehend unter Eingabe einer hinreichend sicheren Temperaturvorhersage die wahrscheinlich erreichte Befallsstärke am Ende der folgenden Woche prognostizieren, woraus bei
bekannter ökonomischer Schadensschwelle wiederum abgeschätzt werden
kann, ob eine Bekämpfung erforderlich ist.

Die Schwäche eines solchen Verfahrens liegt nun nicht nur darin, daß
eine sichere mittelfristige Temperaturvorhersage benötigt wird, sondern
vor allem darin, daß ja nicht die Lufttemperatur, sondern die Blattem-
peratur die entscheidende Größe ist, die im Mikroklima des Gerstenbe-
standes an den einzelnen Blättern ganz erheblich differieren kann und
unter ausgeprägten Strahlungsbedingungen das Temperaturoptimum für den
Gerstenmehltau rasch so weit überschreiten kann, daß Infektion, Koloniewachstum und Sporulation des Erregers unterbunden werden, wie es die
Untersuchungen von AUST (1981) gezeigt haben. Die tatsächlichen Blatt-
temperaturen sind aber prognostisch kaum zu erfassen.

In diesem Zusammenhang sei an dieser Stelle jedoch auf eine Einsatzmög-
lichkeit von Simulatoren unter prognostischen Gesichtspunkten hingewiesen, die bisher noch kaum genutzt wurde und von HAU et al. (1981) als
ein Konzept der Konditionalprognose vorgeschlagen und am Beispiel des
Simulators EPIGRAM erläutert wurde. Das Prinzip besteht darin, daß

nicht aufgrund bereits eingetretener Ereignisse und eines anzunehmen-
den weiteren Witterungsverlaufs ein künftiges Ereignis, also z.B. das
Überschreiten der ökonomischen Schadensschwelle vorausgesagt wird, sondern daß, - ausgehend vom gegenwärtigen Stand -, diejenigen Bedingungen
angegeben werden, welche zur Überschreitung der Schadensschwelle führen. Der Simulator wird nun benutzt, um mit ihm alle möglichen Wettersituationen durchzuspielen und die daraus sich ergebenden Befallsver-
läufe zu betrachten, jeweils vom gleichen aktuellen Stand des Befalls
ausgehend. Dies ergibt eine Häufigkeitsverteilung, aus der sich eine
Beziehung zwischen den möglichen Befallsstärken und der Witterung ableiten läßt. Ist die wirtschaftliche Schadensschwelle bekannt, so kann
aus dieser Verteilung abgelesen werden, unter welchen der Bedingungen
diese Schadensschwelle erreicht wird. Die Konditionalprognose sagt dann
aus, daß dann und nur dann die kritische Befallsstärke erreicht wird,
wenn in der Folgezeit diese bestimmten Witterungsbedingungen eintreten.
Mit dem Simulator werden also alle denkbaren Witterungskonstellationen
durchgespielt. Da aber in einem gegebenen Zeitabschnitt nicht alle Konstellationen auch tatsächlich möglich sind, sondern die einen wahrscheinlicher als andere und wieder andere auch unwahrscheinlich sein
können, gibt die Simulation zugleich an, wie groß die Wahrscheinlichkeit für das Erreichen der Schadensschwelle in dieser Zeitspanne ist,
was dann von jedem neuen Stand der realen Befallssituation aus wiederholt werden kann, um jederzeit abschätzen zu können, ob ein gegenwärtig noch unbedenklicher Befallszustand kritisch werden kann oder nicht.

Der wichtigste Aspekt aller zur Lösung des Prognoseproblems entwickelten Simulatoren ist ihre Präzision. Zahlreiche Modelle sind jedoch oft
nicht genügend validiert, weil nur der Output mit den Beobachtungsdaten verglichen und mehr subjektiv festgestellt wird, ob befriedigende
Übereinstimmung besteht. Es werden nur selten Anstrengungen unternommen, streng quantitative statistische Prüfmethoden einzusetzen, so daß
die Güte der Modelle oft nur schwer zu beurteilen ist, was ihre Zuverlässigkeit und ihren Wert für den operativen Einsatz begrenzt (TENG,
1981). Dem ohnehin noch immer bestehenden Mißtrauen, das die dem tra-
ditionellen Feld- und Laborversuch verhafteten Experimentatoren den
mehr mathematisch ausgerichteten Modellbauern gegenüber hegen, kann
nur mit exakten Arbeitsmethoden begegnet werden. Dieses Mißtrauen ab-
zubauen, ist auch das Anliegen von Arbeiten wie die von RABBINGE und
RIJSDIJK (1983) oder TENG et al. (1980) und anderen, bei denen die Ergebnisse unabhängiger, detaillierter und exakter Feldexperimente zum
Test der Modelle nach den bekannten Prüfmethoden eingesetzt werden.

Erst dann kann der nächste Schritt getan werden, nämlich die Vereinfachung und Zusammenfassung von Modellen zu Kombinationsmodellen oder
integrierenden Modellen, die dann schließlich einmal das Rückgrat eines effektiven Managements im Pflanzenschutz bilden können.

5.3.2 Integrierende Modelle

Schon frühzeitig hat VANDERPLANK (1972) darauf hingewiesen, daß bei
allen Bemühungen um die Entwicklung dynamischer Modelle und Simulatoren als Grundlage für die Erarbeitung von Prognoseverfahren nicht übersehen werden darf, daß es bei den Beziehungen zwischen Erreger, Wirt
und Umwelt um die Interaktionen zwischen komplexen Systemen geht, die
nur aus einer umfassenden Analyse des Agroökosystems als Ganzes heraus
voll zu verstehen sind. Wenn auch eine der Aufgaben der Systemanalyse
in der Epidemiologie darin zu sehen ist, die ablaufenden epidemiologischen Prozesse in ihren Beziehungen zu biometeorologischen Faktoren
zu quantifizieren, so muß doch berücksichtigt werden, daß während dieser Prozesse substantielle Veränderungen auftreten, die in der Physio-
logie der Wirtspflanzen liegen. Gerade beim Entwurf von Simulatoren
für die praktische Anwendung müssen daher die wechselseitigen Beziehungen zwischen der Entwicklung der Krankheitserreger und der Entwicklung
der Pflanzenbestände in die Überlegungen einbezogen werden (RIJSDIJK,
1980). Die meisten Modelle, wie sie bisher beschrieben wurden, sind
zwar zu relativ verläßlichen Instrumenten für die Voraussage der wahrscheinlichen epidemischen Entwicklung oder des möglichen Epidemiebeginns geworden, ihr Wert als Mittel zur quantitativen Abschätzung des
tatsächlichen Schadens ist jedoch begrenzt. Hier bietet sich die Entwicklung von Kombinationsmodellen oder integrierenden Modellen an, d.h.
von Modellen, welche die Dynamik der Krankheitsentwicklung in das Gesamtsystem der Wachstums- und Ertragsbildungsprozesse des Pflanzenbestandes integrieren. Ansätze hierzu wurden für verschiedene Kulturen
und einige Schädlinge und Krankheiten bereits erarbeitet, so z.B. von
RABBINGE (1976), RABBINGE et al. (1981), RABBINGE und RIJSDIJK (1983),
doch sind in der Literatur bisher noch zu wenige solcher integrierenden Modelle zu finden, obwohl auf der anderen Seite eine Reihe von Simulationsmodellen zum Energie-, Wasser- und Stoffhaushalt und zur Produktivität von Pflanzenbeständen existiert, die sich für eine solche
Integration anbieten würden.

Das hauptsächliche Ziel der integrierenden Kombinationsmodelle ist es,
eine tiefere Einsicht in das Wirkungsgefüge zu erhalten, mit dem die
Krankheitserreger Einfluß auf Wachstum und Produktivität von Kulturen
nehmen. Dabei geht es weniger darum, zu einem kompletten Verständnis
aller Wirkungen und Wechselwirkungen zu kommen, sondern vielmehr darum,
diejenigen Kenntnisse des physiologischen Hintergrundes der miteinander
vernetzten Prozesse zu verarbeiten, die notwendig sind, um zu einer
für die Praxis des landwirtschaftlichen Managements realistischen Einschätzung der Gefährdung des Ertragsbildungsprozesses durch Krankheiten und ihre Erreger zu kommen. Allzu umfassende erklärende Modelle
wären hierfür nur schlecht geeignet, müssen aber die Grundlage bilden,
von der aus sich durch Sensitivitätsanalysen vereinfachte Modellsysteme für den Anwendungsbereich entwickeln lassen. In den meisten Fällen
reichen dann solche Modelle aus, um zu realistischen Abschätzungen der
durch Pflanzenkrankheiten möglichen Ertragsverluste zu kommen und Entscheidungen zu treffen, ob und mit welchen Maßnahmen diesen Verlusten
zu begegnen ist, die im Zusammenhang mit ökonomischen Überlegungen je
nach der individuellen Situation durchaus unterschiedlich sein können.
Dies ergibt sich schon daraus, daß die Art der Beziehungen zwischen
Pflanzenbestand und Krankheitserregern im Laufe der vegetativen und
generativen Entwicklung sehr unterschiedlich sein kann, wobei der quantitative wie der qualitative Ertragsverlust davon abhängt, auf welchem
Wege die Erreger in den Wachstums- und Ertragsbildungsprozeß eingreifen, zumal ja nicht nur eine, sondern mehrere Krankheiten u.U. gleichzeitig zu berücksichtigen sind.

Kombinationsmodelle und integrierende Modellsysteme können selbstverständlich nicht mehr als Prognoseverfahren auf biometeorologischer
Grundlage im Sinne dieses Kapitels bezeichnet werden, obwohl natürlich meteorologische Parameter im Wirkungsgefüge des Gesamtkomplexes
eine nicht unbedeutende Rolle spielen. Es wird daher hier nicht näher
auf solche Modellkonzeptionen eingegangen, sondern auf die auch eingangs bereits erwähnte einschlägige Literatur verwiesen. Es sei jedoch
an dieser Stelle noch an einem Beispiel kurz erläutert, wie mit Hilfe
von Modellen ein System zur Vorhersage und Bekämpfung von Pflanzenkrankheiten und Schädlingen aufgebaut werden kann. Hierzu wird das von
RABBINGE und RIJSDIJK (1983) vorgestellte Modellsystem mit dem Namen
EPIPRE (EPIdemic PREvention) herangezogen, zumal es als Vorbild für die
in neuerer Zeit verstärkten Bemühungen um die Entwicklung von Systemen
des integrierten Pflanzenschutzes dienen kann, in denen auch die biometeorologischen Aspekte eine bestimmte Rolle spielen. Zudem führen

die mit diesem System in der Praxis gemachten Erfahrungen bzw. die daraus gezogenen Schlußfolgerungen auf einige anwendungstechnische Probleme bei Prognose- und Warnsystemen auf biometeorologischer Grundlage, auf die im dann folgenden Kapitel noch aufmerksam gemacht werden soll.

Das zunächst nur für Winterweizen entwickelte System EPIPRE verfolgt das Ziel, neueste epidemiologische Erkenntnisse über eine Reihe wichtiger Schädlinge und Krankheiten und die daraus erarbeiteten Simulationsmodelle einzusetzen, um einerseits durch Reduzierung des Pflanzenschutzmittelverbrauchs das Kosten-Nutzen-Verhältnis in der Weizenproduktion günstiger zu gestalten und andererseits durch Verzicht auf unnötige und ökonomisch nicht relevante chemische Behandlungen den ökologischen Gefahren des Einsatzes von Pestiziden und Fungiziden zu begegnen.

Kernstück des Systems ist eine von einem Zentralrechner verwaltete Datenbank, die von jedem einzelnen Weizenschlag alle wichtigen Daten wie Lage, Bodencharakteristik, Bodenbehandlung, Saatzeit, Düngung, Unkrautbesatz, Herbizideinsatz usw. und natürlich auch Beobachtungen über Krankheiten und Schädlinge speichert. Aufgrund entsprechender Meldungen der angeschlossenen Landwirte wird diese Datenbank stets auf dem aktuellsten Stand gehalten. Alle Informationen und Daten gehen ein in ein für jeden Schädling und jede Krankheit separates Verfahren der Entscheidungsfindung, das zu der Empfehlung führt, entweder innerhalb einer bestimmten Zeit eine neue Beobachtung zu machen, oder bis zu einem bestimmten Zeitpunkt eine Bekämpfungsmaßnahme durchzuführen oder auf jeglichen Eingriff zu verzichten. Grundlage dieses Verfahrens der Entscheidungsfindung sind erklärende Simulationsmodelle für die Dynamik der Krankheitsentwicklung, die mit Hilfe von Sensitivitätsanalysen vereinfacht wurden und natürlich auch meteorologische Parameter enthalten. Die Prognosen gehen jeweils vom aktuellen Stand des betreffenden Feldes aus. Dies bedeutet, daß die Vorhersagen von Feld zu Feld durchaus unterschiedlich sein können, da je nach Entwicklungsstand, vorausgegangenen Maßnahmen, Wettersituation etc. der Input natürlich unterschiedlich ist.

Der entscheidende Wert dieses hier nur sehr grob und unvollständig beschriebenen Systems liegt nun nicht nur darin, daß in ihm verschiedene Simulationsmodelle und Prognoseverfahren integriert sind, sondern vor allem darin, daß ein ständiger Daten- und Informationsfluß zwischen Zentralrechner und praktizierendem Landwirt erfolgt, der letzteren in

die Lage versetzt, zu jeder Zeit die seiner speziellen Situation ge-
mäße, ökonomisch optimale Entscheidung individuell zu fällen.

Die Autoren halten es für möglich, daß das zur Zeit noch auf einen Zentralrechner angewiesene System EPIPRE künftig auch in ein Softwarepaket
für Mikrocomputer zur direkten Benutzung durch den einzelnen Landwirt
selbst gebracht werden kann. Dabei gäbe es die Möglichkeit, über eine
automatische Datenerfassung auch die besonderen mikrometeorologischen
Bedingungen in den einzelnen Pflanzenbeständen laufend zu messen und
entsprechend zu berücksichtigen. Wenn dies auch technisch durchaus re-
alisierbar sein dürfte, so ist es doch nicht ganz so unproblematisch,
wie es auf den ersten Blick erscheinen mag. Hierauf wird u.a. noch im
folgenden Kapitel einzugehen sein.

6 PROBLEME DER INFORMATIONSVERARBEITUNG IM ANWENDUNGSBEREICH

Die Bemühungen um die Aufklärung der Zusammenhänge zwischen Pflanzenkrankheiten und biometeorologischen Faktoren haben neben der Vertiefung wissenschaftlicher Erkenntnisse letztendlich das Ziel, durch geeignete Informationssysteme Entscheidungshilfen für den praktischen
Pflanzenschutz anzubieten. Die sich hieraus ergebende Frage der Informationsverarbeitung und des Informationsflusses, die bereits im vorangegangenen Abschnitt kurz berührt wurde, stellt in Bezug auf den Bereich der Anwendung ein vielschichtiges Problem dar, das sowohl tech-
nischer als auch organisatorischer Natur ist. Die aus biometeorologisch-epidemiologischen Beziehungen heraus entwickelten Prognoseverfahren stützen sich organisatorisch gesehen in der Regel auf das Netz
meteorologischer Stationen der amtlichen Wetterdienste, die häufig
nicht nur die als Eingangsgrößen benötigten Meßwerte liefern, sondern
diese selbst zu Epidemieprognosen verarbeiten und der Landwirtschaft
bzw. den Organisationen des Pflanzenschutzes zur Verfügung stellen.

Der vom Deutschen Wetterdienst unterhaltene PHYTPROG-Dienst zur Bekämpfung der Kartoffelkrautfäule ist ein typisches Beispiel hierfür. Er
basiert auf der in Abschnitt 5.2.2.1 ausführlich dargestellten Negativprognose und verarbeitet in einer Großrechenanlage die Meßwerte von
rund 80 über die Bundesrepublik Deutschland verteilten Wetterstationen
zu wöchentlichen Kartendarstellungen, die den Pflanzenschutzdienst-
stellen der Länder die geographische Verteilung der jeweils aktuellen
Situation hinsichtlich der wahrscheinlich epidemiefreien Zeit bzw. ihres voraussichtlichen Endes anzeigen und sie zu entsprechenden War-
nungen oder Empfehlungen an die Landwirtschaft veranlassen (FREITAG,
1974). Ähnlich arbeitet der ebenfalls vom Deutschen Wetterdienst herausgegebene CERCPROG-Dienst zur Bekämpfung des Getreidehalmbruchs (Abschnitt 5.2.2.2), wobei jedoch für jede Station der ständig aktuali-
sierte Kurvenverlauf der witterungsbedingten Infektionswahrscheinlichkeit dargestellt und wöchentlich übermittelt wird. Von ähnlicher Form
ist der Warndienst in Großbritannien, der nach GWYNNE (1983) zwar in

enger Kooperation mit den regionalen Organisationen des Pflanzenschutzes durchgeführt wird, dessen Basis aber ebenfalls das Netz der synoptischen Stationen des amtlichen Wetterdienstes ist.

Wie von SCHRÖDTER (1983) an einer Reihe von Beispielen gezeigt wurde, liegen die Probleme bei dieser Form der Informationsverarbeitung weniger darin, daß nicht die für die Erregerentwicklung an sich maßgebenden mikrometeorologischen Bedingungen die Eingangsgrößen bilden, sondern Messungen aus 2 m Höhe, denn vielfach sind die verwendeten Prognoseregeln oder Modelle schon auf die Verwendung solcher Standardmessungen abgestellt. Zudem werden zahlreiche Pilzkrankheiten durch Witterungsbedingungen begünstigt, bei denen ohnehin die Differenzen zwischen Makro- und Mikroklima nur gering sind. Die Probleme liegen vielmehr darin, daß zum einen die Stationsnetze zu weitmaschig sind und daher regionale Differenzierungen und lokale Charakteristiken nicht erfassen können, daß sie aber zum anderen in der Regel ja nicht nach landwirtschaftlichen, sondern nach rein synoptischen Gesichtspunkten aufgebaut und verteilt sind. Ihre Meßergebnisse sind daher u.U. nicht ausreichend repräsentativ, und dies gilt insbesondere natürlich für orographisch stärker gegliederte Regionen. Die Kartenform des oben schon genannten PHYTPROG-Dienstes kann dies nur recht grob ausgleichen. Die Verdichtung der Netze durch die Einbeziehung nebenamtlicher Stationen scheitert in der Regel daran, daß deren instrumentelle Ausstattung die von der Modellseite her zu stellenden Forderungen meist nicht erfüllen kann.

Eine Lösung dieses Problems bietet sich an mit einem Netz von automatischen Stationen, wie es z.B. nach PRIMAULT (1983) in der Schweiz eingerichtet wurde. Diese Stationen sind über Datenleitungen zur fortlaufenden Informationsverarbeitung mit einem Zentralrechner verbunden, der entsprechend dem Modell der Negativprognose programmiert ist. Dabei ist das Programm so aufgebaut, daß nicht nur wöchentliche Informationen wie im Falle des genannten PHYTPROG-Dienstes, sondern tägliche Informationen per Telex an die Benutzer gegeben werden und diese in die Lage versetzen, die epidemiologischen Gegebenheiten entsprechend ihrer speziellen Situation einzuschätzen und individuell zu reagieren. Die Betriebssicherheit dieses Netzes automatischer Stationen ist von CALAME (1983) über eine Reihe von Jahren untersucht und eingehend analysiert worden. Dabei ergab sich, daß bei sehr sorgfältiger Wartung sowohl der Meßfühler als auch der Elektronik die Rate der Informationsausfälle unter 1% gehalten werden kann.

Angesichts der fortgeschrittenen Technik der Mikroprozessoren liegt natürlich der Gedanke nahe, elektronische, für eine bestimmte Pflanzenkrankheit nach einem entsprechenden Modell programmierte Warngeräte zu konstruieren, die dem Praktiker selbst in die Hand gegeben werden können. In der Bundesrepublik Deutschland ist z.B. für die Bekämpfung des Apfelschorfs schon seit längerer Zeit ein handliches Gerät in Gebrauch, das nach der einfachen Millsschen Regel arbeitet. Für den gleichen Zweck wurde in Frankreich ein elektronisches Interface entwickelt, mit dem es möglich ist, die dort üblicherweise benutzten Thermohygrographen zu automatischen Meßwertgebern umzurüsten, die für die Prognose des Auftretens des Apfelschorfs geeignet sind (PINGUET, 1983). Nach Berichten von OLIVIER et al. (1983) und GENDRIER (1983) haben sich diese Geräte in verschiedenen Obstanbaugebieten offensichtlich gut bewährt. Für das in den USA verwendete und von KRAUSE et al. (1975) entwickelte rechnergestützte Prognoseverfahren BLITECAST haben MACKENZIE und SCHIMMELPFENNIG (1978) einen Mikrocomputer entwickelt, der als Ablösung für den von der Pennsylvania State University mit dem dortigen Großrechner durchgeführten und zu kostenintensiven Krautfäulewarndienst gedacht ist und dank seiner stabilen Form und technischen Zuverlässigkeit für den Feldeinsatz bei den Farmern selbst geeignet sein soll. Ein ähnliches Warngerät, das auf der Basis der Negativprognose arbeitet, ist vom Österreichischen Forschungszentrum Seibersdorf entwickelt worden (SCHMIDT und EISENWANGER, 1985). Als Beispiel für ähnliche Geräte dieser Art sei seine Arbeitsweise hier kurz erläutert.

Das Warngerät METEODAT-L besteht aus einer ventilierten Kleinwetterhütte und einem Kleinrechner als Auswerteteil. Es ist ausgestattet mit einem Temperaturfühler und einem Taupunktfühler sowie zwei vergoldeten Printplatten als Niederschlagsmelder, die nach dem Prinzip der Widerstandsmessung arbeiten und deren Ansprechschwelle so gewählt ist, daß sie etwa 0,1 mm Niederschlag entspricht. Die Stromversorgung der Elektronik erfolgt durch Solarzellen mit Pufferbatterie, die des Ventilators und des wahlweise anschließbaren Druckers durch eine 12-Volt-Batterie, so daß das Gerät netzunabhängig arbeiten kann. Die Abfrage der Meßfühler erfolgt alle 10 Minuten, jeweils nach einer Ventilatorvorlaufzeit von drei Minuten. Zur Verrechnung nach dem Prognosemodell werden die Stundenmittel verwendet. Der Benutzer selbst kann durch Setzen von Datum und Uhrzeit den Beginn der Berechnung entsprechend dem von ihm in seinem Gebiet beobachteten Zeitpunkt des Aufgangs der Kartoffeln bestimmen. Die Prognosedaten können abgelesen oder aufgezeichnet werden. Ferner kann eine zusätzliche Warneinrichtung ange-

schlossen werden, die bei Überschreiten des maßgebenden und individuell
einstellbaren Schwellenwertes durch einen Relaiskontakt aktiviert wird.

Mit ersten praktischen Einsätzen dieses Gerätes in Österreich wurden
nach SCHIESSENDOPPLER (1984) recht gute Erfahrungen gemacht. Mehrjährige Untersuchungen an verschiedenen Standorten in der Bundesrepublik
Deutschland im Rahmen eines Forschungsprojektes zu Fragen der Bedeutung
des Mikroklimas als Komponente des integrierten Pflanzenschutzes haben
nach SCHIFF (1986) jedoch gezeigt, daß der Einsatz solcher Warngeräte
auch bei einer durch sorgfältige Wartung zu erreichenden hohen Betriebssicherheit nicht ganz unproblematisch ist. Dies resultiert vor allem
aus der Art der verwendeten Feuchtefühler. Im Falle der Negativprognose mit dem in der Modellkonzeption festgeschriebenen Grenzwert von 90%
Luftfeuchtigkeit haben spezielle Untersuchungen hierzu gezeigt, daß
unterschiedliche, aber jeweils durchaus wissenschaftlich anerkannte
Meßmethoden der relativen Luftfeuchtigkeit einen erheblichen Einfluß
auf die Berechnung der sogenannten Bewertungsziffern haben, was zu oft
nicht mehr zu vertretenden Unterschieden im prognostizierten Termin für
das Ende der epidemiefreien Zeit führen kann. Ein ähnliches Problem ergibt sich übrigens auch aus der Aufstellungshöhe. Ist wie im Falle der
Negativprognose das zugrunde liegende Modell auf Messungen in der üblichen Normalhöhe von 2 m abgestellt, so sind Versuche, durch Aufstel-
lung des Gerätes im Pflanzenbestand das Mikroklima zu berücksichtigen,
als nicht sinnvoll abzulehnen, da sie zwangsläufig zu prognostisch
nicht verwertbaren Ergebnissen führen müssen.

Andere Verhältnisse liegen dann vor, wenn wie bei dem oben in Abschnitt
5.2.2.2 behandelten Prognosemodell für den Getreidehalmbruch die grundlegenden Untersuchungen auf Messungen im Bestand basieren, in diesem
Fall also z.B. auf den Daten eines von WEIHOFEN und WOEHL (1981) entwickelten und relativ preiswerten Mikrocomputers, der speziell für den
Einsatz im Pflanzenbestand gedacht ist. Allerdings stellt sich hier
allgemein noch die Frage, wie weit bei automatischen Warngeräten die
Berücksichtigung des Mikroklimas eine echte Verbesserung in der Aussage
zu bringen vermag. Das Problem hierbei liegt ja darin, daß praktisch
nur an einem Punkt gemessen wird, von dem vorausgesetzt werden muß,
daß er repräsentativ für den gesamten Pflanzenbestand ist. Diese Voraussetzung ist aber kaum zu erfüllen, da ein Pflanzenbestand niemals
hinreichend homogen ist. Vielmehr kann man oft sogar davon ausgehen,
daß wegen der Inhomogenität die horizontalen Unterschiede im Mikroklima sich in ähnlicher Größenordnung bewegen werden wie die Differenzen

zwischen Bestand und 2 m Höhe, so daß Messungen im Bestand nur dann repräsentativ sein können, wenn sie als Mittel mehrerer zufällig verteil-
ter Meßpunkte erfaßt werden, was einen für die Praxis wohl nicht mehr
vertretbaren technischen und finanziellen Aufwand bedeuten würde.

Mit dem finanziellen Aufwand ist schließlich noch ein weiteres Problem
angeschnitten, das nicht unbeachtet bleiben kann. Bei Intensivkulturen
wie im Obst- oder Weinbau haben automatische Warngeräte, die auf die
Prognose einer speziellen Krankheit programmiert sind, sicher eine gewisse Berechtigung, da sich die Anschaffungskosten relativ rasch amor-
tisieren werden. Bei extensiv bewirtschafteten landwirtschaftlichen
Kulturen ist die Situation jedoch zweifellos eine andere. Hier läßt
sich der finanzielle Aufwand nur dann rechtfertigen, wenn ein solches
System Warnhinweise für mehrere Krankheiten und dies u.U. auch noch
gleichzeitig zu liefern vermag. Technisch ist dies durchaus realisier-
bar, da bei vielen Krankheiten die für die Prognosemodelle erforderlichen Eingangsgrößen die gleichen sind oder sich auf die gleichen reduzieren lassen, zumindest was die biometeorologischen Parameter angeht,
so daß schließlich nur unterschiedliche Programme zu verarbeiten sind,
was dann nur noch eine Frage der Rechnerkapazität ist. Ein Beispiel
hierfür wurde von SPARKS und WASS (1983) mit dem in Großbritannien entwickelten Automaten CDEM (Crop Disease Environment Monitor) vorgestellt,
auf den hier wegen seiner durchaus interessanten Konzeption noch kurz
eingegangen werden soll.

Das auf der Basis eines von PAINTING und PETTIFER (1981) entwickelten
Mikroprozessors arbeitende netzunabhängige System CDEM nimmt die Meßwerte von Sensoren für Temperatur, Feuchtigkeit, Niederschlag, Benetzung und Wind in Abständen von 20 Minuten auf und verarbeitet sie in
unterschiedlichen Rechenprogrammen nach vereinfachten Prognoseregeln
für zur Zeit sechs verschiedene Pflanzenkrankheiten, und zwar in der
Weise, daß das Ergebnis der Berechnungen in Form von Risikostufen aus-
gegeben wird. Der Benutzer hat zu jeder Zeit die Möglichkeit, über ein
Display wahlweise das Ergebnis der ihn interessierenden Pflanzenkrankheiten abzurufen und sich zusätzliche Daten über einzelne meteorologische Parameter nach freier Wahl ausgeben zu lassen.

Eine zweijährige Testphase mit diesem System verlief in Bezug auf die
Betriebssicherheit recht erfolgreich, wenngleich sich auch hier zeigte,
daß vor allem die Feuchtigkeitsmessungen gelegentlich Probleme aufwer-
fen. SPARKS und WASS (1983) betonen jedoch, daß die Brauchbarkeit des

Systems weniger von einzelnen technischen Unzulänglichkeiten abhängt, als vielmehr von der Güte der Programme für die Erfassung der biometeorologisch-epidemiologischen Beziehungen. Die Speicherkapazität von CDEM reicht gegenwärtig zwar noch nicht aus, um auch kompliziertere Simulationsmodelle zu verarbeiten, angesichts der raschen Weiterentwicklung der Mikroprozessortechnik dürfte hierin aber kein unlösbares Problem liegen. Die bereits oben erwähnte Möglichkeit des Ausbaus eines so erfolgreichen und optimalen Informationssystems wie das in Abschnitt 5.3.2 genannte System EPIPRE zu einem vollautomatischen und relativ kostengünstigen und benutzerfreundlichen System ist daher wohl schon in absehbarer Zeit gegeben. Ohne Zweifel beginnt sich hier ein Wandel in der Informationsverarbeitung und Prozeßsteuerung abzuzeichnen, der vor allem für den integrierten Pflanzenschutz als besonders positiv zu bewerten ist.

Bei dem hohen Leistungs- und Qualitätsstandard, den die Landwirtschaft
vor allem in den hochindustrialisierten Ländern erreicht hat, können
sich Ertragseinbrüche als Folge des Auftretens von Schadorganismen
besonders gravierend auswirken, weil mit steigendem Ertragsniveau die
Verluste durch Pflanzenkrankheiten absolut gesehen zunehmen. Der Pflanzenschutz besitzt daher bei den Bemühungen um die Erhaltung und Verbesserung dieses Leistungsstandards ohne Zweifel einen hohen Stellenwert. Dabei darf allerdings nicht übersehen werden, daß die gezielte
Anwendung chemischer Pflanzenschutzmittel durchaus auch mit unerwünsch-
ten Nebenwirkungen verbunden sein kann, denen dann u.U. wiederum mit
Maßnahmen pflanzenbaulicher Art begegnet werden muß. Andererseits können auch pflanzenbauliche Maßnahmen, die zur Leistungsverbesserung und
Produktivitätssteigerung eingesetzt werden, parasitäre Schäden fördern
und das Anbaurisiko vergrößern. HEITEFUSS (1981) hat eindringlich darauf hingewiesen, daß gerade auf dem Gebiet des chemischen Pflanzenschutzes der in den vergangenen Jahrzehnten erzielte Fortschritt durchaus seine zwei Seiten hat. Dies beweisen Probleme wie die Resistenz-
entwicklung der Schadorganismen gegen Pflanzenschutzmittel, die uner-
wünschte Breitenwirkung gegen indifferente Organismen und Nützlinge,
die Rückstandsbildung und andere. Es gilt heute als gesicherte Erkenntnis, daß zuverlässige Methoden der Befalls- und Schadensprognose, die
auf die Berücksichtigung biometeorologisch-epidemiologischer Beziehungen nicht verzichten können, unerläßliche Voraussetzung sind für den
dringend notwendigen Übergang von prophylaktischen Bekämpfungsmaßnahmen nach dem Versicherungsprinzip zu einem ökonomisch vertretbaren und
ökologisch unbedenklichen Pflanzenschutz.

Fortschritte in dieser Richtung sind, wie die Entwicklung der letzten
Jahrzehnte gezeigt hat, nur über eine umfassende Ökosystemanalyse und
in einer interdisziplinären Zusammenarbeit zu erreichen, in welche die
Wissenschaftler der unterschiedlichsten Fachrichtungen ihre Gedanken,
Vorstellungen und Arbeitsmethoden einbringen müssen. Welche wissen-

schaftlichen Anstrengungen nötig und welche Probleme zu lösen sind,
um auch unter dem Gesichtspunkt des Pflanzenschutzes zu einer solchen
Systemanalyse zu kommen, läßt sich kaum besser ausdrücken, als dies
bereits VANDERPLANK (1972, S. 117) im Rahmen seiner Ausführungen zu
den Zukunftsstrategien des Pflanzenschutzes getan hat mit den Worten
".....*With a sequence of pictures from satellites; with aerial photo-
graphs on special film; with ground surveys recording data quantita-
tively; with accurate weather forecasts; with knowledge (obtained both
in the field and laboratory) of how environmental factors and changes
affect the pathogen, the host, and the infection processes; with knowledge of air movements and the various patterns of spore dispersal by
air and water; with knowledge of the host plants, their resistance,
how weather influences them, and how they influence the ecoclimate;
with maps showing the distribution, shape, and size of fields; with
knowledge of the pathogen, its races, their abundance, virulence, and
aggressiveness in the appropriate environments - with all this, with
models to coordinate it and computers to digest it, one hopes the eco-
system could be better analyzed, host resistance better evaluated, and
applications of chemicals better timed.....*".*

Die richtige Terminierung von Pflanzenschutzmaßnahmen auf der Basis von
Epidemieprognosen ist ohne Zweifel von erheblicher ökonomischer Bedeutung. NORTON und CONWAY (1977) haben bei ihren Analysen der Wirt-
schaftlichkeit des Pflanzenschutzes nach Methoden der Entscheidungs-
theorie darauf hingewiesen, daß die Lösung des zwangsläufig zwischen
Risikominimierung und Ertragsmaximierung bestehenden Konflikts davon
abhängt, wie weit der Landwirt in der Lage ist, die möglichen Gefähr-
dungen der Kulturen abzuschätzen. Daß hierbei den Prognoseverfahren
und damit auch der Biometeorologie im Pflanzenschutz eine wesentliche
Bedeutung zukommt, ist kaum noch zu bestreiten, wie sich an einigen
Beispielen leicht zeigen läßt.

Schon FREITAG (1974) hatte unter durchaus realistischen Annahmen geschätzt, daß eine mit Hilfe der Negativprognose der Kartoffelkrautfäule
erzielte Einsparung einer einzigen Behandlung auf nur 40% der Kartoffelanbaufläche der Bundesrepublik Deutschland einen Gewinn von 6 Mio. DM
ergeben würde. Diesem stehen Kosten des PHYTPROG-Dienstes von rund
70.000 DM gegenüber, was einer Kosten-Nutzen-Relation dieser biometeorologischen Methode von 1:86 entspricht. Daß dieser Schätzung eine
gewisse Gültigkeit zukommt, haben die differenzierten Untersuchungen

von FUNCH (1974) und FUNCH und HEITEFUSS (1976) zur Frage der ökonomischen Schadensschwelle bei der Kartoffelkrautfäule gezeigt.

Die Bedeutung biometeorologisch begründeter Epidemieprognosen wird
noch deutlicher, wenn man in Vergleichsversuchen unter praxisnahen
Bedingungen einen auf der Basis der Prognose gezielten Pflanzenschutz-
mitteleinsatz der konventionellen Behandlung nach dem Versicherungsprinzip gegenüberstellt. Ein Beispiel hierfür ist den Berichten von
SCHÖBER (1984, 1985) und SCHIFF (1986) zu entnehmen, das sich ebenfalls auf die Bekämpfung der Kraut- und Knollenfäule der Kartoffel bezieht. Hier wurde auf einem Teil der Anbaufläche nach der früher allgemein üblichen Methode verfahren, d.h. vorsorgliche Fungizidspritzung
kurz vor dem Reihenschluß der Bestände und danach vier bis fünf weitere Behandlungen in regelmäßigen Abständen. Auf einem anderen Teil der
Anbaufläche wurde die Bekämpfung ausschließlich nach Maßgabe des Prognoseverfahrens durchgeführt. Die Ergebnisse von drei Versuchsjahren
zeigten, daß bei praktisch gleichem Ertrag bis zu vier Spritzungen pro
Jahr durch die Beachtung der Prognose eingespart werden konnten, was
einen erheblichen wirtschaftlichen Vorteil bedeutete.

Wesentlicher an dem Ergebnis dieses wie zahlreicher anderer Beispiele
ist neben dem wirtschaftlichen Vorteil jedoch der ökologische Aspekt,
der in der Reduzierung der insgesamt aufgewendeten Wirkstoffmenge liegt.
Allein in der Bundesrepublik Deutschland stieg der Verbrauch an Pflanzenschutzmitteln von 19.675 t im Jahre 1971 auf 32.600 t im Jahre 1984.
Daß eine solche Entwicklung zu erheblichen Belastungen der Umwelt führen muß, läßt sich heute nicht mehr bezweifeln. Aus dieser Erkenntnis
heraus haben sich vor allem im letzten Jahrzehnt die Bemühungen um die
Erarbeitung von Systemen des integrierten Pflanzenschutzes verstärkt.

Nach der Definition der FAO werden unter einem System des integrierten
Pflanzenschutzes Verfahren verstanden, bei denen alle wirtschaftlich,
ökologisch und toxikologisch vertretbaren Methoden verwendet werden,
um Schaderreger unter die wirtschaftliche Schadensschwelle zu bringen,
wobei die bewußte Ausnutzung aller natürlichen Begrenzungsfaktoren im
Vordergrund steht. Diese Definition umfaßt alle Mittel und Methoden
zur Niederhaltung von Pflanzenkrankheiten, d.h. Kulturverfahren ebenso
wie chemische, physikalische, biotechnische und biologische Verfahren,
die in ihrer Kombination zu Systemen des integrierten Pflanzenschutzes
eine ökonomisch wie ökologisch optimale Anpassung der Abwehrmaßnahmen
ermöglichen (KRANZ, 1977). Dabei spielen Prognosemodelle unter Berück-

sichtigung biometeorologisch-epidemiologischer Beziehungen eine wichtige Rolle (SCHUHMANN, 1971, 1979), da mit ihrer Hilfe der Aufwand an chemischen Mitteln nachhaltig reduziert werden kann. Dies ist insofern wesentlich, als gerade bei den durch parasitische Pilze verursachten Krankheiten noch auf lange Sicht ein völliger Verzicht auf den Einsatz chemischer Mittel ausgeschlossen ist (SCHUHMANN, 1980). Voraussetzung für die Einführung von Systemen des integrierten Pflanzenschutzes in den landwirtschaftlichen Produktionsprozeß ist jedoch eine umfassende Kenntnis der Strukturen und Interaktionen in Agro-Ökosystemen, da nur aus dem Wissen um die vielfältigen Verknüpfungen der biotischen und abiotischen Faktoren die Dynamik des epidemischen Geschehens voll verstanden werden kann. In ihrem Beitrag zur Vertiefung dieser Kenntnisse liegt die wissenschaftliche Bedeutung der Biometeorologie innerhalb der Epidemiologie und ihre ökonomische und ökologische Relevanz für die Problematik des Pflanzenschutzes.

LITERATUR

Analytis S (1973) Zur Methodik der Analyse von Epidemien, dargestellt am Apfelschorf (*Venturia inaequalis* (Cooke) Aderh). Acta Phytomedica 1:1-76

Analytis S (1977) Über die Relation zwischen biologischer Entwicklung und Temperatur bei phytopathogenen Pilzen. Phytopath Z 90:64-76

Analytis S (1980) Obtaining of sub-models for modeling the entire life cycle of a pathogen. Z Pflanzenkrankh 87:371-382

Analytis S, Thanassoulopoulos C (1978) Modeling of temperature dependent processes of phytopathogenic fungi and parameters controlling the course of the related temperature-response curves. Abstr 3rd Int Congr Plant Path München, 326

Aoki Y, Akai S, Kimura T (1960) Resistance of conidia of some plant pathogenic fungi to low temperature. Shokubutsu Byogai Kenkyu Kyoto 7:1-6

Aust HJ (1975) Wirkung präinokulativer Anzuchtbedingungen auf Keimung, Infektion, Inkubationszeit und Sporulation des Gerstenmehltaus (*Erysiphe graminis* DC f sp *hordei* Marchal). Phytopath Z 82:326-332

Aust HJ (1981) Über den Verlauf von Mehltauepidemien innerhalb des Agro-Ökosystems Gerstenfeld. Acta Phytomedica 7:1-76

Aust HJ, Bashi E, Rotem J (1980) Flexibility of plant pathogens in exploiting ecological and biotic conditions in the development of epidemics. In: Palti J, Kranz J (eds): Comparative epidemiology, a tool for better disease management. Pudoc Wageningen, 46-56

Aust HJ, Hau B (1983) Die Latenzzeit von *Septoria nodorum* in Abhängigkeit von der onthogenetisch bedingten Anfälligkeit des Sommerweizens. Z Pflanzenkrankh 90:55-62

Aust HJ, Hau B, Kranz J (1983) Epigram, a simulator of barley powdery mildew. Z Pflanzenkrankh 90:244-250

Aust HJ, Hau B, Mogk M (1978) Wirkung von Temperatur und Konidiendichte auf die Variabilität der Inkubationszeit des Gerstenmehltaus. Z Pflanzenkrankh 85:581-585

Ayesu-Offei EN, Carter MV (1971) Epidemiology of Leaf Scald of Barley. Aust J agric Res 22:383-390

Aylor DE, Taylor GS, Raynor GS (1982) Long-range transport of tobacco blue mold spores. Agric Meteorol 27:217-232

Bailey NTJ (1957) The Mathematical Theory of Epidemics. Griffin, London

Barnett HL, Lilly VG (1950) Influence of nutritional and environmental factors upon asexual reproduction of *Choanephora cucurbitarum* in culture. Phytopathology 40:80-89

Barrett EW, Herndon LR (1951) An improved electronic dew point hygrometer. J Meteorology 8:40-51

Bashi E, Aust HJ (1980) Quality of spores produced in cucumber powdery mildew compensates for their quantity. Z Pflanzenkrankh 87:594-599

Beaumont A (1947) The dependence on the weather of the dates of outbreak of potato blight epidemics. Trans Brit mycol Soc 31:45-53

Behrendt S (1976) Über die Notwendigkeit zur Entwicklung eines Pflanzenschutzmittels. BASF-Mitt Landbau 3-76:5-20

Behrendt S (1980) Pflanzenbehandlungsmittel, essentielle Bausteine leistungsfähiger Pflanzenproduktion zum Nutzen von Produzenten und Verbrauchern. Chemie in der Landwirtschaft. Verlag Wissenschaft und Politik, Köln, 229-248

Benson DM (1982) Cold inactivation of *Phytophthora cinnamomi*. Phytopathology 72:560-563

Bingham C (1961) Distributions of weekly averages of diurnal temperature means and ranges about harmonic curves. Monthly Weather Review 89:357-367

Bloc D, Gay JP, Gouet JP (1983) Influence de la température sur le développement du mais. EPPO Bull 13:163-169

Blunck H (1929) Die Erforschung epidemischer Pflanzenkrankheiten auf Grund der Arbeiten über die Rübenfliege. Z Pflanzenkrankh 39:1-28

Boguslavskaja NV, Gurevich BI, Filippov AV (1983) (Mathematisch-statistische Analyse der Bedingungen beim Braunfäulebefall der Kartoffeln)(russ). Dokl vses Akad sel'skochoz Nauk i V I Lenina No 6:18-19

Bonde MR, Melching JS (1979) Effects of dew-period temperature on sporulation, germination of conidia, and systemic infection of maize by *Peronosclerospora sacchari*. Phytopathology 69:1084-1086

Bortels H (1942) Über Beziehungen zwischen epidemiologischem und meteorologischem Geschehen unter besonderer experimenteller Berücksichtigung der Inhibinwirkung. Zentralbl Bakteriol II 104:289-325

Bortels H (1950) Mikrobiologischer Beitrag zur Klärung der Ursachenfrage in der Meteorobiologie. Arch Mikrobiol 14:450-508

Bortels H, Massfelder D, Wedler E (1964) Schwankungen der Befallsstärke von *Phytophthora infestans* (Mont) de Bary an Tomatenpflanzen im Vergleich mit Änderungen des Luftdrucks. Phytopath Z 50:69-79

Bourke PMA (1957) The use of synoptic weather maps in potato blight epidemiology. Irish Meteorol Serv Techn Note No 23:1-35

Bourke PMA (1959) Modern meteorology and epidemiology of plant diseases. Proc IV Int Congr Crop Protection Hamburg, Vol 1:169-174

Bourke PMA (1968) Meteorological influences of the epidemiology of potato blight (*Phytophthora infestans*). Proc Regional Training Seminar Agrometeorology, Agric Univ Wageningen, 57-67

Bourke PMA (1970) Use of weather information in the prediction of plant disease epiphytotics. Ann Rev Phytopathol 8:345-370

Bowden J, Gregory PH, Johnson CG (1971) Possible wind transport of coffee leaf rust across the Atlantic Ocean. Nature 229:500-501

Bretschneider-Herrmann B, Langerfeld E (1971) Untersuchungen über Beziehungen zwischen CCC-Behandlung und Septoria-Befall bei Sommerweizen unter klimatisch kontrollierten Bedingungen. Z Acker- u Pflanzenbau 133:137-156

Brown JS, Kellock AW, Paddick RG (1978) Distribution and dissimination of *Mycosphaerella graminicola* (Fuckel) Schroeter in relation to the epidemiology of speckled leaf blotch of wheat. Aust J agric Res 29:1139–1145

Burleigh JR, Eversmeyer MG, Roelfs AP (1972) Development of linear equations for predicting wheat leaf rust. Phytopathology 62:947–953

Burleigh JR, Romig RW, Roelfs AP (1969) Characterization of wheat rust epidemics by numbers of uredia and numbers of urediospores. Phytopathology 59:1229–1237

Butt DJ, Royle DJ (1974) Multiple Regression Analysis in the Epidemiology of Plant Diseases. In: Kranz J (ed): Epidemics of Plant Diseases, Mathematical Analysis and Modeling. Ecological Studies 13, Springer, Berlin Heidelberg New York, 78–114

Calame F (1983) Le réseau météorologique automatique suisse; expérience pratique. EPPO Bull 13:39–41

Carefoot GL, Sprott ER (1967) Famine on the Wind: Man's Battle against Plant Disease. Rand McNally, Chicago, 53–201

Carter MV (1963) *Mycosphaerella pinodes* II. The phenology of ascospore release. Aust J Biol Sci 16:800–817

Carter MV, Banyer RJ (1964) Periodicity of basidiospore release in *Puccinia malvacearum*. Aust J Biol Sci 17:801–802

Carter MV, Moller WJ, Pady SM (1970) Factors affecting uredospore production and dispersal in *Tranzschelia discolor*. Aust J agric Res 21:905–914

Carter MV, Yap ASJ, Pady SM (1970) Factors affecting uredospore liberation in *Puccinia antirrhini*. Aust J agric Res 21:921–925

Choisnel E, Payen D (1981) Étude de l'interception d'eau par le capitule du tournesol. Concept de modélisation et vérification. Inf techn CETIOM 75:7–10

Christensen JJ (1942) Long distance dissimination of plant pathogens. In: Aerobiology, Amer Assoc Advancem Science, 78–87

Close RC, Moar NT, Tomlinson AJ, Lowe AD (1978) Aerial Dispersal of Biological Material from Australia to New Zealand. Int J Biometeorol 22:1–19

Coakley StM, Line RF (1981) Climatic variables that control development of stripe rust disease on winter wheat. Clim Change 3:303–315

Cochrane VW (1958) Physiology of fungi. John Wiley Sons, New York

Cohen M, Yarwood CE (1952) Temperature response of fungi as a straight line transformation. Plant Physiol 27:634–638

Cohen Y (1977) The combined effects of temperature, leaf wetness and inoculum concentration on infection of cucumbers with *Pseudoperonospora cubensis*. Can J Bot 55:1478–1487

Cohen Y, Eyal H (1980) Effects of light during infection on the incidence of downy mildew (*Pseudoperonospora cubensis*) on cucumbers. Physiol Plant Pathol 17:53–62

Colhoun J (1973) Effects of environmental factors on plant diseases. Ann Rev Phytopathol 11:343–364

Cook WC (1921) Studies on the flight of nocturnal Lepidoptera. Rep St Ent Minn No 18:43–56

Cowan MC, Zadoks JC (1973) Relations between soil water potential and disease in wheat seedlings infected by *Puccinia recondita*. Neth J Plant Path 79:1-4

Cramer H (1967) Pflanzenschutz und Welternte. Pflanzenschutznachrichten Bayer Nr 20

Crosier W (1934) Studies in the biology of *Phytophthora infestans* (Mont) de Bary. Cornell Univ Agric Exp Stat Mem 155

Crown PH (1977) Alfalfa sickness study, a preview. Proc 6th Meeting Agric Working Group Canad Adv Comitee Remote Sensing, Edmonton, Alberta, 42-43

Crüger G (1974) Starkes Auftreten des Falschen Mehltaus (Erreger: *Pseudoperonospora cubensis* (Berk & Curt) Rostow) an Hausgurkenkulturen im Rheinland. Nachrichtenbl Dtsch Pflanzenschutzd 26:145-148

Cruikshank JAM (1963) Environment and sporulation in phytopathogenic fungi IV. Aust J Biol Sci 16:88-98

Dannecker HW (1985) Die regionalen witterungsbedingten Entwicklungschancen von *Phytophthora infestans* nach meteorologischen Messungen aus sieben Jahren. Z Pflanzenkrankh 92:337-345

Darles M (1980) Modélisation des épidemies de rouille brune sur blé tendre. Mémoire de fin d'études ENSAT, Toulouse

Davies RR (1961) Wettability and the capture, carriage and deposition of particles by raindrops. Nature 191:616-617

Davis DR, Hughes JE (1970) A new approach to recording the wetting parameter by the use of electrical resistance sensors. Plant Dis Reptr 54:474-479

Davis JM, Main CE (1984) A regional analysis of the meteorological aspects of the spread and development of blue mold on tobacco. Boundary Layer Meteorol 28:271-304

De Weille GA (1960) Blister blight (*Exobasidium vexans*) in tea and its relationship with environmental conditions. Neth J Agric Sci 8:183-210

De Weille GA (1963a) An analysis of the variability of the germinative power of conidia in a number of fungi belonging to the Peronosporales. Neth J Plant Path 69:115-131

De Weille GA (1963b) Laboratory results regarding potato blight and their significance in the epidemiology of blight. Eur Potato J 6:121-130

Diercks R (1966) Die meteorologischen Grenzen bei Voraussage einer Halmbruch-Epidemie unter besonderer Berücksichtigung der Verhältnisse in Süddeutschland. Z Pflanzenkrankh 73:117-137

Dirks VA, Romig RW (1970) Linear models applied to variation in numbers of cereal rust spores. Phytopathology 60:246-251

Duben J, Fehrmann H (1979) Vorkommen und Pathogenität von Fusariumarten an Winterweizen in der Bundesrepublik Deutschland. II. Vergleich der Pathogenität als Erreger von Keimlings-, Halmbasis- und Ährenkrankheiten. Z Pflanzenkrankh 86:705-728

Eckhardt H, Steubing L, Kranz J (1984) Untersuchungen zur Infektionseffizienz, Inkubations- und Latenzzeit beim Gerstenmehltau *Erysiphe graminis* f sp *hordei*. Z Pflanzenkrankh 91:590-600

Ehrenpfordt V, Kuntzsch E (1979) Beziehungen zwischen Halmbruchkrankheit (*Pseudocercosporella herpotrichoides* (Fron) Deighton), Standort und Witterung, Intensivierungsfaktoren und Ertrag im spezialisierten Getreideanbau (Untersuchungen in zwei Getreideanbauversuchen). Arch Acker- u Pflanzenbau Bodenkde 23:625-633

Englert G, Mangstl A, Bergermeier J, Reiner L (1983) Möglichkeiten einer frühzeitigen Befallsprognose der Spelzenbräune (*Septoria nodorum*) bei Weizen. BASF-Mitt Landbau 1-83:1-79

Eversmeyer MG, Burleigh JR (1970) A method of predicting epidemic development of wheat leaf rust. Phytopathology 60:805-811

Eversmeyer MG, Burleigh JR, Roelfs AP (1973) Equations for predicting wheat stem rust development. Phytopathology 63:348-351

Fehrmann H, Weihofen U (1982) Untersuchungen zur Epidemiologie von *Pseudocercosporella herpotrichoides* in Wintergerste. Phytopath Z 104:60-77

Fischer E, Gäumann E (1929) Biologie der pflanzenbewohnenden parasitischen Pilze. Gustav Fischer, Jena

Fitt BDL (1983) Evaluation of Samplers for Splash-dispersed Fungus Spores. EPPO Bull 13:57-61

Fitt BDL, Bainbridge A (1983) Dispersal of *Pseudocercosporella herpotrichoides* Spores from Infected Wheat Straw. Phytopath Z 106:214-225

Foister CE (1929) Relation of weather to plant diseases. Conf Empire Meteorol Agr Sec HMSO, London, 1-50

Førsund E (1983) Late Blight Forecasting in Norway 1957-1980. EPPO Bull 13:255-258

Fortak H (1957) Staubtransporte über staubaktiver Erdoberfläche. Z Meteorol 11:19-27

Fournet J (1971) Études sur les conditions d'infection des feuilles de Tomate par le *Phoma destructiva* Plowr. Ann Phytopath 3:215-231

Franquin P (1983) Ajustement des cycles de développement des cultivars à la période climatique fréquentielle de végétation. EPPO Bull 13:157-161

Freitag E (1974) Die Phytophthora-Negativ-Vorhersage, ein in Kartenform erscheinender agrarmeteorologischer Warndienst. Abh 1.Geograph Inst FU Berlin 20:75-86

Funch UChr (1974) Untersuchungen über ökonomische Schadensschwellen für Kraut- und Knollenfäule, Unkräuter und Viruskrankheiten im Kartoffelbau. Dissertation Univ Göttingen

Funch UChr, Heitefuss R (1976) Untersuchungen über ökonomische Schadensschwellen für Kraut- und Knollenfäule (*Phytophthora infestans*) im Kartoffelbau. Z Pflanzenkrankh 83:705-729

Gallegly ME, Walker JC (1949) Relation of environmental factors to bacterial wilt of tomato. Phytopathology 39:936-946

Gendrier JP (1983) Mise en oeuvre d'un réseau d'information des risques de tavelure en moyenne vallée du Rhône par la mesure et l'utilisation raisonnée de facteurs climatiques. EPPO Bull 13:315-320

Gerbier N, Lobregat Ch (1981) Résultats de la modélisation de l'épidémiologie de sclerotinia sur tournesol. Inf techn CETIOM 75:11-18

Gheorghies C (1975/76) (Verbreitungsgebiet von *Septoria tritici* und *S. nodorum* in Rumänien und die Beeinflussung durch die ökologischen Bedingungen)(rum). Lucr stiint Inst agron Bucuresti, Hortic, Ser A 18/19:35-42

Gillespie TJ (1972) A simple index of southern leaf blight activity in corn computed from temperature and leaf wetness observations near Guelph, Ontario. Can J Plant Sci 52:671-673

Gilligan CA (1985) Advances in Plant Pathology, Vol 3: Mathematical Modelling of Crop Diseases. Academic Press, London

Grace E, Ford ED, Jarvis P (1981) Plants and their atmospheric environment. Blackwell Scientific Publications, Oxford

Gregory PH (1945) The dispersal of air-borne spores. Trans Brit mycol Soc 28:26-72

Gregory PH (1952) Fungus Spores. Trans Brit mycol Soc 35:1-18

Gregory PH (1961) The microbiology of the atmosphere. Interscience, New York

Gregory PH (1968) Interpreting plant disease dispersal gradients. Ann Rev Phytopathol 6:189-212

Gregory PH (1973) The Microbiology of the Atmosphere. 2nd Ed. Leonard Hill, London

Gregory PH, Guthrie EJ, Bunce ME (1959) Experiments on splash dispersal of fungus spores. J gen Microbiol 20:328-354

Grosse-Brauckmann G, Stix E (1968) Kontinuierliche Bestimmungen des Pollen- und Sporengehaltes der Luft. Ber Dtsch Bot Ges 81:528-534

Gullach CB, Wallin JR (1970) A suggested relationship between sugar beet leaf spot and upper-air flow patterns. Int J Biometeorol 14:349-355

Gutsche V, Kluge E (1983) Phyteb-Prognose, ein neues Verfahren zur Prognose des Krautfäuleauftretens (*Phytophthora infestans* Mont. de Bary). Nachrichtenbl Pflanzenschutzd DDR 37:45-48

Gwynne DC (1983) Disease Intelligence and its Role in Disease Forecasting. EPPO Bull 13:245-247

Häckel H (1984) Zur Messung der Benetzungsdauer von Pflanzen: Verfahren und Ergebnisse. Meteorol Rdsch 37:97-104

Hassebrauk K (1966) Untersuchungen über die physiologische Spezialisierung des Weizenschwarzrostes (*Puccinia graminis tritici*) im Jahre 1964. Nachrichtenbl Dtsch Pflanzenschutzd 18:69-73

Hassebrauk K (1967a) Der Nachweis pathogen abweichender Biotypen in Weizenschwarzrostrassen und die sich daraus ergebenden Folgerungen. Nachrichtenbl Dtsch Pflanzenschutzd 19:60-62

Hassebrauk K (1967b) Zur Epidemiologie des Schwarzrostes in Mitteleuropa. Phytopath Z 60:169-176

Hassebrauk K, Röbbelen G (1975) Der Gelbrost *Puccinia striiformis* West. IV. Epidemiologie - Bekämpfungsmaßnahmen. Mitt Biol Bundesanst 164

Hau B, Aust HJ, Kranz J (1983) Problems in Modelling Powdery Mildew Epidemics. EPPO Bull 13:259-262

Hau B, Kranz J, Schrödter H (1981) Zum Konzept der Konditionalprognose. Mitt Biol Bundesanst 203:304

Heitefuss R (1981) Aufgaben und Ziele phytomedizinischer Forschung. Mitt Biol Bundesanst 203:54-60

Hirst JM (1954) A method for recording the formation and persistence of water deposits on plant shoots. Quart J Roy Meteor Soc 80:227-231

Hirst JM (1957) A simplified surface-wetness recorder. Plant Pathology 6:57-61

Hirst JM (1961) The aerobiology of *Puccinia graminis* uredospores. Trans Brit mycol Soc 44:138-139

Hirst JM, Hurst GW (1967) Long-distance spore transport. In: Gregory PH, Monteith JL (eds): Airborne Microbes. Cambridge University Press, 307-344

Hirst JM, Stedman OJ (1963) Dry liberation of fungus spores by raindrops. J gen Microbiol 33:335-344

Höflich G, Steinbrenner K (1980) Einfluß der Beregnung auf den Befall mit Fußkrankheiten bei Weizen, Gerste und Roggen. Nachrichtenbl Pflanzenschutzd DDR 34:113-115

Hogg WH, Hounam CE, Mallin AK, Zadoks JC (1969) Meteorological factors affecting the epidemiology of wheat rusts. WMO Techn Note 99:1-143

Hyre RA (1954) Progress in forecasting late blight of potato and tomato. Plant Dis Reptr 38:245-253

Hyre RA (1955) Three methods of forecasting late blight of potato and tomato in northeastern United States. Am Potato J 32:362-371

Illner K (1957) Über den Einfluß von Windschutzpflanzungen auf die Unkrautverbreitung. Angew Meteorol 2:370-373

Ingold CT (1953) Dispersal in fungi. Clavendon Press, Oxford

Ingold CT (1960) Dispersal by Air and Water. The Take-Off. In: Horsfall JG, Dimond AE (eds): Plant Pathology - An Advanced Treatise, Vol III. Academic Press, New York London, 137-168

Ingold CT, Cox VJ (1955) Periodicity of spore discharge in *Daldinia*. Ann Bot 19:201-209

Jahn E (1943) Über die Vorherbestimmung des ersten Spritztermins beim Apfelschorf nach der Temperatursummenregel. Die kranke Pflanze 20:57-63

Janisch E (1925) Über die Temperaturabhängigkeit biologischer Vorgänge und ihre kurvenmäßige Analyse. Pflügers Archiv 209:414-436

Janisch E (1928) Die Lebens- und Entwicklungsdauer der Insekten als Temperaturfunktion. Z wiss Zoologie 132:176-186

Jeger MJ, Butt DJ (1983) The Effects of Weather during Perennation on Epidemics of Apple Mildew and Scab. EPPO Bull 13:79-85

Jowett D, Browning JA, Cournoyer-Haning B (1974) Non-linear Disease Progress Curves. In: Kranz J (ed): Epidemics of Plant Diseases. Mathematical Analysis and Modeling. Springer, Berlin Heidelberg New York, 115-136

Kato H (1974) Epidemiology of rice plant disease. Rev Plant Protect Res 7:1-20

Kendrick JB, Walker JC (1948) Predisposition of Tomato to Bacterial Canker. J agric Res 77:169-186

Kessler OW (1939) Der Tauschreiber Kessler-Fuess. Bioklim Beibl 6:23-26

Klose A (1974) Untersuchungen zur Epidemiologie und Prognose von Mehltau (*Erysiphe graminis f sp hordei*) an Sommergerste. Dissertation TU München

Kluge E, Gutsche V (1983) Ein neues Verfahren der Phytophthora-Prognose zur Optimierung der Spritztermine. Feldwirtschaft 24:109-111

Kluge E, Lücke W (1984) Erfahrungen bei der Einführung des Prognosemodells Phytophthora im Jahre 1983. Nachrichtenbl Pflanzenschutzd DDR 38:95-98

Kranz J (1968) Eine Analyse von annuellen Epidemien pilzlicher Parasiten. Phytopath Z 61:59-86, 171-190, 205-217

Kranz J (1974) Epidemics of Plant Diseases. Mathematical Analysis and Modeling. Springer, Berlin Heidelberg New York

Kranz J (1977) Die Entwicklung von Pflanzenschutzsystemen. Mitt Biol Bundesanst 178:85-97

Kranz J, Mogk M, Stumpf A (1973) EPIVEN - ein Simulator für Apfelschorf. Z Pflanzenkrankh 80:181-187

Kraus A (1981) Biologische Aspekte als Grundlage für die Prognose bei *Pseudoperonospora humuli* an Hopfen. Mitt Biol Bundesanst 203:147

Krause RA, Massie LB (1975) Predictive Systems: Modern Approaches to Disease Control. Ann Rev Phytopathol 13:31-47

Krause RA, Massie LB, Hyre RA (1975) Blitecast: a computerized forecast of potato late blight. Plant Dis Reptr 49:95-98

Kremheller HTh, Diercks R (1983) Epidemiologie und Prognose des Falschen Mehltaus (*Pseudoperonospora humuli*) an Hopfen. Z Pflanzenkrankh 90:599-616

Krüger W (1966) Untersuchungen zur Beeinflussung der Apothezien-Entwicklung von *Sclerotinia sclerotiorum* (Lib) de Bary. Nachrichtenbl Dtsch Pflanzenschutzd 28:129-135

Lamarque C (1978) Conditions nécessaires à la contamination des capitules de tournesol par *Sclerotinia sclerotiorum*. Proc 8th Int Sunflower Conf, Minneapolis

Lamarque C (1983) Conditions climatiques nécessaires à la contamination du tournesol par *Sclerotinia sclerotiorum*; prévision des épidémies locales. EPPO Bull 13:75-78

Lamarque C, Rapilly F (1981) Conditions nécessaires à la contamination du tournesol par les ascospores de *Sclerotinia sclerotiorum* (Lib) de Bary. Application à la prévision des épidémies locales. Inf Techn CETIOM 75:4-6

Large EC (1953) Potato blight forecasting investigation in England and Wales 1950-52. Plant Pathology 2:1-15

Lessmann H (1948) Eine Methode zur Voraussage des Blühbeginns bei den Obstgehölzen. Wetter und Klima 1:172-175

Lomas J (1983) Negative Disease Forecasting, Prediction of the Disease-free Period of Irrigated Potatoes. EPPO Bull 13:249-253

Longrée K (1939) The effect of temperature and relative humidity on the powdery mildew of roses. Cornell Univ Agric Exp Stat Bull 223:1-34

Mackenzie DR, Schimmelpfennig HG (1978) Development of a Microcomputer Unit for Forecasting Potato Late Blight using the Pennsylvania State University's Blitecast System (abstr). Am Potato J 55:384-385

Martin WH (1923) Late blight of potatoes and the weather. New Jersey Agric Exp Stat Bull 384:1-23

Massie LB (1973) Modeling and simulation of southern leaf blight disease of corn caused by race T of *Helminthosporium maydis* Nisik &Miyake. PhD Thesis, The Pennsylvania State University

Maurin G (1983) Application d'un modèle d'état potentiel d'infection à *Plasmopara viticola*. EPPO Bull 13:263-269

McCartney HA, Bainbridge A, Aylor DE (1983) The Importance of Wind
    Gusts in Distributing Fungal Spores among Crop Foliage. EPPO Bull
    13:133-137

Mielke JL (1943) White pine blister rust in western North America.
    Yale University, School of Forestry Bull 52:1-155

Miller J (1973) Genetic Erosion: Crop Plants Threatened by Government
    Neglect. Science 181:1232

Miller PR, O'Brien M (1952) Plant disease forecasting. Bot Rev 18:
    547-601

Miller PR, O'Brien M (1957) Prediction of plant disease epidemics.
    Ann Rev Microbiol 11:77-110

Mills WD, La Plante AA (1954) Diseases and insects in the orchard.
    Apple Scab Cornell Ext Bull 711:20-27

Molot B, Agulhon R, Boniface JC (1983) Application d'un modèle à la
    lutte contre *Botrytis cinerea* sur vigne. EPPO Bull 13:271-276

Monteith JL (1978) Grundzüge der Umweltphysik. Steinkopff, Darmstadt

Müller KO, Haigh JC (1953) Nature of field resistance of the potatoes
    to *Phytophthora infestans* de Bary. Nature 171:781-783

Müller W (1983) Modifications of Meteorological Elements within Winter
    Wheat Canopies. EPPO Bull 13:21-25

Nagarajan S, Hardev S, Joshi LM, Saari EE (1976) Meteorological con-
    ditions associated with long distance dissemination of *Puccinia
    graminis tritici* uredospores in India. Phytopathology 66:198-203

Nagarajan S, Seiboldt G, Kranz J (1982) Utility of weather satellites
    in monitoring cereal rust epidemics. Z Pflanzenkrankh 89:276-281

Norton GA, Conway GR (1977) The economic and social context of pest,
    disease and weed problems. In: Cherrett JM, Sagar GR (eds) Origins
    of Pest, Parasite, Disease and Weed Problems. Blackwell Scientific
    Publications, Oxford London Edinburgh Melbourne

Nouallet J (1981) Études sur les situations météorologiques favorables
    au développement du Sclerotinia. Inf Techn CETIOM 75:19-30

Oestergaard SP, Henriksen JB (1983) (Kartoffelknollenfäulen nach der
    Ernte bei verschiedenen Bodentemperaturen)(dän). T Planteavl
    87:111-117

Olivier JM, Lambert C, Lefeuvre M (1983) Application du thermohumecto-
    graphe KIT-INRA. Étude des risques de tavelure du pommier à
    l'échelle du Maine-et-Loire (France). EPPO Bull 13:47-56

Painting DJ, Pettifer REW (1981) A crop disease environment monitor.
    WMO Instrum Obs Methods Rep 9:289-291

Palti J, Kranz J (1980) Comparative epidemiology. A tool for better
    disease management. Pudoc, Wageningen

Pauvert P, Fournet J, Rapilly F (1970) Dissémination d'un inoculum
    fongique par des gouttes d'eau; influence de la morphologie des
    fructifications. Ann Phytopath 2:43-53

Pavlova TV, Sanin SS (1982) (Der Einfluß der Solarstrahlung auf die
    Lebensfähigkeit der Uredosporen des Weizenbraunrostes)(russ).
    Mikol i Fitopatol 16:211-214

Payen D (1983) Modélisation de l'épidémiologie de *Sclerotinia sclero-
    tiorum* sur tournesol. EPPO Bull 13:277-281

Pedgley DE (1982) Windborne pests and diseases (Meteorology of air-
   borne organisms). Ellis Horwood Ltd, Chichester

Pedro MJ jr (1983) Effects of Meteorological Factors on the Development of Coffee Leaf Rust. EPPO Bull 13:153-155

Pinguet A (1983) Mesure de l'humectation: transformation d'un thermo-
   hygrographe en thermohumectographe et application à une station
   automatique agroclimatique. EPPO Bull 13:43-45

Polley RW, King JE (1973) A Preliminary Proposal for the Detection
   of Barley Mildew Infection Periods. Plant Pathology 22:11-16

Post JJ, Allison CC, Burckhardt H, Preece TF (1963) The influence of
   weather conditions on the occurence of apple scab. WMO Techn Note
   55:1-41

Post JJ, Richel C (1951) De mogelijkheden tot reorganisatie van de
   waarschuwingsdienst voor aardappelziekte. Landbouwkdg Tijdschr
   63:77-95

Primault B (1983) Utilisation en temps réel des relevés du système
   automatique suisse d'acquisition de données météorologiques dans la
   lutte contre le mildiou de la pomme de terre. EPPO Bull 13:37-38

Rabbinge R (1976) Biological control of fruit-tree red spider mite.
   Simulation Monographs. Pudoc, Wageningen

Rabbinge R, Drees EM, Van der Graaf M, Verberne FCM, Wesslo A (1981)
   Damage effects of cereal aphids in wheat. Neth J Plant Path 87:
   217-232

Rabbinge R, Rijsdijk FH (1983) EPIPRE: a Disease and Pest Management
   System for Winter Wheat, taking Account of Micrometeorological
   Factors. EPPO Bull 13:297-305

Rabbinge R, Vereyken PH (1980) The effect of diseases or pests upon the
   host. Z Pflanzenkrankh 87:409-422

Radtke W, Maykuhs F, Hoppe J (1980) Bekämpfung der Halmbasiserkran-
   kungen im Winterweizen. Ergebnisse der Jahre 1973 bis 1977.
   Nachrichtenbl Dtsch Pflanzenschutzd 32:49-54

Ram B, Joshi LM (1979) Role of saturated atmosphere and temperature
   on infection and development of leaf blight of wheat. Indian
   Phytopathol 31:550-551

Rapilly F (1977) Réflexions sur les notions de propagule et d'unité
   de dissémination en épidémiologie végétale: cas des champignons
   parasites des organes aériens des plantes. Ann Phytopath 9:161-176

Rapilly F (1983) Effets de quelques facteurs physiques du climat sur
   diverses séquences épidémiques. EPPO Bull 13:63-68

Rapilly F, Foucault B (1976) Premières études sur la rétention des
   spores fongiques par des épidermes foliaires. Ann Phytopath 8:31-40

Rapilly F, Foucault B, Bonnet A (1975) Réalisation d'un appareil per-
   mettant l'étude au champ de la dispersion des spores de champignons par des gouttes d'eau; application à Kabatiella zeae, Septoria
   nodorum et Fusarium roseum. Ann Phytopath 7:45-50

Rapilly F, Fournet J, Skajennikoff M (1970) Études sur l'épidémiologie
   et la biologie de la rouille du blé Puccinia striiformis Westend.
   Ann Phytopath 2:5-31

Rapilly F, Laborie Y, Eschenbrenner P, Choisnel E, Lacroze F (1979)
   La Prévision du Piétin-verse sur Blé d'Hiver. Perspectives Agri-
   coles 23:30-40

Reschke M, Rieth G (1978) Fußkrankheiten an Winterroggen auf leichten Sandböden, biologische und betriebswirtschaftliche Auswirkungen einer chemischen Bekämpfung. Z Pflanzenkrankh 85:65-75

Richardson MJ (1980) The use of survey data to quantify and partition crop loss into its component causes. In: Crop Loss Assesment, Proc of the E C Stakman Commemorative Symposium. Agric Exp Stat Univ Minnesota, Misc Publs 7:176-185

Richardson MJ (1983) Crop Loss and Disease Incidence Classified by Climatic Parameters. EPPO Bull 13:87-95

Rijsdijk FH (1980) Systems analysis at the cross-road of plant pathology and crop physiology. Z Pflanzenkrankh 87:404-408

Röder K (1940) Über einen neuen Hanfschädiger *Didymella arcuata n sp* und seine Nebenfruchtformen. Phytopath Z 12:321-333

Rogozhin AN, Filippov AV (1983) (Verbreitung und Lebensfähigkeit der Sporangien von *Phytophthora infestans* (Mont) de Bary in der Atmosphäre über einem befallenen Kartoffelschlag)(russ). Mikol i Fitopatol 17:225-227

Rombakis S (1947) Über die Verbreitung von Pflanzensamen und Sporen. Z Meteorol 1:359-363

Rotem J (1978) Climatic and Weather Influences on Epidemics. In: Horsfall JG, Cowling FB (eds): Plant Diseases, An Advanced Treatise Vol 2. Academic Press, New York, 317-337

Rotem J, Palti J (1969a) Irrigation and plant diseases. Ann Rev Phytopathol 7:267-288

Rotem J, Palti J (1969b) Prediction of effects of overhead irrigation on air-borne plant diseases in rainless seasons. Ann Phytopath 1: 49-50

Rotem J, Palti J (1980) Epidemiological factors as related to plant disease control by cultural practices. In: Palti J, Kranz J (eds): Comparative epidemiology, A tool for better disease management. Pudoc Wageningen, 104-116

Rotem J, Palti J, Lomas J (1970a) Effects of Sprinkler Irrigation at Various Times of the Day on Development of Potato Late Blight. Phytopathology 60:839-843

Rotem J, Palti J, Lomas J (1970b) Epidemiology and forecasting of downy mildews and allied fungi in an arid climate, with and without the aid of irrigation. Volcani Inst Agric Res Bet Dagan, 4th Ann Rep Res Project No A 10-CR-69, 1-107

Rotem J, Reichert I (1964) Dew - A principal moisture factor enabling early blight epidemics in a semiarid region of Israel. Plant Dis Reptr 48:211-215

Rowe RC, Powelson RL (1973a) Epidemiology of Cercosporella Footrot of Wheat: Spore Production. Phytopathology 63:981-984

Rowe RC, Powelson RL (1973b) Epidemiology of Cercosporella Footrot of Wheat: Disease Spread. Phytopathology 63:984-988

Royle DJ (1973) Quantitative relationship between infection by the hop downy mildew pathogen *Pseudoperonospora humuli* and weather and inoculum factors. Ann appl Biol 73:19-30

Sakagami J (1962) On the Vertical Atmospheric Diffusion Close to the Ground. An Analysis of the Data of the Dispersion of Conidio-Spores. Natural Science Report Ochanomizu University 13:33-45

Sall MA (1980) Uses of stochastic simulation: grape powdery mildew example. Z Pflanzenkrankh 87:397-403

Sato N (1979) Effect of soil temperature on the field infection of potato tubers by *Phytophthora infestans*. Phytopathology 69:989-993

Schein RD (1963) Comments on the moisture requirements of fungus germination. Paper presented at Nato Advanced Study Institute Epidemiology and Biometeorology of Fungal Diseases of Plants, Pau (France)

Schiessendoppler E (1984) Die integrierte Bekämpfung der Kraut- und Knollenfäule unter Einsatz des Warngerätes METEODAT-L. Der Kartoffelbau 35:314-315

Schiff H (1986) Untersuchungen über die Bedeutung des Mikroklimas als Komponente des integrierten Pflanzenschutzes. Teilprojekt A: Pilzliche Schaderreger. Forschungsbericht AM/U 1, Deutscher Wetterdienst, ZAMF Braunschweig

Schiff H, Schrödter H (1984) Untersuchungen über die Treffsicherheit der Negativprognose zur zeitgerechten Bekämpfung der Kraut- und Knollenfäule der Kartoffel. Kali-Briefe 17:163-172

Schmidt J, Eisenwanger H (1985) Ein autonomes Meß- und Prognosesystem zur Erfassung der Auswirkungen des Kleinklimas auf Pflanzenbau und Pflanzenschutz. Int Dr Franz Sauberer Symposium 1984, Univ Bodenkultur Wien, 66-68

Schmidt W (1925) Der Massenaustausch in freier Luft und verwandte Erscheinungen. Probleme der kosmischen Physik VII, H Grand, Hamburg

Schneider B (1968) Anwendung verallgemeinerter Wechselwirkungskomponenten zum Studium der Witterungseinflüsse auf den Pflanzenertrag. Wiss Z Univ Leipzig, Mathem Naturwiss Reihe 17:287-293

Schöber B (1984) Probleme beim integrierten Pflanzenschutz im Kartoffelbau. Mitt Biol Bundesanst 221:60-62

Schöber B (1985) Pflanzenschutz im integrierten Kartoffelbau. Der Kartoffelbau 36:176-178

Schrödter H (1949) Über den Einfluß des Taus auf den Sporenaustritt von *Ascochyta pinodella*. Nachrichtenbl Dtsch Pflanzenschutzd (Berlin) 3:H 9/10

Schrödter H (1951) Über die Bedeutung des Mikroklimas für die Entwicklung parasitischer Pilze der Gattung Ascochyta (Erreger der Brennfleckenkrankheit der Erbse). Angew Meteorol 1:79-85

Schrödter H (1952a) Agrarmeteorologische Beiträge zu phytopathologischen Fragen mit besonderer Berücksichtigung der Bedeutung des Mikroklimas für Pflanzenkrankheiten. Abh Met Hydr Dienst DDR Nr 15, Akademie-Verlag, Berlin

Schrödter H (1952b) Über die Bedeutung klimatischer Faktoren für das Rutensterben der Himbeeren. Angew Meteorol 1:184-189

Schrödter H (1952c) Untersuchungen über die Temperatursummenregel an Hand der phänologischen Beobachtungen in Wernigerode 1854-1884. Angew Meteorol 1:225-234

Schrödter H (1952d) Untersuchungen über die Wirkung einer Windschutzpflanzung auf den Sporenflug und das Auftreten der Alternaria-Schwärze an Kohlsamenträgern. Angew Meteorol 1:154-158

Schrödter H (1952e) Zur phytopathologischen Problematik von Windschutzanlagen. Nachrichtenbl Dtsch Pflanzenschutzd (Berlin) 6:91-92

Schrödter H (1954) Die Bedeutung von Massenaustausch und Wind für die Verbreitung von Pflanzenkrankheiten. Ein Beitrag zur Epidemiologie. Nachrichtenbl Dtsch Pflanzenschutzd (Berlin) 8:166-172

Schrödter H (1959) Über die Anwendung eines Nomogramms zur Ermittlung und Darstellung der Temperatureinwirkung auf das Verhalten tierischer Schädlinge. Idöjárás 63:207-214

Schrödter H (1960) Dispersal by Air and Water - The Flight and Landing. In: Horsfall JG, Dimond AE (eds): Plant Pathology - An Advanced Treatise, Vol III. Academic Press, New York London, 169-227

Schrödter H (1964) Zur Theorie der Sporenverbreitung durch Luftströmungen unter besonderer Berücksichtigung von Keimfähigkeit und Sporengröße. Agric Meteorol 1:235-240

Schrödter H (1965) Methodisches zur Bearbeitung phytometeoropathologischer Untersuchungen, dargestellt am Beispiel der Temperaturrelation. Phytopath Z 53:154-166

Schrödter H (1983) Meteorological Problems in the Practical Use of Disease-forecasting Models. EPPO Bull 13:307-310

Schrödter H, Aust HJ (1978) An appraisal of the use of weather information in the control of plant disease epidemics. 3rd Int Congr Plant Pathology, München, Abstr 310

Schrödter H, Fehrmann H (1971) Ökologische Untersuchungen zur Epidemiologie von *Cercosporella herpotrichoides*. Phytopath Z 71:97-112, 203-222

Schrödter H, Hoffmann GM (1961) Der Einfluß der Witterung und des Mikroklimas auf den Befall des Leins durch *Polyspora lini* Laff. Zentralbl Bakteriol (II) 114:15-44

Schrödter H, Köhler H (1952) Untersuchungen über den Einfluß der Temperatur auf das Auftreten des Himbeerrutensterbens. Nachrichtenbl Dtsch Pflanzenschutzd (Berlin) 6:109-116

Schrödter H, Stoll K (1949) Untersuchungen über das Mikroklima in Ackerbohnenbeständen verschiedener Bestandsdichte und seinen Einfluß auf den Sporenaustritt von *Ascochyta pinodella* Jones. Nachrichtenbl Dtsch Pflanzenschutzd (Berlin) 3:H 5/6, H 7/8

Schrödter H, Ullrich J (1965) Untersuchungen zur Biometeorologie und Epidemiologie von *Phytophthora infestans* (Mont) de By auf mathematisch-statistischer Grundlage. Phytopath Z 54:87-103

Schrödter H, Ullrich J (1966) Weitere Untersuchungen zur Biometeorologie und Epidemiologie von *Phytophthora infestans* (Mont) de By. Ein neues Konzept zur Lösung des Problems der epidemiologischen Prognose. Phytopath Z 56:265-278

Schrödter H, Ullrich J (1967) Eine mathematisch-statistische Lösung des Problems der Prognose von Epidemien mit Hilfe meteorologischer Parameter, dargestellt am Beispiel der Kartoffelkrautfäule (*Phytophthora infestans*). Agric Meteorol 4:119-135

Schuhmann G (1971) Umweltschutzaufgaben im Bereich des Pflanzenschutzes. Nachrichtenbl Dtsch Pflanzenschutzd 23:65-68

Schuhmann G (1979) Zukunftsaussichten des integrierten Pflanzenschutzes. Umschau 79:303-311

Schuhmann G (1980) Die Pflanzenschutzgesetzgebung in Deutschland im Hinblick auf Anwender-, Verbraucher- und Umweltschutz. In: Chemie in der Landwirtschaft. Verlag Wissenschaft und Politik, Köln, 21-39

Schuphan I (1981) Untersuchungen zur Metabolisierung und Bilanzierung von Pflanzenschutzmitteln als Beitrag zum integrierten Pflanzenschutz. Mitt Biol Bundesanst 203:12-28

Schurer K, Van der Wal AF (1972) An electronic leaf wetness recorder. Neth J Plant Path 78:29-32

Sempio C (1963) Influence of different environmental factors on the incubation of some parasitic diseases from obligated fungi. Inst Patol Veget Univ Perugia, Fac Agraria, 1-11

Shaner GE, Peart RM, Newman JE, Stirm WL, Loewer OL (1972) A plant disease display model: an evaluation of the computer simulator EPIMAY for Southern Corn Leaf Blight in Indiana. Purdue Univ Agric Exp Stat Publ No RB-890, 1-15

Shaner GE (1981) Effect of environment on fungal leaf blights of small grains. Ann Rev Phytopathol 19:273-296

Sharp EL (1972) Relation of air ions to air pollution and some biological effects. Environ Pollut 3:227-239

Shriner DS, Cowling EB (1980) Effects of rainfall acidification on plant pathogens. In: Hutchinson ThC, Havas M (eds): Effects of acid precipitation on terrestrial ecosystems. Plenum Press, New York, 435-442

Shrum R (1975) Simulation of wheat stripe rust (*Puccinia striiformis* West) using EPIDEMIC a flexible plant disease simulator. Pennsylvania State University, Progress Report 347

Siebrasse G (1982) Zur Entwicklung eines mathematischen Modells für ein praxisgerechtes Halmbruchwarnsystem in Winterweizen. Dissertation Univ Göttingen

Siebrasse G, Fehrmann H (1986) Ein Modell zur praxisgerechten Bekämpfung des Erregers der Halmbruchkrankheit *Pseudocercosporella herpotrichoides* in Winterweizen. Z Pflanzenkrankh (im Druck)

Smith LP (1956) Potato blight forecasting by 90% humidity criteria. Plant Pathology 5:83-87

Smith LP, Davies RR (1973) Weather conditions and spore trap catches of barley mildew. Plant Pathology 22:1-10

Sparks WR, Wass SN (1983) Development of Equipment to observe the Weather and calculate Crop Disease Risk. EPPO Bull 13:27-31

Stedman OJ (1980) Splash droplet and spore dispersal studies in field beans (*Vicia faba* L). Agric Meteorol 21:111-127

Steinhauser F (1953) Buchbesprechung Agrarmeteorologische Beiträge zu phytopathologischen Fragen. Arch Met Geoph Klimatol Ser B 4:387-388

Stephan S (1978) Epidemiologische Grundlagen für ein Bekämpfungssystem des Gerstenmehltaus (*Erysiphe graminis* DC f sp *hordei*). In: Wetzel T (ed): Schaderreger in der industriemäßigen Getreideproduktion. Wiss Beitr Martin-Luther-Univ Halle-Wittenberg 14 (S 11):291-298

Stephan S (1980) Inkubationszeit und Sporulation des Gerstenmehltaus (*Erysiphe graminis* DC) in Abhängigkeit von meteorologischen Faktoren. Arch Phytopathol Pflanzenschutz 16:173-181

Stephan S (1982) Untersuchungen zum Einfluß meteorologischer Faktoren auf die Sporulation von *Phytophthora infestans* (Mont) de Bary an Kartoffeln. Arch Phytopathol Pflanzenschutz 18:415-422

Stephan S, Gutsche V (1980) Ein algorithmisches Modell zur Simulation der Phytophthora-Epidemie (SIMPHYT). Arch Phytopathol Pflanzenschutz 16:183-191

Stettiner M, Lomas J (1967) The effect of climate on the geographical distribution of downy mildew of grapevine in Isreal. Israel Meteorol Serv Agro-Met Rep 67/3

Sutton OG (1953) Micrometeorology. McGraw-Hill, New York

Taylor CF (1956) A device for recording the duration of dew deposits. Plant Dis Reptr 40:1025-1028

Teng PS (1981) Validation of computer models of plant disease epidemics: A review of philosophy and methodology. Z Pflanzenkrankh 88:49-63

Teng PS, Blackie MJ, Close RC (1980) Structure and validation of BARSIM-1, a simulation model of the barley leaf rust epidemic. Agric Systems 5:55-73, 85-103

Thurston HD, Knutson KW, Eide LJ (1958) The relation of late blight development on potato foliage to temperature and humidity. Am Potato J 35:397-406

Tverskoi DL, Kvanyuk NY, Gurevuch BI (1980) Effects of temperature and haulm moisture time of potato on the sporulation of *Macrosporium solani* Ell and Mart. Mikol i Fitopatol 14:62-65

Tyldesley JB, Thompson N (1980) Forecasting *Septoria nodorum* on winter wheat in England and Wales. Plant Pathology 29:9-20

Ullrich J (1957) Die Biologie und Epidemiologie von *Phytophthora infestans* (Mont) de By. Nachrichtenbl Dtsch Pflanzenschutzd 9:129-138

Ullrich J (1958) Die Tau- und Regenbenetzung von Kartoffelbeständen. Ein Beitrag zur Epidemiologie der Krautfäule (*Phytophthora infestans*). Angew Botanik 32:125-146

Ullrich J (1962) Beobachtungen über die Infektionsbedingungen während der Ausbreitung von *Phytophthora infestans* im Kartoffelfeld. Nachrichtenbl Dtsch Pflanzenschutzd 14:149-152

Ullrich J (1979) The Analysis of Annual Epidemics as a Prerequisite for Forecasting and Warning Services. EPPO Public Ser A No 57:121-130

Ullrich J, Krug H (1965) Der Einfluß von Tageslänge und Temperatur auf die relative Resistenz einiger Kartoffelsorten gegenüber *Phytophthora infestans* (Mont) de Bary. Phytopath Z 52:295-303

Ullrich J, Schrödter H (1966) Das Problem der Vorhersage des Auftretens der Kartoffelkrautfäule (*Phytophthora infestans*) und die Möglichkeit seiner Lösung durch eine Negativprognose. Nachrichtenbl Dtsch Pflanzenschutzd 18:33-40

Ullstrop AJ (1972) The Impacts of the Southern Corn Leaf Blight Epidemic of 1970 and 1971. Ann Rev Phytopathol 10:37-50

Utrata A (1980) Agrometeorological conditions determining the occurence of potato blight (*Phytophthora infestans* de Bary) in Poland. EPPO Bull 10:75-81

Vanderplank JE (1960) Analysis of Epidemics. In: Horsfall JG, Dimond AE (eds): Plant Pathology - An Advanced Treatise, Vol III. Academic Press, New York London, 229-289

Vanderplank JE (1963) Plant Diseases: Epidemics and Control. Academic Press, New York

Vanderplank JE (1972) Basic Principles of Ecosystems Analysis. In: Pest Control, Strategies for the Future. National Academy of Sciences, Washington DC, 109-118

Vanderplank JE (1975) Principles of Plant Infection. Academic Press, New York San Francisco London

Vanderplank JE (1984) Disease Resistance in Plants (2nd Ed). Academic Press, Orlando London

Van Eimern J (1964a) Zur Bestimmung der Schorfinfektionsperioden nach Mills. Der Erwerbsobstbau 6:23-26

Van Eimern J (1964b) Untersuchungen über das Klima in Pflanzenbeständen als Grundlage einer agrarmeteorologischen Beratung insbesondere für den Pflanzenschutz. Ber Dtsch Wetterdienst Nr. 96

Van Eimern J, Häckel H (1979) Wetter- und Klimakunde. Eugen Ulmer, Stuttgart

Van Everdingen (1926) Het verband tusschen de weersgesteldheid en de aardappelziekte (*Phytophthora infestans*). Tijdschr Plantenziekten 32:129-140

Vechet L (1980) Einfluß von Witterungsfaktoren auf Vorkommen der Halmbruchkrankheit (*Cercosporella herpotrichoides*). Ochr rostl 16:41-47

Waggoner PE (1960) Forecasting Epidemics. In: Horsfall JG, Dimond AE (eds): Plant Pathology – An Advanced Treatise, Vol III. Academic Press, New York London, 291-312

Waggoner PE (1965) Microclimate and Plant Disease. Ann Rev Phytopathol 3:103-126

Waggoner PE (1968) Weather and the Rise and Fall of Fungi. In: Lowry WP (ed): Biometeorology. Oregon State University Press, Corvallis, 45-66

Waggoner PE, De Wit CT (1974) Growth and development of *Helminthosporium maydis*. In: De Wit CT, Goudriaan J (eds): Simulation of ecological processes. Pudoc Wageningen, 99-123

Waggoner PE, Horsfall JG (1969) EPIDEM, A Simulator of Plant Disease Written for a Computer. Conn Agric Exp Stat Bull No 698

Waggoner PE, Horsfall JG, Lukens RJ (1972) EPIMAY, a simulator of southern corn leaf blight. Conn Agric Exp Stat Bull No 729

Wallin JR (1953) The production and survival of sporangia of *Phytophthora infestans* on tomato and potato plants in the field. Phytopathology 43:505-508

Wallin JR (1962) Summary of recent progress in predicting late blight epidemics in United States and Canada. Am Potato J 39:306-312

Wallin JR (1963) Dew, Its Significance and Measurement in Phytopathology. Phytopathology 53:1210-1216

Wallin JR (1964a) Texas, Oklahoma and Kansas Winter Temperatures and Rainfall, and Summer Occurence of *Puccinia graminis tritici* in Kansas, Dakotas, Nebraska, and Minnesota. Int J Biometeorol 7:241-244

Wallin JR (1964b) Summer Weather Conditions and Wheat Stem Rust in the Dakotas, Nebraska, and Minnesota. Int J Biometeorol 8:39-45

Wallin JR (1967) Agrometeorological aspects of dew. Agric Meteorol 4:85-102

Wallin JR (1972) Importance of Prediction and Prevention of Plant Diseases for World Food Production. Biometeorology 5 (II):53-61

Wallin JR, Riley JA (1960) Weather map analysis – An aid in forecasting potato late blight. Plant Dis Reptr 44:227-234

Wallin JR, Waggoner PE (1950) The influence of climate on the development and spread of *Phytophthora infestans* in artificially inoculated potato plots. Plant Dis Reptr Suppl 190:19-33

Walter H, Lieth H (1966) Klimadiagramm-Weltatlas. S Fischer, Jena

Wang CS (1936) *Sclerospora graminicola* on Millet in Minnesota. Phytopathology 26:462-464

Ward SV, Manners JG (1974) Environmental effects on the quantity and viability of conidia produced by *Erysiphe graminis*. Trans Brit mycol Soc 62:119-128

Watt KEF (1961) Mathematical models for use in insect pest control Canadian Entomologist 93, suppl 19

Weihofen U, Woehl R (1981) A low-cost multi-purpose data acquisition device based on a microprocessor. Agric Meteorol 24:111-116

Weiss A, Hipps LE, Blad BL, Steadman JR (1980) Comparison of within-canopy microclimate and white mold disease (*Sclerotinia sclerotiorum*) development in dry edible beans as influenced by canopy structure and irrigation. Agric Meteorol 22:11-21

Weltzien HC (1978) Geophytopathology. In: Horsfall JG, Cowling EB (eds): Plant Disease - An Advanced Treatise. Academic Press, New York, 339-358

Weltzien HC (1981) Geographical distribution of downy mildews. In: Spencer EM (ed): The Downy Mildews. Academic Press, London, 31-43

Weltzien HC (1983) Climatic Zoning and Plant Disease Potential - Examples from the Near and Middle East. EPPO Bull 13:69-73

Weston WH (1924) Nocturnal production of conidia by *Sclerospora graminicola*. J agric Res 27:771-784

Winters R, Small CG (1934) An automatic moisture-recording device. Phytopathology 24:284-288

Wollkind DJ, Logan JA, Berryman AA (1978) Asymptotic Methods for Modeling Biological Processes. IIASA Pest Management Network Working Paper Series Vol I:1-26

Wong DH, Barbetti MJ, Sivasitham-Param K (1984) Effects of soil temperature and moisture on the pathogenicity of fungi associated with root rot of subterranean clover. Aust J agric Res 35:675-684

Wulf K, Schauz K (1983) Investigation on the light dependence of smut spore germination in *Ustilago maydis*. Z Pflanzenkrankh 90:495-499

Yarwood CE (1934) The diurnal cycle of *Erysiphe polygoni*. PhD Thesis University of Wisconsin

Yarwood CE (1937) The relation of light to the diurnal cycle of sporulation of certain downy mildews. J agric Res 54:365-373

Yarwood CE (1943) Onion downy mildew. Hilgardia 14:595-691

Yarwood CE (1952) Guttation due to leaf pressure favors fungus infections. Phytopathology 42:520

Yarwood CE (1977) Heat and cold induced retention of inoculum by leaves. Phytopathology 67:1259-1261

Zadoks JC (1965) Epidemiology of Wheat Rusts in Europe. FAO Plant Protect Bull 13:97-108

Zadoks JC (1967a) An inhibitory effect of light on the infection by brown leaf rust of wheat. Neth J Plant Path 73:52-54

Zadoks JC (1967b) International dispersal of fungi. Neth J Plant Path 73:61-80

Zadoks JC (1971) Systems analysis and the dynamics of epidemics. Phytopathology 61:600-610

Zadoks JC, Groenewegen LJM (1967) On light-sensitivity in germinating uredospores of wheat brown rust. Neth J Plant Path 73:83-102

Zadoks JC, Klomp AO, Van Hoogstrate SD (1969) Smoke puffs as models for the study of spore dispersal in and above a cereal crop. Neth J Plant Path 75:229-232

Zadoks JC, Schein RD (1980) Epidemiology and plant-disease management, the known and the needed. In: Palti J, Kranz J (eds): Comparative epidemiology - A tool for better disease management. Pudoc Wageningen, 1-17

Zillig H (1950) Der Pflanzenarzt. Z Pflanzenkrankh 57:81-87

Sachverzeichnis